天下文化
BELIEVE IN READING

文創文化BCC026

哲學與人生 上

全新修訂版

傅佩榮 ——著

目錄

新版序

每個人都是哲學家

五十年前我開始念哲學。我的學習順序是：先西方，再中國。這種順序使我了解，一套高明的哲學必須兼顧三點，就是：澄清概念、設定判準、建構系統。這三點聽起來像是專業術語，是少數哲學家才能做到的要求，事實上不然，每個人都是或隱或顯、或大或小的哲學家。

「哲學」的原意是「愛好智慧」。凡有理性之人，無不希望知道多一點、深一些，到了最高層次，不正是愛好智慧嗎？平常與人聊天，少不得要澄清概念，「我不是這個意思……」、「我的意思是……」這一類的話，可以減少誤會、改善溝通效果，使彼此更為明白真實的狀態。希臘時代的柏拉圖留給世人一部《對話錄》，其中大多數篇章沒有明確結論，因為對話過程即是思想的辯證過程，誰對誰錯，反而不那麼重要了。

我們說的每一句話，都是一個判斷，像「今天很冷」、「張三很勇敢」。任何判斷都需要衡量的標準，稱為判準。那麼，判準要如何設定呢？到法院去旁聽一場律師的辯論，就會明白莊子在〈齊物論〉所謂的：當兩人辯論時，天下沒有人可以擔任裁判。哲學的任務在此更進一步了，要分辨「真假、善惡、美醜」等等的判準。

分辨的過程遠比結果更具啟發性，因為你由此知道雙方的立場，是唯心論還是唯物論、有神論還是無神論、理性論還是經驗論、生命哲學還是歷程哲學，然後再往下細分。一個人不必爭取天下人的認同，但至少要了解自己在說什麼，以及為何這麼說。

澄清概念與設定判準之後，才是最大的挑戰，就是建構系統。可以建構系統的，才是哲學家。所謂系統，是指能夠回答一個問題：自然界與人類有沒有「來源與歸宿」？來源與歸宿是一體之兩面，從哪兒來的也回哪兒去，莊子在〈大宗師〉說「善吾生者乃所以善吾死也」，意即：那妥善安排我出生的，也將妥善安排我的死亡。我是如此，萬物亦然。在莊子看來，答案即是「道」。在西方，則答案包括柏拉圖的「善之理型」，亞里斯多德的「第一不動之推動者」，中世紀以來的「上帝」，或「存在本身」。這些名稱，都指向那唯一的來源與歸宿。

能做到建構系統，才可以清楚回應「人生有無意義」的問題。哲學與人生的關係至此確立。由此不難理解為何要說：「沒有哲學，人生是盲目的；脫離人生，哲學是空洞的。」

我自一九八五年起，在台灣大學為全校同學開了一門通識課程，名稱就是「哲學與人生」。這門課被同學們評選為最優通識課程，反映了年輕心靈對人生的關懷與對智慧的嚮往。以上課錄音為底本，修訂成書於二〇〇三年出版，又於二〇〇五年在大陸出版，印行的正版與非正版的總數約有八十萬冊以上。

二〇一六年秋，大陸開始流行線上課程，我受邀把「哲學與人生」重講一遍，每集十分鐘，共二六〇集。我珍惜這樣的機緣，於是認真思考這些年的學習心得，在三個月內完成這份工作。由字數與篇幅看來，新版的材料比原版增加百分之五十以上。增加的部分有西方的，也有中國的。對西方哲學，我努力做到選擇重點與忠實介紹；對中國哲學，我的心得與新見就遠遠超出原版的範圍了。我還在繼續學習與思考中。

新版的完成，要特別感謝王喆先生與他的工作團隊。王先生畢業於上海交通大學，是核子工程方面的高材生。他事業有成而熱衷求知，參加我在民間開設的一系列國學經典課程，熟悉我的哲學立場與人生觀。最初他表示有意把「哲學與人生」的錄音檔改寫為文字時，我還有些疑慮，怕給他添麻煩，也擔心工作成效未必理想。結果呢？只能用「喜出望外」來形容我的心情。他還為許多重要引文找到出處，方便讀者參考。這本書總結了我五十年來的哲學心路歷程，無疑是最貼近時代與社會的，希望與讀友共勉。

二〇一八年一月九日

初版序

哲學與人生

先引一段簡單的對話。

學生問：「人生有什麼意義？」

老師答：「人生的意義就在於：你可以不斷地詢問『人生有什麼意義？』」

這也是一段真實的對話。人生無異於詢問的過程，因為人有理性，所以要求解釋，於是每一個人在生命的某一階段，總會浮現一種深刻的願望，想要了解「與自己有關的這一切」究竟是怎麼回事。

「哲學」做為一門學問，原來只是一種生活態度，就是保持好奇的天性，探詢一切事物的真相。這種態度稱為「愛智」。自從蘇格拉底說：「沒有經過反省檢驗的人生，是不值得活的。」許多人開始覺醒，並且思考自己的人生應該何去何從。的確，哲學脫離人生，將是空洞的；人生缺少哲學，將是盲目的。我的老師方東美說：「哲學不能烘麵包，但是能使麵包增加甜味。」換言之，哲學不能當飯吃，但是能使人知道吃飯是為了什麼。

我自十八歲開始研習哲學，至今三十五年。先由西方哲學入手，知道哲學家必須具備「澄清概念、設定判準、建構系統」的功力，否則難以形成一貫的見解，更談不上引領時代的思潮。西方如此，中國亦然。我近年致力於解讀儒家與道家的經典，發現其中所蘊含的人生智慧，可以與西方哲學家的最高境界並駕齊驅而相融互攝。經由合宜的詮釋，我們可以同時品味及享用中西雙方的成果，進而在回答自己「人生有什麼意義？」這個問題時，會覺得充實、圓滿而喜悅。

我在台灣大學為全校同學所開的通識課程，名稱即是「哲學與人生」，十餘年來選課學生將近一萬人。我在設計課程內容時，兼顧西方與中國，側重人生與文化，而以哲學的思辨方法貫穿其間。以下稍作說明：

在開宗明義介紹「哲學是什麼？」之後，我以西方為焦點，探討「思想方法」、「人性的真相」、「神話與悲劇」。這些是普遍的知識背景，提供了由人生省思走向哲學的途徑。接著，西方哲學家之中對人生做過親切考察的不在少數，我以希臘時代的「蘇格拉底」與當代的「存在主義」為代表，並且以「荒謬之超越」為其壓軸，由此顯示現代人困處於荒謬情境，仍可力圖超越。

到了課程後半段，首先綜述「中國哲學的起源與特質」、「儒家的風格」與「道家的智慧」。許多同學至此忽然覺悟，原來自己的傳統文化中也有哲學，也有體大思精的人生哲理，也有玄妙卓越的人生境界。只要心平氣和，不存任何偏見，將會發現所有文化都有其安身立命的祕方。我們對自己的文化多加認識，取精用宏，使之再現生機與活力，不是十分恰當嗎？

既然談到人生，就不可忽略「藝術與審美」、「宗教與永恆」、「教育與自我」這三個題材。我們由哲學角度所作的解析與評論，是否較為周全？是否會比「見仁見智」稍好一些？最後的結論是「文化的視野」，這也是通識教育的目的所在，希望有助於拓展學生的眼界與心胸，使他們不僅培養獨立思考的能力，也能在特定議題上採取合理的原則與立場。

這門課於一九八六年開始講授，當年我即倖獲民生報評選為校園熱門教授。十年之後，竟又被台大學生的「終身學習網站」票選為全校最佳通識課程第一名。我在教學時「樂在其中」，而無意以此自滿。

我從歷年來每次上課之後的「問與答」，學會了表達、答問與論辯的技巧，使我提升了與人分享心得的能力。我的講義內容不斷增訂，並由清涼音文化公司製成錄音帶，但未發行。承天下文化出版公司美意，將上課錄音整理為文字，再經修訂潤飾而成此書。在此，要特別感謝天下文化的編輯同仁，尤其是主編李桂芬小姐、特約策畫曾文娟小姐，以及編輯方怡雯小姐。十餘年來的心血付梓，只有感恩與喜悅可說。

二〇〇三年十月

第一章

哲學是什麼？

歡迎來到哲學的世界

蘋果電腦創辦人賈伯斯（Steve Jobs，1955 – 2011）晚年曾說：「我願用一生的成就與財富，換取同蘇格拉底（Socrates，469 – 399 B.C.[1]）共處一個下午。」我們一定很好奇，身為成功企業家的賈伯斯為什麼會如此崇拜一位古希臘哲學家，哲學究竟是什麼呢？

如果把人生比作航海，哲學就是航海的指南針，它會告訴我們現在在哪裡，方向目標何在，以及為何要達到那個目標。

在現實生活中，常有人笑稱，哲學家就是整天在一片漆黑的房子中尋找黑貓的人，他們的話令人難以捉摸又難以信服；也有人抱怨，哲學是把簡單的東西說成複雜，把原本懂的事情說得讓人迷惑不解。然而，果真如此嗎？

我們到圖書館查看資料，都有圖書編號。編號「0」代表總類，包括辭典、百科全書等工具書，編號「1」則是哲學類。在我四十多年的哲學教學生涯中，聽到許多同學抱怨，說接到臺灣大學錄取通知書後，全家人歡欣鼓舞，放榜後一看是哲學系，全家哭成一團。哲學系學生不僅就業困難，而且能否讀懂專業書籍都是問題，怎麼會排第一位呢？

這是因為在西方學術傳統中，哲學是「一」，代表它既是「開始」的學問（一切學問之基礎），也是「最後」的學問（一切學問之統合）。所有專業的最高學位都是「博士學位」，英文為Ph. D.（Doctor of Philosophy），即「哲學博士」，表示任何一門專業學問所能抵達的最高境界都屬於哲學層次。

哲學是「開始」的學問。任何專業學科都需要從最基礎的定義開始，逐步構建學問的大廈，而定義就是哲學的思考方法，屬於哲學的範疇。

哲學也是「最後」的學問。西方人稱哲學為「學問中的學問」[2]（Scientia Scientiae），一般專業學科的特點是分而不合，哲學則具有統合性，能統合一切知識。人的生命是完整的，我們所學的知識能否對我們的人生有所啟發才是關鍵。哲學恰好可以起到提綱挈領、指引人生的明顯效果，是一切學問之母。

哲學與人生有何關係？

我的老師方東美經常引用羅馬文豪西塞羅（Marcus Tullius Cicero，106 – 43 B.C.）的話：「哲學，人生之導師，至善之良友，罪惡之勁敵，假如沒有你，人生又值得什麼！」說明哲學能幫助我們判斷價值，明辨是非，指引人生的方向。

法國作家蒙田（Michel de Montaigne，1533 – 1592）說：「沒有比哲學更輕鬆愉快的科目了。」這表明哲學可以帶領我們步入快樂的生活，前提是按照理性思考的規則，認真思考，步步深入，慢慢將會明白哲學就是「愛好智慧」。

古希臘神話中就有智慧女神雅典娜（Athena），「智慧」一詞神奇而美妙，令人心生嚮往。愛好智慧正是一種理想的生活態度，讓我們保持開放的心靈，一起迎接真理的曙光。

1　西元七三一年，英國學者彼得（Peter）編纂《英國人的教會史》，首次採用西元紀年。西元前為「Before Christ」，簡稱「B.C.」；西元後為「Anno Domini」（此為拉丁文，意即上帝之年），簡稱「A.D.」。

2　學問中的學問，拉丁文Scientia Scientiae，英文Science of Sciences。scientiae是所有格，即of sciences，代表各種專業學問。

人的天性是愛好智慧

每個人，不管小孩還是成人，都渴望了解每一句話背後的真正含義，想要追求事件背後的真相是人的天性。哲學的英文為Philosophy，源於希臘文，由Philia和Sophia兩詞合成，意為「愛好智慧」。隨著我們深入了解將會發現，將哲學定義為「愛好智慧」，使得西方人才輩出並不斷超越前人的成就。我們首先來談什麼是「愛好」。

「愛」這個字在希臘文中有三種不同的寫法，分別為Eros、Philia和Agape，分別代表感性之愛、理性之愛和超性之愛。

Eros[3]，代表「情愛」，出於本能的感性衝動。Eros是古希臘眾神之一，充滿活力和追求的力量。其形容詞為erotic，一般翻譯為「情色」。這種愛過於熱情，讓人激動，不適合用於形容哲學上的「愛好」智慧。

Philia，代表「友愛」，常用來形容朋友間心平氣和，彼此尊重，共同分享思想觀念和人生經驗。羅馬文豪西塞羅曾說：「朋友就像陽光一樣，生活中若沒有朋友，就像人生沒有陽光。」友誼是溫和而理性的，充滿陽光與溫暖。哲學所講的對智慧的追求，就像朋友之間的友誼，是一種溫和、持久而理性的追求。

（一）智慧之「愛」，需要不斷學習

一個人的經驗有限，需要多借鑑他人的經驗。子曰：「學而時習之，不亦説乎？」[4]（《論語．學而篇》）《論語》一書開宗明義，首先強調了學習的重要性，人之所以有別於一般動物在於人有理性。理性的作用在於分辨，判斷哪一種事物更好，好壞標準何在。保持好學之心，將使我們由近及遠，對身邊所有事物產生興趣，並且認識得愈來愈深刻。愛好智慧的過程，就是不斷學習的過程。

（二）智慧之「愛」，需要勇敢抉擇

蘇格拉底被人誣告判處死刑，臨死前，學生們悲傷地問他：「老師，如果您走了，我們有問題該向誰請教呢，我們要選擇什麼做為生活的指導原則呢？」蘇格拉底說：「今後你們要按照你們所知最善的方式去生活。」今天認為最善的生活方式，明天發現更好的選擇該如何？蘇格拉底的建議是：且知且行，不要等待。

柏拉圖（Plato，427 – 347 B.C.）《對話錄》談到交友時，也曾舉過一則生動的例子，一個人走過麥田，想選擇一株最大的麥穗，開始時總以為後面會有更大的，到後來發現，後面的麥穗還沒有前面的大，結果空手而歸。

我們的人生好比入山尋寶，絕不能空手而歸。生活從現在開始，你在什麼地方，是什麼身分角色，你認為自己今天該做什麼，立刻去做；如果將來發現前面選錯了，再及時改正。人活在世上，首先要真誠面對自己，對自己負責，勇敢抉擇。

（三）智慧之「愛」，需要保持好奇心

古希臘時代有一句話說：「哲學起源於驚訝。」[5]看到花開花落、四季流轉，世界充滿變化，卻能繼續存在。這些變化的背後究竟有什麼永恆不變的東西存在？小孩對世界充滿好奇，也提醒我們應保持開放的心靈，保持一顆熱愛智慧、追求真理的好奇心。

（四）智慧之「愛」，給人以力量

我年輕時聽到老師說：「學西方哲學很困難，需要學習希臘

3　在希臘神話中，Eros是愛欲之神厄洛斯，愛神阿芙柔黛蒂（Aphrodite）之子。

4　譯文：學了為人處世的道理，並在適當的時候認真實踐，不也覺得高興嗎？時，為恰當時機。習，指認真實踐。參考《人能弘道：傅佩榮談論語》，天下文化出版，以下略同。

5　參考柏拉圖的《泰鄂提得斯》（*Theaetetus*）。原文：「驚訝，這尤其是哲學家的一種情緒。除此之外，哲學沒有別的開端。」

文、拉丁文、英文、法文、德文五種語言。」正是因為困難，所以激發了我的鬥志。對智慧的「愛」恰恰是一種力量，激勵我們一直朝目標前行。

Agape，代表「博愛」，常指宗教中泛愛一切、沒有差別的博愛。如佛教的「慈悲」，基督教的「博愛」，都是一種宗教性的無私的愛，層次非常高。

每一個人的生命都可以展現出上述三種愛。而哲學「愛好智慧」所指的「愛」，既不是如Eros般訴諸感性的激情之愛，也不是如Agape般無私的博愛，而是一種理性之愛，像交朋友一樣，溫和而持久，漸漸發展。最後我們會發現，通過學習哲學，慢慢接近智慧，真是人生一大幸福！

愛好而非擁有智慧

西方將哲學界定為愛好智慧，為什麼不能說擁有智慧呢？因為智慧是「屬靈的」（spiritual）。

何謂「屬靈」？人可以分為身（Body）、心（Mind）、靈（Soul, Spirit）三個層次。一個人的年齡、外貌屬於身的層面，可以被人直接看到而了解；一個人的內心想法、情感偏好和價值選擇屬於心的層面，可以通過交談而了解；一個人的靈的層面，即精神的層面，卻不易為他人所知。有些人明知會失敗，卻義無反顧；有些學生考試屢屢受挫，卻堅持用功；有些老年人身心狀態不好，卻精神矍鑠，展現出卓越的人生態度：支持這些人的動力正是來源於靈（精神）的層面。

古希臘人認為智慧是屬靈的，是神明的特權。因此，人不能完全擁有智慧，只能愛好而不斷追求智慧。所以我們應保持心靈開放，對一切有益於自己心靈的事物保持歡迎的態度。

蘇格拉底在這方面為我們做了很好的示範。他每天上街與人聊天，當聽到有人談及高尚、勇敢、美麗、善良、虔誠等評價字眼時，都會上前請教這些詞的真正含義。但幾番對話下來，卻沒有人能真正說清楚。這說明大多數人都是人云亦云，以為自己了解而事實並非如此。因此，蘇格拉底啟發我們，愛好智慧應努力追尋事物背後的真相，掌握真正可靠的知識。

小孩是天生的哲學家，凡事喜歡刨根問底。一個朋友的孩子在幼兒園聽到老師講什麼是民主，回家就問爸爸：「爸爸，沒有經過我的同意，你們為什麼把我生下來？」爸爸嚇了一跳，回答說：「因為爸爸愛你。」小孩不滿意，依然追問同樣的問題。媽媽回來後，回答說：「因為爸爸媽媽都愛你。」孩子仍不滿意，最後爸爸只得說：「爺爺奶奶也沒經過我的同意，就生下了我。」

我建議這位朋友如此回答：「孩子，你問得很好，不過你先想想，我們生下你是為了什麼？」「為什麼」是針對現在的結果而追問過去的原因，而「為了什麼」則是尋找將來的目的。這樣的問題會讓小孩陷於困惑而不再追問。

不光是孩子，我們每個人終將面對同樣的問題：活著究竟是為了什麼，即人生有什麼意義？在我教書四十餘年的生涯中，不斷有學生問我：人生有什麼意義？面對繁重的課業、升學考試，人生似乎毫無樂趣，不知意義何在。

我的回答是：「人生的意義在於你可以不斷地問『人生有什麼意義？』」這樣回答並非逃避問題，因為我們年輕時有很多問題，長大後都自然而然地知道了答案。但是，人生要永遠保持開放的態度，不斷問自己意義何在。

所謂「意義」就是理解的可能性。我們每天這樣生活，上學、上班、與人互動，請問：這樣的行為可以被理解嗎？如果能講個道理出來便有了意義。

哲學就是講道理。對於隱隱約約覺得對的事情，將其中蘊含的深刻道理清晰地表達出來，使之變得明明白白 —— 化隱為顯，這就是哲學的重要作用。

哲學是練習死亡嗎？

柏拉圖曾說：「哲學就是練習死亡。」當然，這絕不是要我們去自殺。柏拉圖受到古代奧菲斯（Orphism）教派思想的影響，認為人的靈魂不斷輪迴，身體只是靈魂的監獄，只有死亡才能使靈魂真正重獲自由。因此，「練習死亡」是說人的一生應不斷修練，逐漸擺脫身體、心智對靈魂的束縛。

近代德國哲學家叔本華（Arthur Schopenhauer，1788 − 1860）也有類似的說法，他曾說：「最高的道德就是自殺。」叔本華的思想受印度教經典的影響，認為宇宙萬物最後的基礎是「求生存的意志」（the will to live）。生命的本質就是意志，這種意志就是活下去的欲望。

人的意志永遠有所求。人生就像鐘擺，擺盪在欲望與無聊之間。欲望尚未滿足時，人會感到痛苦和煩惱；欲望滿足後，便覺得厭煩和無聊。這種強烈的占有欲，使得個人生命的發展給別人造成了壓力和傷害，人與人之間的關係變成「人為人是豺狼」[6]，每個人都要防範他人。因此，「最高的道德就是自殺」。

然而叔本華本人卻沒有自殺，因為他找到了兩種解脫方法：

一是發展藝術的審美情操（美感默觀），二是宗教信仰。藝術的審美情操表現為無關心的（disinterested）態度，比如看到一幅畫，畫了一個蘋果，觀賞者既不想求知 —— 了解產地，也不想擁有它 —— 吃掉它，而只是靜靜觀賞；宗教信仰可發展出慈悲、博愛的高尚情操，使「我」與他人成為同胞、兄弟姊妹，融為一體。

哲學的愛好智慧，不僅僅是理性的追求，更重要的是自我的修練，慢慢地擺脫本能的衝動和欲望的困擾。

孔子（551 － 479 B.C.）在《論語》中提醒我們：「要成為君子，必須戒愓三點：年輕時，血氣還未穩定，應該戒愓的是好色；到了壯年，血氣正當旺盛，應該戒愓的是好鬥；到了老年，血氣已經衰弱，應該戒愓的是貪求。」[7]（〈季氏篇〉）血氣正是指身體本能的衝動欲望，我們應該不斷修練，化解欲望衝動的影響。

除此之外，更應進一步修練自己的心思，不要胡思亂想。《論語．子罕篇》[8]中提到孔子沒有四種毛病：不憑空猜測，不堅持己見，不頑固拘泥，不自我膨脹。孔子正是通過修練，達到了這樣的人生境界。

研究哲學家的理論，不能只了解一半，而應全盤通曉，千萬不能誤會。

有些學者花了十年的時間研究黑格爾（Hegel，1770 － 1831）早年的思想，好不容易研究到他晚年的思想，發現他說「我早期的思想不算，那時還不成熟」，讓人白費了好多精力。與外國學者不

6　叔本華。原文拉丁文：Homo homini lupus est.。homo，人；homini，為人；lupus，狼。

7　原文：孔子曰：「君子有三戒：少之時，血氣未定，戒之在色；及其壯也，血氣方剛，戒之在鬥；及其老也，血氣既衰，戒之在得。」

8　原文：子絕四：毋意，毋必，毋固，毋我。

同，中國先秦的儒家、道家的學者們，都是先形成一套完整、系統的思想後，再出來發表見解，如，子曰：「參乎！吾道一以貫之。」[9]（《論語・里仁篇》）

我們要了解每個哲學家的完整學說以及背後的根據，不能斷章取義。

柏拉圖說：「身體是靈魂的監獄，靈魂才是真正的自我。」最近有一種類似的說法頗有道理：「生活的步調要慢一些，以使靈魂能跟得上我們的腳步。」學習固然重要，但真正的人生智慧絕不能脫離實踐，說得一丈不如行取一尺。比如，教育孩子身教勝於言教，自己親身示範最具說服力，絕不能留給孩子一個「說說就算了」的印象。

《中庸》中提到：「別人一次就辦到的，我就算做一百次也要辦到；別人十次就辦到的，我就算做一千次也要辦到。」[10]（第二十章）但是，只要做到了，都是一樣的做到。這恰恰說明了實踐的困難。沒有人一出生就具備良好的德行，任何人能有卓越的表現，都是經過長期艱苦的修練得來的。因此，愛好智慧絕不能忽略修練的重要性。

理性反省是關鍵

強調理性反省的重要性，在西方有其特殊的歷史背景和意義。西方從羅馬帝國開始，經過一千三百多年的中世紀，到十五世紀出現文藝復興，十六世紀宗教改革，十七世紀科學革命，十八世紀啟蒙運動，十九世紀浪漫主義，由此一路發展，造就了西方文明領先世界的局面。

黑格爾說：「西方哲學經過漫長的中世紀，當看到法國的笛卡兒出現時，就像海上航行很久的人高呼：『陸地到了，陸地到了！』」把笛卡兒比作陸地，是因為在長達一千三百多年的中世紀，人們有堅定的宗教信仰，普遍相信上帝的存在，認為所有真理都在《聖經》中，因而一般人很少用理性思考。而笛卡兒開始「以理性探討真理」，可謂石破天驚，在當時西方世界具有革命性的意義。

笛卡兒（René Descartes，1596 － 1650）被譽為「近代哲學之父」。他是法國貴族子弟，虔誠的天主教徒，幼時受過良好的教育，在數學特別是解析幾何方面頗有天賦。他二十三歲從軍，期間連續幾個晚上作了三個夢，使他相信自己具有特殊的使命——「以理性探討真理」。

在笛卡兒之前，哥白尼（Nicolaus Copernicus, 1473 － 1543）提出「日心說」，違反了《聖經》的說法，很多科學家亦因此遭到教會的迫害，然而追求理性的思潮逐漸由自然科學界蔓延到思想界。

笛卡兒的代表作是《方法論》（*Discours de la méthode*），完整翻譯為：正確引導理性，在科學中追求真理的方法導論。之所以強調方法的重要性，是因為自古至今，每當出現方法的革新，都會引領人們對世界產生全新的認識。

西方哲學起源於古希臘。古希臘第一位哲學家泰勒斯（Thales，624 － 550 B.C.）有兩句名言：「宇宙的起源是水」、「一切都充滿神明」。他第一次走出古希臘的神話世界，回到人的世

9 譯文：孔子說：「曾參啊！我的人生觀是由一個中心思想貫穿起來的。」

10 原文：人一能之，己百之；人十能之，己千之。

界，用人類可觀察的現象解釋萬物的根源，試圖用水的固、液、氣三態的變化說明萬物的變化。

近代心理學家佛洛伊德（Sigmund Freud，1856 － 1939）改變觀察視角，發現人的意識之下有巨大的潛意識（the Unconscious）世界，從而為心理學研究開拓了新的天地。

笛卡兒不再遵循《聖經》的啟示，而是用理智重新確立知識的基礎。笛卡兒說：「每一個人在一生之中，至少要有一次，要去懷疑所有能被懷疑之物。」

人由感官獲得的感覺是不可靠的。比如，把筷子放到水中，由於水的折射作用，使筷子看起來是彎的；兩條鐵軌延伸到遠方，看起來似乎是交會在一起了；一個方塔，從遠處看像是圓的。因此，視覺、聽覺、觸覺等一切感官所掌握的都可能使我們上當。

同時，人的理智也是不可靠的。比如數學推演有可能出錯，每年的諾貝爾獎得主正是由於他們推出前人推不出的原理而獲獎，同時這些成果也一定會不斷被後人超越。因此，科學家總是保持謙虛的態度。牛頓（I. Newton，1643 － 1727）說過：「我好像在海邊玩耍的孩子，常常為撿到更美麗的貝殼沾沾自喜，而展現在我面前的是完全未探明的真理之海。」

現存的一切都可能是在睡夢中出現的。比如現在的虛擬實境技術（VR，Virtual Reality）能營造出逼真的環境，其實它並不存在。

那麼究竟什麼是真正存在的東西呢？當懷疑一切的時候，正在懷疑的這個「我」是必須存在的，否則是誰在懷疑呢？由此，笛卡兒提出「我思故我在」，從而拉開了西方近代哲學「以理性探討真理」的序幕。

我思故我在

有人開玩笑說「我思故我在」應該倒過來說「我在故我思」，也有人說「我笑故我在」、「我愛故我在」……這都不是笛卡兒的本意。如果說「我在故我思」，可是有很多人雖然存在，但並不思考。

笛卡兒懷疑一切，但那個正在懷疑的「我」是不能被懷疑的。懷疑屬於思想的作用之一，「思想」包括懷疑、想像、感受、意願等，因此可以說「我思故我在」（Cogito, ergo sum.）。這句話究竟應如何理解呢？

1. 我思＝我在。

這句話既不是假設命題「如果我思考，那麼我存在」，也不是三段論的推論「凡思想者皆存在，因為我思想，所以我存在」，而是自明的直接判斷：我思＝我在。

2. 我＝思。

笛卡兒認為：我就是「我的思想」，這開啟了唯心論傳統。「我」的本質就是「我的思想」，思想是理解的過程與作用，無形可見；而身體有形可見，具有長、寬、高三個維度。這樣把人的身體與思想區分開來，成為「身心二元論」，或稱「心物二元論」。

比如，一個人少了一隻手、一條腿都還是人，而如果沒有了頭，就不是人了。一個人的外貌可通過整形而改變，但他的思想不會因此改變。中國人說的「知人知面不知心」，也表達了同樣的道理。

笛卡兒的思想啟發我們應該重視人的思想教育。年輕時，人們可以輕鬆用大腦控制身體，做出各種複雜的動作、豐富的表情，但年老後，身體的控制力明顯下降，我們不得不承認思想才是真正的自我。

笛卡兒之所以被稱為近代哲學之父，是因為他提出了新的方法，為哲學開創了新的格局。他提出，要找到知識的可靠基礎，有四種方法：

1. 自明律：絕不承認任何事物為真，直到獲得清晰而明白[11]的觀念為止。

清晰（clear）是指該物本身清晰可見；明白（distinct）是指該物與其他物體有明顯的區分。

2. 分析律：化繁為簡，了解複雜的東西，必須先分析它最基本的因素。

譬如，一位老師將一塊錢硬幣丟到一片草地上，讓學生去找。如果毫無章法去找，不容易找到。如果把草地分成若干區塊，每個同學負責一塊，則很容易找到。

3. 綜合律：由簡而繁，把複雜事物分成簡單成分，一一了解透澈後，還要重新組合成一個整體，形成複雜的知識系統。

無論分析還是綜合，都要求精準，需要接受科學的訓練。比如要了解一個國家的國民性，應從個體入手，深入了解後再設法綜合形成完整的見解。

4. 枚舉律：應用例證，做周詳而全面的檢查，確保沒有遺漏。

比如，我們了解馬的某種特性後，要檢查是否對不同顏色、不同品種的馬都適用。

笛卡兒的方法啟發我們要從理性出發，懷疑一切可被懷疑之物。當找到可靠的基礎時，則不再懷疑，而是要接受它，以此構建可靠的知識大廈。懷疑只是方法，不是我們的最終目的。

智慧要完整思考人生

哲學可用三句話來描述：1. 哲學就是培養智慧；2. 哲學就是發現真理；3. 哲學就是印證價值。「智慧」、「真理」和「價值」是三個令人嚮往的名詞，我們應設法了解它們的真正內涵。

培養智慧

詩人艾略特（Thomas Stearns Eliot，1888 － 1965）在《岩石》（*The Rock*）中寫道：「我們在資訊裡面失去的知識，到哪裡去了？我們在知識裡面失去的智慧，到哪裡去了？」這句話裡面提到三個概念：資訊、知識和智慧。

1. 資訊。我們每天都會接觸到，打開電視、手機、電腦，到處充滿資訊，但往往都是片段，不夠完整，缺乏前因後果，沒有系統性。

2. 知識。特色是針對某一專門領域或某一專業範圍進行深入研究，進而形成相對完整的理論系統。當今大學分科分系，都屬於專業分科的知識，但知識的特點是分而不合，可以造就專家，但難免比較狹隘。

愛因斯坦（Albert Einstein，1879 － 1955）曾說：「專家只是訓練有素的狗。」他不是罵人，而是提醒我們，要設法突破自己專業的局限，不斷提升、拓展自己的視野。

子曰：「君子不器。」（《論語．為政篇》）指立志成為君子的人，不能滿足僅僅成為一個有特定用途的器具，而應當在掌握專業

11　清晰而明白：拉丁文clara et distincta，英文clear and distinct。

技能的同時，實現人格的全面發展，滿足人在身、心、靈各層次的發展需求。比如欣賞藝術、了解宗教，特別是道德實踐，更是生命中不可或缺、不能錯過的。

3. 智慧。與人的生命完整性密切相關，不像知識分而不合，智慧有兩個特徵：一是完整性，二是根本性。

智慧的完整性

人的生命是完整的，思考人生問題，首先要考慮生命架構的完整性。人的問題應涵蓋身、心、靈三個層次，靈指精神層次，包括看不到的人生觀、價值觀、人生理想等。

其次還要考慮生命歷程的完整性。人的一生可用十六個字概括：生老病死，喜怒哀樂，恩怨情仇，悲歡離合。「生老病死」是人生的完整歷程，「喜怒哀樂」是人的豐富情感體驗，「恩怨情仇」涉及複雜而多彩的人際互動，「悲歡離合」總是無情而循環往復。

能夠了解人生的完整歷程，就會對人生中的許多小事釋然，也更容易理解人性的脆弱。人不同於其他動物之處在於人有自由，而自由恰恰意味著我們有一半的可能會選擇錯誤，因此，我們應互相寬容、互相關懷、互相幫助。

有些話只關注了生命的某一層次，如「人生最重要的是保持健康」，這種說法有失偏頗，它只強調了身體的層次，而忽略了心和靈的層次，因此說「保持健康是必要的」較妥帖。何謂「必要」，就是「非有它不可，有它還不夠」。比如吃飯是必要的，因為非吃飯不可，只吃飯不夠。人與動物的區別不在於吃飯，而在於理性思考。

總之，智慧的完整性，要從人「身、心、靈」架構的完整性，以及整個生命歷程在時間發展的完整性上綜合考慮。

智慧探討的根本問題

智慧的根本性

人生有三大根本問題：痛苦、罪惡和死亡。從古至今，沒有人能用理性給出透徹的答案，這三個問題稱為「人生三大奧祕」。奧祕（mystery）與問題（problem）不同：問題預設了解答，一旦答案出現，問題就不存在了；奧祕則沒有固定的答案，人必須親身體驗，與它一起生活，慢慢探索與發現。因此，智慧是無法傳授的。

（一）痛苦是什麼

人生病時，會體驗到身體的痛苦；與相愛的人生離死別時，會經歷心理的痛苦；還有些人，表面上一帆風順、心想事成，卻仍然感到痛苦。美國有個調查，有錢人的孩子到中年時特別容易感到人生乏味，父母為他們準備好了一切，但他們由於缺少與物質的內在聯繫，而不會特別珍惜。相反地，我年輕時辛苦打工兩個月才攢錢買了一雙鞋，我會倍感珍惜和喜悅。有些重要紀念品的價值不在於價格，而在於人與人之間的情感聯繫。

談痛苦最深刻的是佛陀釋迦牟尼（Śākyamuni，560 – 480 B.C.），他是古印度迦毗羅衛國的王子，出生後，國王擔心他出家，讓他十六歲時就早早成婚，十七歲生子，二十九歲才允許他第一次離開王城。釋迦牟尼出城見到四種人：老態龍鍾的老人，痛苦哀號的病人，令人毛骨悚然的死人和出家的僧人。他被深深震撼，發覺眾生皆苦，於是決意出家修行，尋求解脫之道。佛教四大真理第一就是「苦諦」，說明痛苦是普遍存在的。

（二）罪惡是什麼

世間很多人明知有些事不對卻偏要做，犯下罪行，害人害己。有句話「好人不知道壞人有多壞，壞人也不知道好人有多好」，有人生閱歷的人都會深有體會。好人常常從好的角度想像別人，對壞人缺少防備；壞人常常從壞的角度設想別人，以小人之心度君子之腹。最有名的故事是曹操為躲避董卓的追殺，投奔好友呂伯奢，呂伯奢上街買酒，命家人殺豬待客，曹操聽到磨刀聲，誤認為要殺他，於是殺了呂伯奢全家。

罪惡讓我們深深困惑，為什麼人與人之間總是容易產生誤解，散布仇恨？壞人非存在不可嗎？到底什麼是人性？人性是善的還是惡的？是可善可惡的還是無善無惡的？

（三）死亡是人生最大的奧祕

俗話說：「千古艱難惟一死。」希臘史詩《伊利亞德》（*Iliad*）中的英雄阿基里斯（Achilles），死後進入地獄，不禁感嘆道：「我寧可活在世間做別人的奴僕，也不願意在死者的幽靈中稱王。」把死亡描繪成陰影般的幽靈，沒有陽光和希望。

死亡的問題一出現，人生意義的問題立刻浮現。二十世紀，西方最重要的哲學家海德格（Martin Heidegger，1889 － 1976）認為人「向死而生」。人是所有生物中唯一知道自己的生命終將結束的。如果忘記這一點，人很容易過一天算一天，裝出別人喜歡的樣子，忘記生命的緊迫感。如果常把死亡問題拉到眼前，人會非常認真、非常真誠地選擇要過什麼樣的生活，生命的每一剎那都不會輕易錯過。

孔子的學生子路曾問老師什麼是死亡，孔子回答：「沒有了解生的道理，怎麼會了解死的道理？」[12]（《論語．先進篇》）孔子當然了解死亡的道理，只是對於子路這樣的行動派，他不願講得更透澈。

痛苦、罪惡和死亡，是我們難以完全掌握的人生三大奧祕，我們只能慢慢了解和親身體驗。因此，智慧既非感官所得到的印象，也非理性所得到的知識，而是具備完整性與根本性的覺悟。

發現而非發明真理

發現真理

每個中國人都喜歡「真理」這個詞，代表既真實可靠又有道理，讓人感到神聖而不可侵犯。到底世界上有沒有絕對真理？

與「絕對真理」相對應的是「相對真理」，即兩人各說一套，聽上去都有些道理，卻無法確定究竟誰正確，因而誰也不服氣，彼此懷疑。如此一來，建構普遍的知識系統就成了大問題。在探討「有無絕對真理」之類的問題時，我們應按照哲學的要求，先界定每個字的意思。所謂「真理」究竟是什麼意思？

在西方，「真理」就是真實（truth），一般有三種用法：

這裡的「真理」只適用在一句話上，該句話的描述有客觀的根據，則為真。比如有人說：外面現在正在下雪。你可以馬上走到室外去觀察，驗證這句話的真偽。如果現在果然在下雪，那麼這句話就是真。

（一）指某句話（判斷）與客觀情況相符合（correspondence）

（二）指某句話（判斷）在一個完整的系統中，圓融一致（coherence），沒有矛盾

（三）指相互間可以開顯（manifestation）

如，數學命題1+1=2，只要先規定好數字的定義及運算定理，

12　原文：季路問事鬼神。子曰：「未能事人，焉能事鬼？」曰：「敢問死？」曰：「未知生，焉知死？」

然後按規則推演，那麼推出的結論就是真的，即使到月球上也不例外。

又如，我認為孔子的主張是「人性向善」，因為這與孔子的所有言論都沒有矛盾。孔子說：「只要我願意行仁，立刻就可以行仁。」[13]（《論語．述而篇》）又說：「有德行的人是不會孤單的，他必定得到人們的親近與支持。」[14]（《論語．里仁篇》）何以如此？因為人性向善。

別人說的一句話，通過開顯，可以讓我了解某些事的真相。如何判斷別人說的是否正確？也許我目前的年紀無法了解，只有隨著個人成長，有更多人生閱歷後才能判斷。

希臘文中的「真理」叫做alētheia，即英文中的discover，dis表示揭開，cover意為蓋子，合起來，真理就是揭開蓋子的遮蔽，發現真理。

我們從小遵從父母、老師的教導，未經反省就接受了許多觀念，未曾懷疑這些觀念的可靠性。比如，「應該做個好孩子」、「善有善報，惡有惡報」、「好好學習，將來一定有發展」等等，雖然這些話都是好話，但是否可靠就不得而知了。我們一路成長，直到碰到教訓時，才會反思自己以前接受的觀念是否正確。

人活在世界上，不可能沒有自己的問題、盲點和執著。人最難克服的就是個人的成見。不同的語言、生活習慣、宗教信仰都像蓋子一樣遮蔽真相，我們應該努力揭開蓋子，去掉遮蔽，發現真理。

我們平常討論的真理都是相對的。以「美」為例，美是一種評價，「美」這個詞與「人」本來沒什麼關係，如果將「美」和「人」兩個概念連在一起形成判斷，就要先規定美的標準是什麼，但是不同文化背景的人對美的看法通常各不相同。

《Discovery探索頻道》報導，緬甸有個民族認為女孩的脖子愈長愈美麗，所以小女孩從七、八歲就開始戴脖環，拉長脖子。由於長期佩戴脖環摩擦，有些女孩脖子上的皮膚出現潰爛，但記者採訪時，小女孩笑得十分燦爛，認為自己很美。

《莊子．德充符》[15]中有一則寓言故事，說齊桓公非常欣賞前來遊說的一個大臣，這個大臣由於得了大脖子病，脖子特別粗，齊桓公看到正常人，反而覺得他們的脖子太瘦長。《韓非子》中記載：「楚王好細腰，宮中多餓死。」由於楚靈王喜歡細腰的女子，因此宮女們為了討楚王的歡心，忍饑挨餓，甚至因此餓死。[16]

這些標準是由某地風俗而定或由某人愛好而定，缺乏普遍性。

那麼到底有沒有「絕對真理」呢？答案是：有。因為如果沒有「絕對真理」，「相對真理」憑什麼存在？

「絕對真理」就是「這個世界究竟是存在，還是虛無？」如果有人說：「這一切都是虛幻的，因為一切充滿變化，最後都不見了。」我們可以反駁：「你說『這一切都是虛幻的』，請問『這一切』既是虛幻，你所謂的『這一切』指什麼東西？」此外，既然說「虛幻」，一定是針對「真實」，如果不知道什麼是「真實」，憑什麼說「虛幻」呢？這裡使用了辯論的技巧，通過語言分析，我們可以很容易地找到反駁的關鍵點。

「絕對真理」肯定是存在的，否則，我們現在都是在作夢，一切都不必談了。

那麼誰可以得到絕對真理？誰的話可以算作絕對真理？這是更

13　原文：子曰：「我欲仁，斯仁至矣。」

14　原文：子曰：「德不孤，必有鄰。」

15　原文：甕瓮大癭（一ㄥˇ）說齊桓公，桓公說（ㄩㄝˋ）之，而視全人：其脰（ㄉㄡˋ，脖子）肩肩。參考《逍遙之樂：傅佩榮談莊子》，天下文化出版，以下同略。

16　原指楚王喜歡細腰的臣子，後來這個典故家喻戶曉，逐漸被大家理解為楚王喜歡細腰的女子。

大的問題。我們每個人都在表達自己的見解，都認為自己掌握了真理，事實上未必如此。

「發現」和「發明」不同，沒有人可以發明真理，我們只能發現真理。因此，我們要保持開放的心胸，參考或接納不同的觀點，從不同的角度審視自己的情況，這是非常必要的。

人生價值需要印證

印證價值

什麼是價值？

（一）價值需要人的選擇才會呈現

沒有人的選擇，宇宙萬物並無價值可言。這並不是說宇宙萬物沒有價值，而是說，不經人的選擇，宇宙萬物的價值不能呈現。

（二）價值的呈現是相對的

不同時代，不同地域，同一樣東西可能呈現出不同價值。比如，在沙漠中行進、口乾舌燥時，面對「鑽石」還是「水」的選擇，大部分人會選擇水。此時此地，一杯水的價值遠遠超過鑽石。古希臘哲學家赫拉克利特（Heraclitus，535 – 475 B.C.）說：「驢子寧願吃草，不要黃金。」也說明了價值呈現的相對性。

宇宙萬物經過人的選擇，才有了價值上的區分，這種區分有利有弊。因此，價值需要人的選擇才能呈現。同樣的，人類社會中的價值，也需要人用行動來印證。

宇宙萬物與人最基本的差別在於：宇宙萬物是「實然」，人是「應然」。

「實然」指實實在在的樣子。自然界四季輪轉，晝夜更替，一切現象都按自然規律運轉，「自然」的就是「必然」的，沒有不同的可能。如有不同，科學家就會用新的理論，將其納入原有的知識體系中，科學也因而不斷進步。

對於人類世界，人的身體屬於「自然」，餓了就要吃，渴了就要喝。但是，人有別於動物的最大特色是：人有「應然」的問題。「應然」就是「應該做什麼」。比如，人應該孝順，講道義，守信用，尊重他人。然而，講「應然」恰好反映出：很多人沒有這樣做卻照樣活著，有些還活得很開心。

人有自由可以選擇。應不應該做，應該如何做，對錯誰規定，這些是人類社會最重要的問題。古今中外，人類教育都從「應然」著手，希望讓年輕人了解正確的行為規範，促進社會和諧。否則，人人為所欲為，後果不堪設想。

（三）實踐是檢驗真理的標準

比如，一個學生聽老師講「為善最樂」，他只能了解這個觀點，但缺乏實際的體驗。有一天，他坐公車，看到一個老太太上車，儘管坐著舒服，站著累，但是他勇敢站起來把座位讓給老太太。當看到老太太充滿感激的笑容的剎那，他感到心中的快樂由內而發，和得到錢、得到東西時的感覺完全不同。經過親身實踐，他真正體驗到行善的快樂。這時「為善最樂」由一句空洞的話，轉變為自己可具體實踐的「真理」。

人在行動時有兩種情況：

第一種是被動的，不得不做。比如，在公車上遇到我的老師，由於擔心不讓座會影響老師給自己的分數，很不情願地讓座。因為不是發自內心的，所以基本無快樂可言。

第二種是主動的，覺得這是我應該做的，不談任何條件。這需要我們慢慢練習，開始難免勉強，久而久之則習慣成自然。只有自發的、不講條件的行善，才能體驗真正的快樂。

儒家經典《中庸》提出「知、仁、勇」三種品德：「好學近乎知」，即多方學習才能接近智慧；「力行近乎仁」，即努力行善才是人生正途；「知恥近乎勇」，即知道羞恥才會勇於行善。實踐之後才會發現，果然行善為快樂之本。如果希望行善達到最佳的效果，則需要不斷地學習、思考和實踐。

蘇格拉底的母親是一位助產士，受母親啟發，他說：「我只是個助產士，幫助別人生出智慧的胎兒。」[17]別人的智慧對自己而言只是可以參考的知識，一定要親自印證後才能轉變為自己的智慧。

智慧與行動有關，愛好智慧可以實際改善我們的行為，這才是哲學的真正目的所在。

培養思考習慣

哲學需要生活經驗的配合。離開人生，哲學是空洞的；離開哲學，人生是盲目的。為了提升哲學素養，我們需要從四方面著手：培養思考習慣、掌握整體觀點、確立價值取向、力求知行合一。我們先談如何培養思考習慣。

在事情發生時，一般人常憑本能的感覺做出反應。大多數人遇到自己喜歡的顏色會心情愉悅，遇到工作同行會感到親切和易於溝通。

我們常以為自己的思想前後一致，仔細反省卻未必如此。

比如，在路上看到有人摔跤，我馬上前去扶起他，那一瞬間覺得自己真是正人君子；可轉念一想，前些日子風雨交加，同樣看到有人摔跤，自己卻無暇顧及，匆匆而過。難道自己是什麼人竟受天氣影響？

某天上班同事誇我髮型、衣服搭配得體，我心情愉快，對每個人都給予善意的幫助；又一天，同事對我評頭論足，我就誰也不理，不去幫忙。難道自己的表現竟由別人決定？

由此可見，我們的生命需要一根主軸，需要「一以貫之」的思想系統。這需要我們從培養思考習慣入手。

（一）培養思考習慣，不要把一切視為理所當然

我們常認為，父母愛子女理所當然。然而社會上多少父母未盡到責任，多少孩子被拋棄而寄養。我們也許認為，幫助別人，別人一定知恩圖報。事實則未必，無論身邊周圍還是戲劇小說，都不乏恩將仇報的例子。

不把世間的一切視為理所當然，我們就會思考：為什麼別人會對我好？我們就會對「人與人之間的適當關係」思考得更加深刻。

（二）培養思考習慣，要在不疑處存疑

當我們被蘋果砸到時，可能只會竊喜「有蘋果可以吃」，而牛頓則思考「為什麼蘋果往下掉，而不往上飛」，從而發現了萬有引力定律和運動三大定律。

八〇年代我在美國讀書期間，看到一本書《影響世界歷史的一百位名人》（*The 100: A Ranking of the Most Influential Persons in History*），排行榜的前五名中，有四位是宗教或學派創始人，分別是：排第一位的穆罕默德（Muhammad，569 － 632），伊斯蘭教[18]的創始人；排第三位的是耶穌；排第四位的是釋迦牟尼；排第五位

17　出自柏拉圖的《泰鄂提得斯》。

18　伊斯蘭教，雖然教徒只有十億，比基督徒二十五億的人數要少，但伊斯蘭教教徒對教義的信仰非常堅定，不接受別人的批評。在信仰的虔誠度上遠超過基督徒。因而將穆罕默德排在第一位。

的是孔子。排名第二位的居然是牛頓。

牛頓只是物理學家，沒有眾多信徒。但是，他打破了太陽東升西落的人類感官印象，用三大定律合理地解釋了地球自轉同時繞太陽公轉。英國詩人波普（Alexander Pope，1688 － 1744）這樣讚美牛頓：「自然界和自然規律隱藏在黑暗中，上帝說：『讓牛頓誕生吧！』於是，一切都變得光明。」[19]

一九九九年，同為科學家的愛因斯坦被美國《時代雜誌》評選為二十世紀的「世紀偉人」，他提出的「相對論」和普朗克（Max Planck，1858 － 1947）的「量子論」以及海森堡（Werner Heisenberg，1901 － 1976）的「不確定原理」，使人類從牛頓的古典物理學時代跨入了現代物理學時代，深刻地改變了人類對宇宙的認識。縱觀宇宙，我們的地球實在太渺小了，正是科學家極大拓展了人類的視野。

許多古希臘的哲學家同時也是科學家，他們對變化萬千的世界充滿興趣，想找到不同於神話解說的宇宙起源。泰勒斯提出宇宙的起源是水，他的學生阿那克西曼德（Anaximander，約611 － 547 B.C.）則認為宇宙的起源是「未定物」，他認為水的性質太確定，未定物沒有形狀，不受限制，才能演變成充滿變化的世界萬物。阿那克西曼德的學生阿那克西美尼（Anaximenes，約570 － 526 B.C.）則認為，「水」太過具體，「未定物」太過抽象，宇宙萬物的本原是「氣」。三代師徒的思想可以形容為「正」、「反」、「合」，這正是西方辯證思想的雛形。他們共同奠定了西方學者「長江後浪推前浪」的開拓精神，學生把超越老師、站在老師的肩膀上做為自己的責任。

培養思考習慣，不把一切視為理所當然，要在不疑處存疑，保持心靈開放，才能不斷更新自己的觀念。

掌握整體觀點

西方第一部系統完整的哲學著作是柏拉圖的《對話錄》。古希臘哲學在柏拉圖時代（427 – 347 B.C.）前兩百年已經出現，由於當時著作不易保存，只留下斷簡殘篇，不僅缺乏理論根據，更談不上構建系統。《對話錄》主要體例是記載了多人談話的內容，代表不同觀點正、反、合的思辨過程，這與中國哲學一開始就有明顯的差異。

按司馬遷記載，老子（約571 – 471 B.C.）比孔子生活的年代早三十年。因此，《道德經》[20]可以稱為中國首部哲學著作，其特色是：不對話，自說自話。《道德經》中大量出現「我」、「吾」、「聖人」等字詞，代表「悟道的統治者」，但沒有一處提到「你」，說明老子沒有對話的願望。老子代表年高資深、智慧圓滿之人，他在書中說出自己一生的心得，這與西方哲學注重對話、思辨有明顯的不同。

柏拉圖《對話錄》經專家考證，可靠的有二十六篇。早期的《對話錄》都以蘇格拉底做為主角。他與人談話辯論，大多沒有明確的結論，這表明對話重要的不在於結論，而在於論辯的過程。對話的正反雙方不斷吸收對方觀點的可取之處，向上提升，進而達到更高層次的「合」的境界。對話就是辯證法[21]的起源。

19　這是英國詩人波普為牛頓寫的墓誌銘。原文：Nature and nature's laws lay hid in night; God said "Let Newton be" and all was light.

20　有人認為中國最早的哲學著作是《易經》，伏羲氏畫卦雖然年代久遠，但只有符號，並沒有任何的文字解釋。周文王、周公為每一卦寫卦辭、爻辭，只是簡單的文字，不成系統。孔子及其學生作《易傳》，將儒家思想與《易經》結合，形成系統。

21　辯證法，英文dialectics；對話，英文dialogue。兩字字首相同。

要掌握整體觀點，一定要有開放的心態，愈多不同意見，愈有利於全方位把握整體。西方哲學由此非常注重思辨的過程。思考就是辯證過程：先肯定，再否定，再綜合。不斷將認識提升到更高層次，從而掌握整體觀點。

《莊子．秋水》用寓言生動地描寫了如何以整體的眼光看問題。秋天雨水來臨，千百條溪流一起注入黃河，河面水流頓時寬闊起來，連河對岸是牛是馬都分不清。於是黃河之神河伯得意洋洋，認為自己最了不起。他順流而下，東入大海，嚇了一跳，看不到東邊有盡頭，河伯不禁讚嘆海神的偉大。海神說自己在天地之間，就像小石頭存在於大山之中，中國在四海之內，就像穀倉裡的一粒米。莊子（約368 − 288 B.C.）生活在戰國中期，眼光卻能如此開闊，好似從太空中看地球一般，實在令人驚嘆。

法國作家雨果（Victor Hugo，1802 − 1885）說：「比陸地更廣闊的是海洋，比海洋更廣闊的是天空，比天空更廣闊的是人的心靈。」人做為萬物之靈，最大的特色是，人的心靈可以不受時代、地域的限制，超越可見的範圍之外而了解無窮的宇宙。

西方諺語說：「牛羊只會低頭吃草，人卻可以抬頭看天。」有篇國外的研究報告很有趣，指出人與動物的不同之處在於：人是所有動物中，唯一可直立行走的；人是所有動物中，唯一頭生長在脊椎上方的。

動物的頭生長在脊椎前面，自然低頭，方便尋找食物。人的頭生長在脊椎上方，可以抬頭看天。人與動物身體結構的差異，造成心靈上的無限差距，只有人，才有能力開創屬於人類自身的文化。

孔子是中國古代第一個說「吾道一以貫之」的學者。古代很多人像孔子一樣，學不厭，教不倦，但孔子能夠用一個核心理念把整個學問貫穿起來，形成完整的系統，界定人生的價值。了解孔子思想的關鍵是：掌握人的本性是什麼？有何依據？這樣的人性會開展出什麼樣的適當行為？西方大哲學家柏拉圖同樣也提出「一以貫之」的完整系統。掌握偉大哲學家的整體觀點，是我們學習哲學的重要目標。

確立價值取向

「取向」的英文是orientation，指「定位」和「方向」。人活在世上要有一套價值觀，以決定什麼是重要的，如何選擇，明確人生的定位和方向。年輕人容易被某些話感動，從而發現這一生的奮鬥方向。

柏拉圖出身雅典貴族世家，父母的親友都有良好的政治背景。他自幼接受雅典最完備的教育，在政界有光明的前途。古希臘時代，個人成就與城邦發展緊密相連，有為青年通過為城邦服務實現人生價值。柏拉圖曾是文藝青年，熱衷於悲劇創作，希望通過參加比賽摘得「桂冠」。

二十歲一次偶然的機會，柏拉圖上街聽到蘇格拉底與人談話後，回家一把火燒掉了自己的文學作品。從此每天上街尋找蘇格拉底，聽他與人談話。蘇格拉底談話的方式震撼了柏拉圖的心靈，讓他知道通過辯證思考，可以慢慢了解宇宙萬物的真相，特別是可以將人類世界的真、善、美、勇敢、謙虛、愛等價值一一呈現。柏拉圖勇敢地選擇將愛好智慧做為一生的奮鬥方向，最終成為偉大的哲學家。

子路是孔子的學生，比孔子小九歲，年輕時是個熱血青年，到處行俠仗義。古書形容他「頭上插著公雞毛，身上披著野豬皮，身佩利劍，路見不平，拔刀相助」。孔子很欣賞這個同鄉的年輕人，問子路：「為什麼不來跟我學習？」子路回答：「南山有竹，生下來就很挺直，砍下來當箭，可以射穿犀牛皮。」[22]（《孔子家語》）他認為自己是天生英雄，像南山的竹子一樣，天資卓越，無須學習。孔子的話更令人佩服，他說：「若在竹子前面裝上箭頭，後面插上羽毛，不是可以射得更深嗎？」[23]（《孔子家語》）這句話啟發了子路，通過學習修練，可使自己的才華實現更大價值，於是立刻決定跟隨孔子學習。

因此，人在年輕時要懂得分辨什麼才是更好的生活，一旦分辨則要勇於抉擇。

柏拉圖在《理想國》中曾說：「哲學者，擇善之學，與善擇之學也。」擇善，就是要選擇正確的；善擇，就是善於選擇。兩者配合，才能明確價值取向。人生沒有僥倖，不勞而獲只是幻想，現在追求什麼，將來就會得到什麼結果。

《孟子．告子下》中有一個故事。曹交問孟子：「周文王身高十尺，商湯身高九尺，我曹交身高九尺四寸，介於他們兩個之間，但是為何他們都當了帝王，我只會吃飯？」[24]孟子回答：「如果你穿上堯穿的衣服，說堯說的話，做堯做的事，那麼久而久之就會變成堯。」反之，學習桀就會變成桀。堯是古代賢明之君，代表善人；桀是夏朝的亡國之君，代表惡人。人要行善還是為惡，全在自己的價值取向。

我們學習前輩，要從其外在言行學起，老老實實地加以效法。《莊子．田子方》[25]中有一則資料，記載顏淵如何效法孔子。顏淵是孔子最好的學生，他說：「夫子步亦步，夫子趨亦趨，夫子馳亦馳，夫子奔逸絕塵，而回瞠若乎後矣！」意思是：老師慢行，我也慢行；老師快走，我也快走；老師奔跑，我也奔跑；但是老師奔走如飛，絕塵而去，我卻乾瞪著眼，落在後面了。顏淵正是跟著孔子亦步亦趨，由外在的言行模仿而逐漸內化到改變心靈，化被動為主動，成就了自己的人格修養。

學習沒有僥倖，人生中最好的學習機會是在年輕時代，年輕人容易看到前輩的成就而心生嚮往。有本書叫《英雄與英雄崇拜》，書中指出每一位英雄在年輕時都會崇拜另一位英雄。孔子年輕時崇拜周公，孟子年輕時崇拜孔子。這樣，人類社會才有希望在一代又一代的發展中保存前輩的風範。孟子比孔子晚出生一百七十九年，沒有機會向孔子當面請教，但他搜集所有與孔子相關的資料，從書中學習，「私淑」[26]這樣傑出的老師。這表明學習完全在於自己，確定價值取向，愈年輕愈容易有成效。

力求知行合一

「知行合一」是明朝中葉學者王陽明（1472 － 1529）宣導的，如今已成為中國人熟知的格言。古今中外的哲學家無不強調，學習不能離開行為和實踐。長期實踐展現的效果就是卓越的德行。

孔子晚年時，魯國國君魯哀公問孔子：「你的學生裡面，誰愛

22　原文：南山有竹，不揉自直，斬而用之，達於犀革。何學之有？

23　原文：括而羽之，鏃而礪之，其入之不亦深乎？

24　原文：「交聞文王十尺，湯九尺，今交九尺四寸以長，食粟而已，如何則可？」參考《人性向善：傅佩榮談孟子》，天下文化出版，以下同略。

25　司馬遷《史記》中描寫莊子「其學無所不窺」，說明莊子博學多識，遍觀古代書籍。《莊子》書中保留了不少古代的珍貴資料。

26　《孟子．盡心上》提出五種教育方法，第五種為「私淑艾者」，即靠品德學問使別人私下受到教誨。

好學習？」孔子回答說：「有一個叫顏回的愛好學習，不遷怒，不貳過，可算是好學的。」[27]（《論語．雍也篇》）可見，孔子認可的「好學」，絕不是書呆子，而是將學習的成效表現在行為上。

什麼是不遷怒？就是對張三的怒氣不發洩到李四身上。我教書四十多年，總算學會了顏淵的一半，即「不遷怒」，卻還做不到「不貳過」。記得我年輕時，有時會在上課途中與計程車司機發生口角，到教室時餘怒未消，先把學生教訓一通，學生們都感到很冤枉。可見，當時我的個人修養還不夠。經過多年努力，我現在總算可以不遷怒於人了。

什麼是不貳過？就是不犯相同的錯誤。做到這點真的很難。人容易犯的過錯，往往來自於一個人的性格特徵。現在流行十二星座性格分析，同樣星座的人行事風格確有相近之處，古代講究「人的八字如何」也是類似情況。一個人明顯表現出受星座、八字的影響，代表這個人的修養還不夠。人活在世上，生下來受到種種限制，我們應該慢慢擺脫各種內在和外在的束縛，讓自己走向完美。

孔子三千弟子，精通六藝的有七十二人，孔子只認可顏淵為好學之人，德行修養達到較高境界。可惜的是，顏淵比孔子還早兩年去世，這無疑給中國文化發展及儒家學術傳承造成了不可彌補的損失。但令人欣慰的是，「知行合一」的要求被一代代傳承下來。

要準確理解王陽明提出的「知行合一」，首先要分辨「知」的三種含義：

1. 專業的知。比如，大學分科系，每個領域都有專門的知識，必須經過專門訓練才能掌握。這種專業知識，與日常生活中的行為關係不大。

2. 日常生活的知。是指每個人可掌握的生活技能，如，怎麼坐飛機，如何使用手機查找地圖等。

3. 道德的知。這才是王陽明「知行合一」的關鍵點。

比如講「孝順」，我們就不可能完全做到。《孟子．萬章上》提出「大孝終身慕父母」，《孝經》中認為孝順就是「光宗耀祖」，讓自己立身處世走在人生正路上，不斷提升自己的德行，讓父母分享自己的成就和榮耀。

王陽明說：「知是行之始，行是知之成。」說明知是行動的開始，行動才是知的完成，知與行必須密切配合，不分先後。

譬如，一開始只是在書中看到「行善最樂」這句話，沒有行動則沒有真切的體會。當真的行善時，快樂會由內而發，這是一種言語無法形容的內心體驗。它完全不同於吃飽喝足、朋友聚會、心想事成的快樂，而是行動順應了內心的要求後，自己對自己感到滿意，覺得自己有了長進的自我肯定。

有人環遊世界，知識淵博，見多識廣，但行為表現卻依然故我，這並不值得效法。相反，「己所不欲，勿施於人」屬於德行之知，它可以付諸行動，具有真正的價值，但真的做起來卻十分不易。

《聖經》中有句話叫做「愛人如己」，但從來沒有人真正做到過。全世界七十五億人，僅憑一己之力，如何愛七十五億人？退一步，就算只關愛身邊的親友，依然會發現「愛人如己」難以做到。這是宗教的無限要求，目的不在於讓人立刻做到，而是說明人生需要志向，只有立定志向，才能集中全部的精神和力量朝目標前進。

因此，人生不能沒有哲學，就像航海不能沒有羅盤。不管別人的船駛向何方，我們應該對自己的船的定位和方向負責，力求知行

27　原文：哀公問：「弟子孰為好學？」孔子對曰：「有顏回者好學，不遷怒，不貳過。不幸短命死矣。今也則亡，未聞好學者也。」

合一，努力朝目標前進。經過一段時間，我們就會有自己的心得，知道人的真正使命何在。我們會深切感受到古今中外的哲學家在愛好智慧之路上取得的偉大成就，以及他們對後輩的無限期許。

哲學天地任我遨遊

學習哲學，會讓我們感受到天地無限寬廣。判斷自己是否在進行哲學思考有三個標準，這是我多年研究的重要心得：1. 澄清概念；2. 設定判準；3. 建構系統。

（一）澄清概念

在開始階段，應分辨哲學家提出的重要概念。這些概念往往字面意思與真實含義不同，與一般人的理解有區別。

比如，蘇格拉底的學生去德爾斐神殿求籤，女祭司告訴他：「在雅典，沒有人比蘇格拉底更明智。」但蘇格拉底卻說：「我只知道一件事，就是我是無知的。」我們要分辨蘇格拉底所謂的「知」是什麼意思？蘇格拉底聲稱自己「無知」，是為了強調保持心靈開放、不斷學習的過程最重要。認知的結果和心得都可能不斷被超越，但保持好奇心，將使人永遠可以發現世界新奇的另一面。

儒家的重要理念是「仁」，孔子的弟子都想了解究竟什麼是「仁」，孔子則因材施教，給每個學生各不相同的答案。孔子的回答正是在澄清概念。

老子的《道德經》共八十一章，第一至第三十七章稱為《道經》，第三十八至第八十一章為《德經》，其關鍵概念是「道」和「德」。這裡的「道」和「德」與仁義道德無關。「道」指萬物的來源及歸宿；「德」即「得」，指萬物從「道」獲得的加持，即萬物的本性與稟賦。因此，「道」和「德」是《道德經》中指涉根源的基本概念，與行善無關。

（二）設定判準

我們常用的關於價值判斷的詞有：漂亮、善良、謙虛、勇敢等。我們不禁要問：判斷的標準何在？標準是誰定的？為什麼這樣定？

最常見的判斷是，張三是好人，李四是壞人，但好壞如何判斷？如果不加思考，人云亦云，別人判斷改變，我也隨著變，這種辦法不可取。

（三）建構系統

偉大哲學家區別於一般哲學家的關鍵在於：偉大的哲學家能夠建構完整的系統。他們能將宇宙和人生連在一起，說出一套完整的道理。自然界充滿變化，而人生卻十分短暫，人生的意義究竟何在？

中國古代的經典中，《詩經》是文學，《尚書》是歷史，《易經》是哲學。用一句話說明《易經》即「觀察天之道，來安排人之道」。它將自然界的規律與人的生命相結合，使人趨利避害，趨吉避凶。

如何判斷系統是否完美，關鍵是要找到自然界與人類的共同來源和歸宿。《易經．繫辭上傳》指出「易有太極，是生兩儀，兩儀生四象，四象生八卦」，「太極」正是自然界和人類的共同根源。

不講根源的哲學是片面的，只能從人生特定的角度加以分析，或悲觀，或樂觀，都有其局限性；不如達觀，實實在在看清悲樂兩面，客觀加以認識。

學習哲學除了保持開放的心靈，還要進行基本的哲學訓練。第二章將介紹思考的方法：如何思考——邏輯是思維的規則；如何

使用語言 —— 語言是表達的藝術；如何辨別一個東西的真假 —— 通過現象學掌握物件的真相和本質；如何讀懂一本書 —— 通過詮釋學正確理解作者的本意。

我多年讀書學習的心得是：保持高度的好奇心，每天學點新東西，愈學愈覺得不夠，愈學愈發現人生充滿樂趣。

古籍《博物志．異草木》中有一段有趣的描述：堯帝時，庭院中長了一種草叫「屈軼」，有信口開河、讒佞的人進來，草就指向他。[28]聽起來很可怕，這說明人的生命與植物是相通的。

堯舜時代的大臣皋（ㄍㄠ）陶（ㄧㄠˊ）審案，每當遇到是非難斷的案件時，他就找一隻羊來，羊去碰誰，就判誰有罪。我們一定奇怪這怎麼可能。有趣的是，現在國外對於足球賽、總統大選的勝負，也用動物來預測，如「章魚哥」，有些竟然很準。我們固然可以把它當成笑話來看，但從中也可以體會到，人的生命與動物是相通的。

學習哲學將使人的生命變得非常開闊。人常有疑惑，我們當然可以集思廣益，或採用當前流行的「腦力激盪」（brain storming）等方法，但由於我們同處一個時代、一個社會，資訊取得的管道類似，所以很難突破自身的局限，難以把握未來的趨勢。

中國古代有許多預測未來的方法，古代國家在面臨重大決策時，最常用的方法是用龜甲和獸骨占卜[29]，請示鬼神結果如何；另一種《易經》介紹的占卜方法是用蓍草（被稱為「天生神物」），透過基本的運算來掌握未來發展的可能性。蓍草這種植物在今天的河南省還能找到。

中國人相信中醫，服用中藥，中藥配方中包含植物、動物、礦物等，說明人的生命與萬物相通，整個宇宙是一個整體。由此可見，古代的資料是取之不盡、用之不竭的智慧寶庫。

學習哲學，天地無限寬廣，任我盡情遨遊。讓我們一起開始哲學的探索之旅吧！

28　原文：堯時有屈軼草，生於庭，佞人入朝，則屈而指之。

29　商朝後期王室占卜吉凶時會在龜甲或獸骨上契刻文字，內容一般是占問之事或結果，形成甲骨文。商朝滅亡、周朝興起之後，甲骨文繼續使用了一段時期，它是研究商周時期社會歷史的重要資料。

第二章

思想方法

從邏輯思考入手

研究任何學問，掌握正確的方法是入門的關鍵。使用理性進行思考，首先要掌握思考的方法，本章介紹四種重要的哲學思想方法。

1. 邏輯。介紹思考的規則。
2. 語言分析。介紹如何使用語言進行有效溝通，準確表達。
3. 現象學。介紹如何準確描述現象，並透過現象認識事物的本質。
4. 詮釋學。介紹如何對經典文本做出最適合的解釋。

邏輯一詞來自希臘文logos，最原始的意思是「言説」，人說話時會自然地有前提、推論和結論，因此logos後來引申出「合理的表達方式、人的理性、規律和規則」等多種含義，應用廣泛。

如社會學「sociology」的字尾「logy」，即是logos演變的，意即用合理的方式將社會學的學問表達出來。心理學「psychology」的字首「psyche」源於希臘文，指人的心靈狀態，心理學就是對人的心靈狀態加以研究的學問。

在西方有兩套邏輯，一是傳統邏輯，一是數理邏輯。

傳統邏輯的奠基人是亞里斯多德，他是柏拉圖最出色的學生，十七歲進入柏拉圖學院[30]學習，共二十年，直至柏拉圖去世才回到家鄉馬其頓。他的父親是馬其頓國王的御醫，亞里斯多德憑藉卓越才識受聘為馬其頓王子的老師，這個年僅十三歲的王子就是後來赫赫有名的亞歷山大大帝（Alexander the Great，356 – 323 B.C.）。亞里斯多德以「帝王師」的身分，對人類歷史產生了重大影響。

亞里斯多德是古代西方學問的集大成者，邏輯學就是其中重要的一門學問。現代西方發展出一套數理邏輯，又叫符號邏輯，推理十分困難，只有數學系畢業的學生才能掌握。這裡只談亞里斯多德的傳統邏輯，包含三個重要內容：概念、判斷、推論。

概念（Concept）

「概念」是指我們日常用的名詞，如太陽、月亮、桌子、椅子等任何可以想像出的名詞。談到概念，須區分「意象」（主觀的意象）和「意義」（客觀的意義）。

意象是主觀的感受及印象，受個人生活經驗的影響。談到「農村」，從小在農村長大的人，既會想到風景優美的一面，也會想到農村工作辛苦的一面；而在城市長大的人，可能只會想到歐洲詩意的田園風光。每個人有不同的生活經驗，會對同一概念形成不同的主觀意象，溝通中應盡量減少主觀的意象成分，增加客觀的意義成分。

意義是客觀的。翻查字典，每個字根據上下文的脈絡有不同的意義，須通過舉例來說明。對意義把握準確，可以改善溝通效果。

提到「龍」這個字，外國人會想到兩種龍：一種是電影《侏羅紀公園》中的恐龍（dinosaur），體型龐大，現在已經滅絕了；另一種是dragon，讓外國人感到很恐怖。在《聖經》中，蛇誘惑夏娃違反上帝的命令偷吃伊甸園的果子，上帝讓蛇與夏娃的後裔世世為敵[31]（創世紀[32]，3：14 － 15），稱其為龍（dragon）。西方人認為

30　西元前三八七年，柏拉圖四十歲時，在雅典近郊紀念英雄阿卡得摩斯（Academus）的神殿附近建立了學院（Academy），這是歐洲第一所大學，存在了九百餘年，直到五二九年才關閉。

31　原文：上帝對蛇說：「你既做了這事，就必受咒詛，比一切的牲畜野獸更甚。你必用肚子行走，終身吃土。我又要叫你和女人彼此為仇；你的後裔和女人的後裔也彼此為仇。女人的後裔要傷你的頭；你要傷他的腳跟。」

32　本書所引用的《聖經》原文均採用和合譯本，為便於理解，修訂了某些關鍵用語，如將「耶和華」改為「上帝」。（創世紀，3：14 － 15）是指（《聖經．舊約．創世紀》第三章第14至15節），以下均如此。

龍是惡魔的化身（啟示錄，12:9；20.2－3），這屬於主觀的意象。

中國人提到「龍」則十分興奮。《易經．乾卦》中提到「潛龍勿用」、「見龍在田」、「飛龍在天」，將「龍」當做帝王權威和祥瑞的象徵，與西方人的意象完全不同。因此，談話溝通，首先要把概念的意義做清楚的界定。

談到意義，有個虛擬的故事很有趣。有一天，一個年輕人到美術館看到一幅很美的畫，不禁脫口而出：「這幅畫真美。」一位老人走過來說：「年輕人且慢，我叫蘇格拉底，你說這幅畫真美，代表你知道『美』的意義是什麼，我這把年紀了還不知道『美』的意義，請你啟發我，告訴我什麼是美？」年輕人覺得這個問題太簡單了，可真要開口，卻不知道從何說起。

簡單說來，美是客觀的，還是主觀的？如果說美是客觀的，任何畫只要滿足某種條件（如布局、背景、色調滿足一定標準）就可以稱為美的，但天下沒有這樣的畫；如果說美是主觀的，只代表個人的審美品味，則不能用「美」來形容以求取別人的認同。年輕人本來以為自己懂得什麼是美，追問之下發現其實不懂，心裡十分沮喪。

過了幾天，年輕人又去美術館，發現蘇格拉底先到一步，站在一幅畫前讚嘆：「這幅畫真美！」年輕人心想機會來了，上次被問到說不出話，今天倒要看他怎麼回答：「請問，您所謂的『美』的意義是什麼？」蘇格拉底說：「很好，你問我『美』的意義，請先告訴我『意義』是什麼意義？」天啊，這是什麼問題！但千萬不要認為這個問題不能成立。

一位西方學者出版了一本名叫《意義》的書，對「意義」一詞給出了二十六種不同的含義。這說明進行邏輯思考首先應澄清概念，清楚分辨概念的主觀意象與客觀意義，盡可能排除主觀的意象成分，而用客觀的意義進行溝通。思考從起步就要非常謹慎。

說話即是判斷

針對認識物件（如貓、狗、桌子、人……）提出概念，應「名實相符」。對於人類社會，更要注重「名分相符」。人在社會中扮演著不同的角色，人有自由，如何表現才算適當，這涉及「名」「分」相符的問題。

孔子三十五歲時到過齊國[33]，齊景公向孔子請教治國方法，孔子回答八個字：「君君，臣臣，父父，子子。」（《論語·顏淵篇》）很多人因此批評孔子思想封建落後，這實屬冤枉。先不說「君君，臣臣」，只看「父父，子子」，是說父親要像父親，兒子要像兒子。第一個「父」是指「現在當父親的人」，是「名」；第二個「父」是「分」，有父親之「名」就該有做父親的適當表現，這有什麼不對呢？

判斷（Judgment）

將兩個概念連繫在一起，用「是」或「不是」連接，稱為判斷，又稱為命題（Proposition）。

如「中國人是友善的」，其中「中國人」稱為主詞（Subject），簡稱S；「友善的」稱為謂詞或述詞（Predicate），簡稱P；中間用系詞（Copula）「是」連接，即是標準的判斷。通常我們說的話不

33　孔子適齊：魯昭公二十五年（西元前五一七年），魯國內亂，魯昭公兵敗出奔齊國，孔子當時三十五歲，為了避亂前往齊國。齊景公數次向孔子請教治國方略，本打算給他封賞，卻因晏嬰的阻攔而作罷。孔子見齊景公不肯重用，於魯昭公二十七年返回魯國。

夠完整，這裡「中國人」是指所有的中國人。

判斷有以下四種，分別舉例說明：

1. 全稱肯定（A命題）：所有中國人是友善的。「所有」為全稱，「是」為肯定。

2. 特稱肯定（I命題）：有些中國人是友善的。「有些」為特稱，「是」為肯定。

3. 全稱否定（E命題）：所有中國人都不是友善的。「所有」為全稱，「不是」為否定。

4. 特稱否定（O命題）：有些中國人不是友善的。「有些」為全稱，「不是」為否定。

拉丁文「肯定」為Affirmo，「否定」為Nego。各取其中兩個母音，A、I、E、O分別代表全稱肯定、特稱肯定、全稱否定、特稱否定，為國際通用符號。

所有語言的表達，都可以還原到上述四種基本判斷。

我們平時易受情緒影響，不恰當地使用全稱判斷。比如，有朋友從法國旅遊回來，感覺非常好，說：「法國的風景很美。」這句話完整的表達是指所有法國的風景都很美，顯然誇大其辭。另一位朋友去泰國旅遊遇到小偷，回國後餘怒未消，說：「泰國都是小偷。」這顯然也受到情緒的干擾，以偏概全。事實上，全稱肯定或全稱否定命題能夠成立非常不容易。

有位作家到臺灣旅遊，手機落在計程車上，司機很熱心，將手機送回旅館，作家深受感動，創作一文〈臺灣最美的風景是人〉。任何社會都有好人壞人，這名作家恰好看到了臺灣人友善的一面，用文學的筆調抒發情感，卻難免以偏概全了。

推論

推論是從已有的判斷推出新的判斷。如何推論才是合理的？

我們先介紹直接推論的規則。將命題的主詞、述詞互換，應遵循以下規則：

（一）全稱肯定命題只能推論出特稱肯定命題（A→I）

如，「所有中國人是友善的」，不能推出「所有友善的人是中國人」，因為第一句中的述詞「友善的」不周延，即友善的人不是只有中國人，還可能有美國人、法國人、俄羅斯人等，因此只能推出特稱肯定命題「有些友善的人是中國人」。

周延就是涵蓋全部的意思。「所有中國人是友善的」中，主詞「所有中國人」是周延的，它涵蓋了全部中國人；述詞「友善的」不周延，因為它只涵蓋了友善的人中的一部分（即中國人），無法涵蓋世界上所有友善的人。

（二）特稱肯定命題可以推論出特稱肯定命題（I→I）

如，由「有些中國人是友善的」可推出「有些友善的是中國人」。

（三）全稱否定命題可以推論出全稱否定命題（E→E）

如，由「所有中國人都不是友善的」可推出「所有友善的都不是中國人」。

（四）特稱否定命題無法直接推論

如，由「有些中國人不是友善的」無法推出「有些友善的不是中國人」，此推論看似合理，但並不能由前面一句話直接推出。有一個更明顯的例子，如將「有些人不是美國人」推論為「有些美國人不是人」，顯然很荒謬。邏輯的規則必須適用於所有情況，只要舉出一個反例使其不成立，則該情況無效。

直接推論看似無用，其實不然。比如《論語‧述而篇》中記載：「子於是日哭，則不歌。」即孔子在這天哭過，他就不再唱歌了。按邏輯規則[34]，只能推出「老師今天唱歌，則他今天沒有哭」。如果老師今天沒哭，會不會唱歌呢？也可能唱，也可能不唱，這無法由「子於是日哭，則不歌」的記載而直接推出。

《論語‧述而篇》中還記載了「孔子與別人一起唱歌，唱得很開心，一定堅持別人再唱一遍，自己也跟著附和」[35]，說明孔子雖然生活在春秋末年的亂世中，照樣自得其樂，閒暇時與朋友、學生一起唱歌來調節生活的趣味。他的情感真摯，如果因傷心難過之事而哭泣，則這天情緒延續發展，不再唱歌。但等到第二天，又是全新的一天，一切重新開始。

我們如果把邏輯推論的方法用於解讀中國的經典，會得到更加全面深入的理解。

三段論法

所謂三段論，就是三句話：第一句為大前提，第二句為小前提，第三句為結論。比如，大前提「人是會死的」，小前提「蘇格拉底是人」，結論「蘇格拉底會死」。在大前提、小前提兩句中都提到同一個概念——「人」。以「人」做為仲介（中詞），目的是把「蘇格拉底」與「死」連繫在一起。蘇格拉底既然是「人」，不是某種動物、某種現象，則可推論出蘇格拉底與所有人一樣，最終都是會死的。

邏輯推論應撇開個人主觀的意願或情緒，符合邏輯的規則。三段論的規則共有八條，下面分別舉例說明：

（一）名詞只能有三個，概念不能有歧義（ambiguous）

例：「黃牛吃草」（大前提），「張三是黃牛」（小前提），推論出「張三吃草」（結論），顯然荒謬。第二句中「黃牛」是指倒賣電影票的黃牛，與大前提中真正的「黃牛」是有歧義的，所以實際出現了四個名詞，無法得出有效的結論。

（二）在結論裡周延的名詞，在前提裡也必須周延

主詞是否周延，要看是全稱命題還是特稱命題：全稱命題中的主詞周延，特稱命題中的主詞不周延；述詞是否周延，要看是否定命題還是肯定命題：否定命題中的述詞周延，肯定命題中的述詞不周延。

例：「一切人是動物」（大前提），「牛不是人」（小前提），推論出「牛不是動物」（結論）。結論中的「動物」是述詞，否定命題中的述詞周延；大前提中的「動物」是述詞，肯定命題中的述詞不周延，結論裡周延的名詞在前提裡不周延，因此推論錯誤。

（三）結論裡不可以有中詞

例：「有的圖形是方形」（大前提），「有的圖形是圓形」（小前提），推論出「有的圖形是方形與圓形」（結論）。結論中有中詞「圖形」，中詞應為連繫方形與圓形的仲介，不能出現在結論中，因此推論錯誤。

（四）中詞至少周延一次

例：「一切人都會死」（大前提），「一切黑人都會死」（小前提），推論出「一切人都是黑人」（結論）。大小前提中的「會死」是述詞，均為肯定判斷，因此都不周延。所以，「會死」做為中詞

34　若P則Q，非Q則非P，即否定後件才能否定前件。

35　原文：子與人歌而善，必使反之，而後和之。

沒有周延過，結論錯誤。

（五）兩前提皆為否定，沒有結論

例：「美國人不是好戰的」（大前提），「有些人不是美國人」（小前提），不能推出「有些人不是好戰的」（結論）。因為兩前提均為否定，所以「美國人」做為中詞，在兩前提中未與「好戰的」、「有些人」發生連繫，因而無法形成有效推論。

（六）兩前提皆為肯定，結論肯定

例：「所有烏鴉都是黑的」（大前提），「有些鳥是烏鴉」（小前提），不能推出否定的結論「有些鳥不是黑的」（結論）。

（七）結論隨較弱的前提

「較弱的」是指：如果兩前提中的命題，一個是肯定，一個是否定，則結論應是否定；如果兩前提中的命題，一個是全稱，一個是特稱，則結論應是特稱。

例：「黃牛是會拉車的」（大前提），「有些牛是黃牛」（小前提），可推出「有些牛會拉車」（結論），不能推出「所有牛會拉車」。

（八）兩前提皆為特稱，沒有結論

例：「有些牛是黃色的」（大前提），「有些動物是牛」（小前提），不能推出「有些動物是黃色的」（結論）。結論好像正確，但「牛」做為中詞，在大小前提均不周延，違反了第四規「中詞至少周延一次」，因而推論錯誤。

不一定非要學過西方邏輯才有精密的思考，任何有理性的人經過認真思考，均可推出合理的結論。比如孔子在《論語．子路篇》中有一段精采的六步推論，證明「名分相符」的重要性。

孔子周遊列國，來到了衛國，衛國的太子蒯（ㄎㄨㄞˇ）聵（ㄎㄨㄟˋ）與衛靈公夫人南子不和，逃往晉國，衛靈公死後，蒯聵的兒子輒繼位，做為父親的蒯聵從晉國借兵打回衛國，形成父子爭國的亂局。[36]

子路請教孔子：「假如衛君請您去治理國政，你要先做什麼？」一般人可能從發展經濟入手，孔子則回答：「一定要我做的話，就是糾正名分了！」[37]父親要像父親，兒子要像兒子，一個國家不能有兩個國君，理不順君臣父子關係，其他方面根本無從下手。

接著孔子推論不能正名的後果：名分不糾正，言語就不順當；言語不順當，公務就辦不成；公務辦不成，禮樂就不上軌道；禮樂不上軌道，刑罰就失去一定標準；刑罰失去一定標準，百姓就惶惶然不知所措了。所以不解決父子爭國的局面，一切政事都無從開展，國家將會大亂。

做推論時要有根據，應避免出現循環論證。在美國發生過一個有趣的故事，美國西北部華盛頓州首府西雅圖，冬天通常很冷，當地氣象預報員播報「今年冬天很冷」；一週後，他提高預警級別，「今年冬天非常冷」；再過一週，他再次提高預警級別，「今年冬天冷得不得了」。有位記者聽到寒潮預警不斷升級，於是採訪預報員是如何預測的。預報員說，他觀察當地土著印第安酋長撿木柴，撿得愈多代表冬天越冷。記者又去採訪這位酋長，問他為什麼木柴愈撿愈多，酋長說因為氣象預報員不斷提升寒潮預警級別，所以撿更多木柴以備寒冬。這個笑話說明，在日常生活中，要避免因循環論證而推出不正確的結論。

36　孔子適衛。

37　原文：子路曰：「衛君待子而為政，子將奚先？」子曰：「必也正名乎！」子路曰：「有是哉，子之迂也！奚其正？」子曰：「野哉，由也！君子於其所不知，蓋闕如也。名不正，則言不順；言不順，則事不成；事不成，則禮樂不興；禮樂不興，則刑罰不中；刑罰不中，則民無所措手足。故君子名之必可言也，言之必可行也。君子於其言，無所茍而已矣。」

雙刀論證

雙刀論證（Dilemma）是指一個論證提出來後，正反雙方的立場都可以找到有效的理由。簡單來說雙刀論證就是：或這樣選擇，或那樣選擇，兩種選擇會產生兩個結果，而兩個結果都讓人無法接受，或者兩個結果都必須照我的方法來做。舉例說明會更清晰。

古希臘辯士學派[38]（the sophists）的代表人物普羅塔哥拉[39]（Protagoras，481 － 411 B.C.）專門教人如何辯論，學費十分昂貴。有一次他碰到一個有才華的年輕人，希望他能夠跟著自己學習，將自己的辯論術發揚光大。這個年輕人家境貧寒，沒有錢交學費。普羅塔哥拉同他達成一項協定：等到年輕人學成辯論術後，替別人打官司，如果打贏了，代表學會了，就必須繳學費；如果打輸了，代表沒學會，就免繳學費。

這個學生學成之後替人打官司都能打贏，但不再理老師，也不繳學費。最後普羅塔哥拉對他說：「我現在去法院告你違背我們以前的協議，沒有付我學費。如果法官判你輸，你就要按照法官的判決付我學費；如果法官判你贏，按照我們的協議，打贏官司必須付學費，你也要付學費。因此，無論法官判你輸或是贏，你都必須付我學費。」

學生聽後卻說：「老師到法院告我，如果法官判我輸，根據我們的協定，如果我打輸了官司，就不用付學費；如果法官判我贏，那麼按照法官的判決，我還是不用付學費。因此，無論法官判我輸或是贏，我都不用付學費。」這個學生可謂青出於藍而勝於藍，熟練運用雙刀論證找到了老師的破綻。

秦始皇焚書坑儒[40]也利用了類似的論證。他以法家思想為標準，認為其他書籍如果觀點與法家思想一致，只保留法家書籍就夠了，其他書籍可以統統燒掉；如果其他書籍的觀點與法家思想不一致，則違背標準，更應該燒掉。因此，除了三種具有實用價值的書沒有被燒（醫藥、種樹、卜筮），民間書籍被大量銷毀，造成文化浩劫。

有些宗教徒也有類似思維，認為真理只有一個，如果別的書籍與自己的宗教經典符合，則保留宗教經典就夠了，其他書籍都可以燒掉；如果與本派宗教經典不合，就是異端邪說，更要燒掉。這些思想未免太過武斷。在辯論中，我們應對不同觀點保持寬容的態度。

學習邏輯後，說話要設法避免違反邏輯規則。我有一個朋友結婚十年，有一天他的太太跟大家抱怨，說他結婚十年從來不洗碗。這個朋友慢條斯理地拿出一本筆記本，說：「某年某月某日，我洗過一次碗。」從邏輯來看，他的反駁是有效的，「從來不洗碗」是全稱否定命題，只要有一次例外，就不能成立。

由此看來，邏輯與真實的人生是有落差的。有些學者，如笛卡兒，並不喜歡邏輯，他認為邏輯只能告訴我們早就知道的事，如「凡人皆有死」，並沒有告訴我們任何新東西。因此，邏輯思維訓練本身並不是目的。我們說話時要保留彈性，適當加一些限制詞，如大概、或許、差不多、好像、似乎等，可以緩和說話的語氣，既讓別人聽起來不太刺耳，也讓自己不至於陷入困境，這樣才能恰當地

38　辯士學派：一般譯為智者學派，此派學者擅長辯論，故譯為辯士學派更合理。辯士一詞在《莊子》中多次出現。

39　普羅塔哥拉為辯士學派代表人物，最有名的話是「人是萬物的尺度」，這裡的「人」若指人類，則無法找到共同的標準；若指個人，則難以建立共識。

40　坑儒，實則為坑術士。學者研究發現，遭坑殺的四百多人大多為方士，他們煉藥尋丹，求長生不老之術，後來秦始皇認為方士們在耍弄自己，將他們坑殺。

表達自己真實的意思。

辯士學派的另一代表高爾吉亞（Gorgias of Leotini，約483－375 B.C.）留下三句話：「沒有任何東西存在；即使有東西存在，我也不能認識；即使我認識的東西，也不能告訴你。」如此一來，人與人之間完全無法溝通。的確，人與人之間的溝通非常不容易，但既然我們生活在同一個世界，還是應該設法加強溝通，建立共識。

詭辯的陷阱

中國古代有一派專門研究辯論的學者，稱為名家。司馬遷的父親司馬談寫的《論六家要指》一文，將先秦諸子百家歸納為六家學派，即儒家、道家、墨家、法家、陰陽家和名家，名家的代表人物是惠施和公孫龍。

惠施是莊子的好朋友。在《莊子》一書中，莊子只提到一個好朋友的名字，即惠施。他當過春秋時期梁國的宰相，認為自己口才天下無敵，經常與莊子辯論，卻屢戰屢敗。

名家提出許多奇怪的論題，《莊子・天下》提到「卵有毛；雞三足；白狗黑」[41]。惠施認為，雞蛋裡有毛，如果沒有毛，為什麼孵出的小雞有毛？這個說法混淆了「潛能」與「實現」的差別。雞蛋是「潛能」，有毛的小雞是「實現」，把時間的過程去掉，推論當然不能成立。

雞三足[42]，是說木頭雞有兩隻腳卻不能動，真正的雞有第三隻腳，稱為神足，即精神上的腳，所以才能走動。白狗是黑的，因為白狗的眼睛是黑的。

惠施還曾與人辯論說：一尺長的木棍，每天截一半，萬世不竭。[43]（《莊子．天下》）一世為三十年，萬世是三十萬年，即經過三十萬年，木棍也不會被切光。理論上的確如此。

西方也出現過類似的學派，如古希臘的埃利亞（Elea）學派，其代表人物巴門尼德（Parmenides，514 －？B.C.）提出「凡存在之物存在」。這代表沒有變動的可能，一物不能由存在變成不存在，也不能由不存在變成存在。他的學生芝諾（Zeno of Elea，489 －？B.C.）提出不少論證支持老師，說明「變動」不可能。

如，阿基里斯只要讓烏龜先走一步，則永遠追不上烏龜。理由是：如果認為空間無限可分，則任何一段距離都由無數的點構成，在有限的時間裡不可能通過無限點構成的距離。

又如，「飛箭不動」。如果認為空間由不可分的微小點所組成，飛箭每一剎那都在空間的定點上，所以是不動的。好比電影中一支飛箭射來，實際上每張電影膠片中的箭都是不動的。

芝諾的兩個論證想要證明：無論認為空間無限可分，還是認為空間是由不可分的微小點所組成，都會推出荒謬的結論，因此變動是不可能的。

芝諾提出一斗米掉到地上會發出聲音，但其中一粒米落地時有聲音嗎？若一粒米落地沒有聲音，那麼一斗米是一粒粒米構成的，從哪一粒米開始有聲？如果從第一百零一粒米開始有聲音，那麼第一百粒米與第一百零一粒米不同嗎？這與惠施的說法類似。惠施認為將木棍一直切割下去，一定有東西存在；芝諾認為一斗米落地有

41　「卵有毛，白狗黑，雞三足」等論題，是好辯的人與惠施之間辯論的題目。

42　「雞三足」在《公孫龍．通辯論》中是指：雞有兩足，加上「雞足」這個概念，一共有三足。

43　原文：一尺之捶，日取其半，萬世不竭。

聲音，那麼一粒米落地也應該有聲音。這兩個觀點都有邏輯的合理性。

另一位名家代表人物公孫龍，最著名的觀點有兩個：「白馬非馬」和「堅白石」。

「堅白石」是說：一塊石頭，看到它是白色的，卻不能看出它堅硬；摸出它堅硬，卻摸不出它是白色的；即使看到白色，摸出堅硬，也無法知道它是石頭。這個論斷肯定了對於同一個物體，人可以由不同的感官掌握其不同的屬性，卻忽略了人的理性具有統合能力。

「白馬非馬」的觀點值得深入思考。古代文字簡單，用「是」、「非」表示肯定和否定，我們應當細緻區分兩種不同的用法：「等於」或「屬於」。說「白馬不等於馬」是對的，因為如果白馬=馬，黑馬=馬，那麼白馬=黑馬，顯然荒謬；說「白馬不屬於馬」則是錯的，因為無論白馬、黃馬、黑馬，都屬於馬的一種。

任何概念都有內涵和外延，內涵是構成一個概念要素之總和，即概念的定義；外延則是一個概念所代表的個體與群體之總和。內涵與外延成反比，即內涵愈小，則外延愈大；內涵愈大，外延愈小。比如，「白馬」與「馬」相比，內涵中多了一項要素「白色」，因此「白馬」比「馬」的外延小。「白馬」僅包括白色的馬，而「馬」則包括黑馬、白馬、紅馬等所有顏色的馬。

閱讀古代書籍應特別注意「是」、「非」的兩種不同用法，究竟是「等於」還是「屬於」，準確分辨，不要混淆。

邏輯訓練將使我們思維精確，不被似是而非的詭辯所迷惑，並能正確表達自己的見解。

有用無用之間的智慧

《莊子》一書中記載了莊子與惠施之間的多次辯論。惠施是名家的代表，頭腦聰明，口才出眾，但與莊子辯論從來沒有占過便宜，莊子在辯論中展現出道家卓越的智慧。他們的辯論有何題材，對我們的人生態度有何啟發呢？

有一次莊子說，人應該無情；惠施說，人如果無情，怎麼可以稱為人？莊子說：「你說的不是我所謂的『無情』。我所謂的『無情』是說人不要讓好惡之情傷害到自己的天性。」[44]（《莊子．德充符》）莊子在這裡對「無情」做了清晰的界定。

儒家也有類似的觀點，《中庸》中記載：「喜怒哀樂之未發謂之中，發而皆中節謂之和。」是說人要練習控制自己的情緒，不要任情緒過度發展。孔子的學生高柴因母親去世而過度傷心，哭到眼睛流血。[45]（《晉書．王祥傳》）孔子勸他不應過度傷心，對父母真正的孝順是保養好自己，教育下一代。

莊子與惠施常常辯論「有用」還是「無用」的問題。惠施主張「有用」，因此他官至梁國宰相；莊子則主張「無用」，他認為身處戰國亂世，做官稍有不慎就會失去性命，最好明哲保身。

《莊子．外物》中說：「譬如地，不能不說是既廣且大，人所用的只是立足之地而已。但如果把立足之地以外的地方都挖掘到黃泉，那麼人的立足之地還有用處嗎？」[46]同樣的，學生在學校讀

44　原文：莊子曰：「是非吾所謂無情也。吾所謂無情者，言人之不以好惡內傷其身，常因自然而不益生也。」
45　原文：高柴泣血三年，夫子謂之愚。閔子除喪出見，援琴切切而哀，仲尼謂之孝。
46　原文：莊子曰：「夫地非不廣且大也，人之所用容足耳。然則廁足而墊之致黃泉，人尚有用乎？」

書，對他有用的只有校園和周邊的商店，但如果除此之外看似無用的世界全部消失，那麼學生在學校受教育就變得毫無意義。這提醒我們，不能目光短淺，急功近利，只以眼前的有用、無用來權衡評斷。

莊子認為，太過「有用」則易陷於危險。《莊子．山木》說：「直木先伐，甘井先竭。」即長得筆直的樹木總是先被砍伐，因為不需要太多的加工就可做為房屋的棟梁；味道甜美的水井總是先被汲取枯竭。莊子並非反對服務他人、奉獻社會，而是提醒人們不要刻意表現自己的優秀。年輕時各種條件不具備，無法充分施展，即便勝出往往代價太高，得不償失，倒不如慢慢積聚實力，厚積薄發，大器晚成。

常有人說學哲學沒什麼用，人到中年才能發現哲學的用處。古代印度將人生分為四個階段[47]：

一、學徒期（八至二十歲），學生住在老師家中，接受老師的言傳身教，學習如何做人處事；二、家居期（二十至四十歲），成家立業，養兒育女，進入社會奮鬥；三、林棲期（四十至六十歲），孩子成熟後，自己到森林裡好好思考人生的意義和存在的奧祕；四、雲遊期（六十至八十歲），這個時期又重新回到人間，設法讓自己從大人物（somebody）回歸到平凡人（nobody）。

其中最富啟發性的是四十歲以後的兩個階段，人進入樹林或雲遊四方的目的是讓自己安靜思考：我是誰？我的人生有什麼意義？年輕人通常只會考慮：我有什麼用？如何在社會中施展才華以取得財富、名聲和地位等成就？後來慢慢發現，得到的一切都要放下。人生更重要的是成就自己，讓真正的人格得以發展完成。這時，看似無用的哲學就變得非常有用，它能給我們指明方向。

《莊子．山木篇》有一則莊子本人的故事。一天，莊子帶著學生上山，看到伐木工人坐在一棵大樹下休息，莊子好奇地問：「這棵樹這麼大，為什麼不砍呢？」伐木工人說這棵樹沒有任何用處。這棵樹因為「無用」而得以保全。

莊子與學生下山後來到老朋友家，朋友非常開心，囑咐僕人殺一隻鵝招待大家。僕人問：「一隻鵝會叫，另一隻不會叫，殺哪隻？」朋友說：「殺不會叫那隻。」鵝因為「無用」而被殺。學生很迷惑，到底「有用」好還是「無用」好？莊子的回答顯示了道家的智慧：要處在有用、無用之間[48]。

真正的道家不是讓人隱居，與世隔絕，而是深諳人情世故，透澈地了解人間的複雜情況，無論何時，發生何種情況，都能準確判斷「有用」、「無用」是否安全。準確判斷依據的是道家完整的思想系統，不是表面看到的幾句對話而已。

莊子與惠施辯論為何總能獲勝？因為莊子看問題不是只看一面，而是同時看到兩面，見「利」而思「害」。儒家講「見利思義」，看到有利就想應不應該做。道家認為做不做取決於當時的條件，但看到「有利」就要想到會「付出代價」。莊子看問題完整而深刻，名家惠施只注意辯論的技巧，當然不是莊子的對手。

語言的有效表達

說話是人類最重要的溝通方式。人是會說話的動物。中國古代

47 參見美國學者休斯頓．史密斯（Huston Smith）的著作《人的宗教》（*The World's Religions*）。

48 原文：莊子笑曰：「周將處夫材與不材之間。」

「聲」、「音」、「樂」三個字各有不同的含義[49]：「聲」指聲響，動物也可以發出各種聲響；「音」則只有人類才能發出，「音」加「心」為「意」，人可以使用不同的聲音組合，表達人類特別的意思；「樂」則是把聲音拉長，表達內心的情感，就是音樂。

語言若要有效表達，須具備三個條件：明確、一致和普遍。

（一）明確

使用語言進行溝通，意思應盡量明確，使對方沒有猜疑的空間。如「請把工具拿來」不夠明確，應說明工具的類型（如螺絲刀）、大小、型號等關鍵資訊。又如「下週我們上課」也不夠明確，應說明下週哪天、哪個時段、在哪裡、上什麼課。

（二）一致

使用語言應前後一致，避免出現不同的規則。有些著作不易理解，因為同一句話中的同一個字的意思可能不同。如《老子》第一句話「道可道，非常道」，第一個、第三個「道」指「究竟真實」，第二個「道」指「言語表述」，如此當然難於理解。準確翻譯應為：道，可以用言語表述的，就不是永恆的道。

（三）普遍

使用語言，除意思前後一致之外，還要對同一地區的所有人都普遍適用，使大家有相同的理解。以開車為例，有一名印度人準備到英國留學，心裡非常興奮。在印度開車靠右邊，而在英國靠左邊，他想要先適應一下英國的開車方式，於是開始在印度靠左邊開車，最後發生車禍，連英國都去不成了。

不同國家的語言反映了不同的思維模式和文化特色。比如德文將否定詞放在最後，只有聽完別人完整的一句話，才能知道他表達的究竟是肯定還是否定。

有些學習西方哲學的人認為，中國的語言文字不適合做哲學推論和邏輯思考，這種說法難以成立。西方的語言是從古希臘傳承發展而來，由主詞、系詞、述詞構成判斷，與中文習慣的表達方式不同，但不代表只有西方的思維模式才是正確的。

中國古代有九流十家，每一家都有自己的一套思想，也都能清晰地表達見解，準確地進行邏輯推論。因此，不同國家或地區的語言沒有好壞之分，都是在反映各自的文化特色。

語言需要經過學習和訓練才能恰當運用，否則容易產生問題。佛教講「三業」[50]，包括身業、口業、意業。其中「口業」包括說話缺乏依據、搬弄是非、花言巧語、虛張聲勢、前後矛盾等各種問題，應通過不斷修行逐漸去除這些毛病[51]。

孔子一向重視語言表達。如，子曰：「君子不以言舉人，不以人廢言。」（《論語．衛靈公篇》）即，君子不因為一個人話說得好就提拔他，也不因為一個人操守不好就漠視他的話。這要求我們將人的德行和說話是否有道理，分別加以判斷。

孔子的學生分為四科，分別是：德行、言語、政事、文學。德行，是指品德修養突出；言語，是指思想通達，見解過人，精於言語；政事，是指善於處理政務和事務；文學，指對古代文獻知識掌握得好，不是指文章寫得好。其中言語科排第二位，足見孔子對言語表達的重視。從政做官只有清晰地表達政令，說出令人信服的道理，才能實現有效的領導。

49　參考《禮記．樂記》。

50　業（karma）的概念在《奧義書》已經出現，字面意思是「行為」。這種行為及其後果以某種形式存在於人的身心之中，不隨人的死亡而消失；同時這種業能束縛，也能解放人的身心。口說的一切善惡言語為口業，起心動念為意業。參考《四大聖哲》，雅士培著，傅佩榮譯，立緒文化，以下同略。

51　佛教「八正道」的第三為「正語」，針對口業，要做到不妄言、不綺語、不兩舌、不惡口，說話合乎規矩。

孔子非常重視《詩經》在語言表達上的應用。一日，孔子問兒子孔鯉：「學習《詩經》了嗎？」孔鯉回答說：「沒有。」孔子說：「不學詩，無以言。」（《論語．季氏篇》）古人在與人往來時，常引用《詩經》來委婉地表達自己的心意，既高雅又得體。

司馬遷在《史記．孔子世家》中記載了孔子與三個學生討論《詩經》中的一句話「匪兕（ㄙˋ）匪虎，率彼曠野」，十分精采。孔子周遊列國，在陳國受困絕糧，他知道學生們不高興，便問子路：「《詩經》上說：『不是犀牛也不是老虎，然而它卻徘徊在曠野上。』我們為什麼會落到這種地步？」子路說：「大概是老師的德行和智慧還不夠吧。」孔子不認可，認為自己的德行、智慧再好，關鍵在於別人是否相信和採納。子貢說：「老師的道太大，不如降低標準。」孔子當然不會降格遷就。顏淵說：「老師的道博大精深，別人不用是別人的損失，不被接受才更突顯君子的本色。」師生們對於同一詩句的討論，表達出了不同的人生境界和理想。

孔子要求學生說話要謹慎，做事要勤快，訥於言而敏於行。人正是通過自己的言語和行動，展現出自己的心意。子曰：「聽其言而觀其行。」無論觀察、了解別人，還是提高自身修養，都要從「言」和「行」兩方面入手。

說話的幾種類型

我們經常使用的語言表達有四種類型：直述語句、價值語句、恆真語句和比喻語句。

（一）直述語句

直述就是直接敍述，不帶有任何比喻或個人主觀意見。例如，

「外面在下雨」就是一句直述語句，只要到屋外看看就可立刻驗證真偽。又如，到餐廳要點什麼菜、現在外面溫度多少度都需要直接敍述。直述語句清晰準確，但枯燥乏味，在日常生活中應用有限。

（二）價值語句

人的選擇構成判斷，最常見的是真、美、善的判斷：人有理性，因而分辨真偽；人有情感，須表達審美感受；人有意志，須在分辨善惡之後行善避惡。任何判斷都離不開主體的選擇，由於判斷的標準不一定相同，因此一個人形成的判斷，他人未必認同。

價值語句的真實含義常因交談雙方的關係而定。比如，同一句「你好嗎」，不同的人之間就可能存在不同的理解。遇到一位失業的朋友問「你好嗎」，是關心他是否找到工作，生活有無著落；遇到生病的朋友問「你好嗎」，是關心他是否恢復健康。可見，價值語句比直述語句更豐富有趣。

（三）恆真語句

一句話的主詞與述詞相同稱為恆真語句，也叫套套邏輯（Tautology）。譬如英文中有一句話「Business is business.」（公事公辦），就是恆真語句。

恆真語句並非簡單重複，在不同的情況下，同一句話可能有不同的含義。比如，外國人參加中國的節日慶典，看到具有中國特色的戲劇、音樂、雕刻等展示時，說「中國人就是中國人」，這是對中國文化博大精深的由衷讚嘆；當看到中國人亂丟垃圾等不良表現時，說「中國人就是中國人」，則是一種批評。

（四）比喻語句

比喻語句就是使用象徵來表達意涵，生動而形象。最常用的比喻是「母親像月亮一樣」，可以讓人立刻感受到母親的聖潔美麗。第一個使用這個比喻的人是天才，用久了也難免乏味。

比喻可以婉轉表達意思，比直接敍述更易於為人接受。比如，「國家像一艘船，需要有力的舵手」，表明國家需要賢明的領導人。大家對此都心領神會，不會讓人誤以為在歌功頌德。偉大的哲學家、宗教家、教育家都善用比喻，使聽眾不分老幼都能有所領悟，而且隨著聽眾年齡不斷增長，閱歷不斷豐富，對同一個比喻的理解也會更加深刻。

佛教經典《百喻經》[52]用一百個比喻，生動形象地闡釋了佛教深刻的教義。《法華經・第三譬喻品》[53]中，釋迦牟尼將人間比喻為火宅，孩子在火宅裡玩耍，危在旦夕都渾然不覺，為了拯救他們，長者就告訴孩子外面有新奇的玩具車（羊車、鹿車、牛車），孩子們於是紛紛從火宅裡跑出，發現沒有所謂的玩具車，長者卻給孩子們每人一輛華美的大牛車，孩子們因而脫離苦海。

也有人問釋迦牟尼：「宇宙從哪裡來？」他用比喻回答：有人被毒箭所傷，命懸一線，卻追問射箭人的姓名和住址，弄清楚時已經毒發身亡了。他用比喻啟發人們，追問宇宙的起源無助於人走向涅槃，相反，往往它們還構成阻礙[54]。

孔子說：「歲寒，然後知松柏之後凋也。」（《論語・子罕篇》）孔子用比喻說明，只有在艱難困苦中，才能展現君子的節操，「君子固窮」，君子應在困難中堅持人生理想。

蘇格拉底的母親是助產士，他比喻說：「我只是個助產士，幫助別人生出智慧的胎兒。」說明智慧不能傳授，只有靠自己不斷修練才能覺悟。

西方人最熟悉的是《聖經》中耶穌使用的比喻，他說，「有一個牧羊人有一百隻羊，走失了一隻，牧羊人把九十九隻羊丟在荒野，到處去尋找那隻走失的羊，找到後就歡喜地把牠放在肩膀上帶回來。」（路加福音，15：3 － 5）聽眾無不感動，都認為自己就是那隻迷失的羊。人生在世，誰沒有過錯？誰不希望得到原諒而有重新出發的機會？這樣生動的比喻讓人覺得「於我心有戚戚焉」[55]。

孟子最有名的比喻當屬「揠苗助長」[56]的故事。宋國有個農夫擔心禾苗不長而去拔高，他十分疲困地回去，對家人說：「今天累壞了，我幫助禾苗長高了。」他兒子跑到田裡一看，麥苗全枯萎了。說明人的修養不能急於求成，要循序漸進，最終才有可能開花結果。

打破常見的假象

現象學（Phenomenology）是透過對現象的描述，找到現象背後的本質。在進入現象學之前，首先介紹英國哲學家培根（Francis Bacon，1561 – 1626）的方法。培根的年代早於笛卡兒（1596 – 1650），其代表作《新工具》（*The Novum Organum*）中探討了如何以合理的思維方式和歸納法來認識自然界。首先，要破除先入為主的觀念與偏見，必須打破四種假象（idols）。

（一）種族假象

人通常從人類自身的角度來評判宇宙萬物，認為萬物都是為了人而存在的。太陽之所以存在是為了給人以光明，蘋果之所以是紅

52　《百喻經》由印度尊者僧伽斯那從修多羅藏「十二部經」中，抄出一百則譬喻集合而成。

53　該比喻是說佛先以聲聞、緣覺、菩薩三乘引導眾生，然後以大乘——《法華經》妙義來救度解脫眾生。

54　參見《四大聖哲》。

55　出自《孟子．梁惠王上》。譯文：使我內心怦然相應。

56　出自《孟子．公孫丑上》。原文：宋人有閔其苗之不長而揠之者，芒芒然歸，謂其人曰：「今日病矣！予助苗長矣！」其子趨而往視之，苗則槁矣。

的是為了引起人的食慾，豬之所以肥是為了給人以營養。這樣的思考模式會帶來問題，如蚊子為什麼存在，有人說因為蚊子讓我們承受失眠的痛苦，我們才會在安穩睡眠時心存感恩，這樣的說法未免牽強。

西方不少學者認為，人類生活的地球是宇宙的中心，人是上帝特別創造的，是萬物之靈。德國哲學家萊布尼茲（G. W. Leibniz，1646 – 1716）曾說：「我們所在的世界是所有可能世界中最好的世界。」法國哲學家伏爾泰（Voltaire，1694 – 1778）主張宇宙樂觀主義，宣稱「對你而言是惡的，在整體裡都是善的」，直到一七五五年發生葡萄牙里斯本大地震，死傷慘重，他才反思不能這麼樂觀，要正視「惡」的問題。

中國道家在打破人類中心的視角方面有傑出的表現。道家認為，道是萬物和人類共同的來源和歸宿，像萬物和人類的母親。因此，萬物和人是平等的。

（二）洞穴假象

我們每個人都像生活在洞穴中，在成長過程中接受了許多固定的觀念，形成了各自的人生觀和價值觀，但千萬不要以為自己的觀念是判斷善惡是非的唯一標準。

柏拉圖的《理想國》第七卷（*Republic*，514a）中有一個生動的洞穴比喻：人們生活在一個洞穴中，雙手雙腳和頭頸被捆住，只能目視前方，看到許多影子晃動，以為是真實的。有一個人努力掙脫繩索的束縛，回頭一看，發現背後還有一堵矮牆，矮牆後面有許多人舉著道具走來走去，矮牆後面有一堆火，火光將道具的影子投射到人們面前的牆上，他發覺原來人們以為真實的原來全是投影。

他再往前面走，發現洞口隱隱約約有光亮，順著光源爬出洞口，突然眼前一片光明，讓人眼睛都快瞎了。慢慢適應後才發現，原來洞穴外面才是真實的世界，在洞穴裡看到的只是道具，地上有各種做為道具原型的真實的東西。這個人發現了真理，十分快樂，但不忍心自己的同伴們仍在陰暗的地下受苦，他要將真相告訴他們。

於是他返回洞穴，可是從光明中回到洞穴，眼睛一時間看不清而跌跌撞撞。他想帶同伴們走出黑暗的洞穴，同伴們卻笑話他說，你連這裡都看不清，還騙我們說有光明的世界。人最怕作夢時被喚醒，最怕自己的愚昧無知被揭穿，於是他們惱羞成怒，將這個人痛打了一頓，並將他殺死了。

這個人就是蘇格拉底，這個故事反諷地描述了蘇格拉底在雅典的不幸遭遇。當時的雅典就像一匹倦怠發福、只想睡覺的千里馬，失去了前行的動力。蘇格拉底將自己比喻為牛蠅，試圖喚醒雅典這匹千里馬，讓它繼續前行，開創文化的新高峰，最終卻激怒了雅典人而被殺。柏拉圖的洞穴比喻背後的豐富內涵，值得每一個人深思。

不受干擾與影響

（三）市場假象

人們常被錯誤的資訊所誤導，有如在市場上，人多口雜，人們以訛傳訛，完全掩蓋了事實真相。古代流傳著一則「吐出一隻鵝」的趣聞：有人因咳嗽吐出幾絲「像鵝毛一樣」的痰來，經過多人轉述，逐漸變成「吐出鵝毛」，最後竟變成「吐出一隻鵝」來。

因此，我們應記得資訊、知識、智慧的區分，就某一領域進行系統的了解和說明，才能構成知識，而只有具備完整性與根本性的才是智慧。要想得到智慧，須先破再立，先破除假象才能有效建構。

不同時代有各自的熱點話題。現代社會，人們非常關心社會制度、人權福利的話題，說法不一而足，儼然如熱鬧的市場，我們應深入分析，謹慎取捨，做出自己的判斷。比如中國古代社會雖是帝王專制，但與西方的專制制度有明顯的不同，其中科舉制、監察制有其獨到之處。

科舉制演變到後期確實葬送了不少優秀人才，犧牲了許多人的青春，但是它向社會開放政權，用統一考試的形式給平凡百姓以公平的機會。監察制則構建了以御史大夫為首的監察系統，最具特色的是設立專門向皇帝諫言的官員，儘管忠言逆耳，但皇帝仍須尊重清議，此舉使皇權受到了一定的制約。這兩項制度使得中國古代雖是帝王專制，但仍可維持相對穩定的局面，歷代只有朝代更迭，並無真正意義上的國家滅亡，中華文明得以長期延續發展。西方從羅馬帝國時代逐漸演變，形成不同的政治架構。究竟孰優孰劣，應自己分析利弊，取長補短，好中求優。

（四）劇場假象

「人生如戲」的說法十分生動，我們每一個人現在扮演什麼角色就要努力做好，但上場不忘下場時，該下場就瀟灑讓位，讓別人繼續出演。

劇場假象是說，某種思想或宗教猶如一戲劇，描繪了美好的人生藍圖，但缺乏系統論證。由於場景逼真，常使人不假思索而完全接受，就像看電視電影，不知不覺地我們就會將自己置身其中。

我年輕時讀金庸的小說，可以分為以下三個階段。

第一階段，很想知道究竟誰是好人、誰是壞人，希望善有善報、惡有惡報，結果發現好人不全好，壞人不全壞。比如說某人像

「岳不群」，沒看過小說的人聽說「岳不群」是華山派掌門人，以為誇獎他；實則「岳不群」是「偽君子」的代稱，是在諷刺他。每個人開始讀武俠小說，都天真幼稚，希望自己能進入武俠世界，成為故事的主角。小學時常聽一位同學抱怨「沒希望當大俠了」，原因是他的父母健在，而武俠小說中的男主角大都父母雙亡，在艱難困苦中才奮鬥有成。武俠小說讓孩子以為人生只有一個版本、一種模式。

第二階段，是在武俠小說中尋找人性的邏輯，善惡判斷的標準何在，標準由誰而定？亞里斯多德談到「詩學」(主要是悲劇創作)時，提出創作的原則是「詩的正義」(poetic justice)，即善有善報，惡有惡報。人類世界缺乏正義，在戲劇創作中則應善惡有報，讓人心裡愉快，這是古今中外人類共同的心願。再讀金庸的小說則發現，每個人的善行、惡行與他承受的報應未必對稱，有的人遭受到比所犯過錯更嚴重的懲罰，宛如悲劇英雄；有的人多行不義，卻僥倖逃過一劫。

第三階段，自己才真正看懂金庸的小說。我把自己想像成劇中人物，從來不設想自己是大俠，而是設想為小說中不起眼的小人物，邊看邊問自己，如果我是他會怎麼做，會做得像他一樣好嗎？於是，金庸小說成為一部人生啟發書。

無論小說還是戲劇，無不營造出逼真的情境，讓我們不知不覺融入其中。但如果以為那是人生的唯一版本，則可能限制了自己一生的發展。重要的是，我們要思考故事背後有何根據，是否有合乎邏輯的論證，能否與自身情況相匹配，努力尋找適合自己的人生之路。

由描述找到真相

認識外在的世界或一個人的本質，重點在於合理有效的思想方法。近代西方哲學發展出一套現象學的方法，有其獨特的歷史背景。自笛卡兒提出「我思故我在」，將所有一切事物納入「我的思想和觀念」之中，西方哲學逐漸走入唯心論系統。我所認識的是能被我認識的世界，未必等於世界本身，至康德（Immanuel Kant，1724 － 1804）將唯心論系統發展完成。但問題隨之而來，如果我所認識的只是我的思想可以掌握的部分，如何保證我可以認識外界事物？

十九世紀後期，胡塞爾（Husserl，1859 － 1938）發起「現象學」運動，希望借鑑科學研究的方法，把哲學塑造為一門「嚴謹的學問」。現象學的目的是跳出笛卡兒唯心論的困境，提出人不能只在自我的認知能力裡打轉，而要回到事物本身，掌握事物呈現的現象，進而掌握事物的本質。

所謂「現象」是指，任何事物，不論是想像中的（如虛擬實境VR中呈現）或確實存在的，只要能呈現給我的意識被我掌握的，都屬於現象。現象學建構了一種獨特的方法，目的在於使現象不受曲解，並在它出現時予以正確描述。

比如，人走到曠野上，將視野所能看到的邊界稱為「地平線」，當看到遠方有一個尖尖的東西出現時，我們無法立即分辨出它究竟是犀牛角還是教堂的塔尖，慢慢接近直到某個臨界點，一剎那間發現原來是犀牛角，西方形象地稱之為「啊哈經驗」。

我們可能認識一個人很多年，忽然有一天發現這個人有問題，「啊哈，發現了真相」，代表之前的主觀認識與客觀事實存在偏差。因此，現象學的目的就是排除主觀意識干擾，讓物件自行呈現。這需要回到事物本身，包含兩個重點：一是直接看到物件的一切可能的情況；二是當我直接看到物件時，我無法想像它是別的東西。亦即，既要將物件本身看清楚，又要將它與別的物件區分明白。

現象學的方法簡單來說，就是透過對現象的描述掌握現象的本質。中國人常說「知人知面不知心」，「知面」就是認識一個人的外貌，「不知心」是不了解一個人內心的真正想法。孔子在教學中常常讓學生談談自己的「志向」，人們交朋友也都希望「志同道合」。所謂「志」，「士心」為志，即一個人心中的目標方向。認識一個人不能只看現在的情況，而要看他心中的志向目標何在，努力奮鬥的動力何在，人生的理想何在，這樣才能認識一個人的本質。

佛教修行有三個階段：開始修行時，看山是山，看水是水；修行了一段時間後，看山不是山，看水不是水；修行多年覺悟後，看山還是山，看水還是水。從開始階段的「看山是山」到最後階段覺悟到「山還是山」，並非回到原點，而是通過修行認識到山的本質。

山的本質並非綠色，有些山沒有花草樹木仍然是山，如火焰山；山的本質不是石頭，也不是泥土。水也一樣，水的本質不是流動，湖水不動也是水，如《易經》中的「兌卦」所代表的「澤」；水的本質並非清涼，溫泉水就是熱的，這些描述都不是水的本質。

通過對現象的描述，人不再執著於現象，最終會掌握「山之所以為山」的本質。覺悟後，仍要正常與人來往，因此仍要按約定俗成的名稱來與人溝通。但未修行的人會執著於山的樣子，修行開悟的人則知道山不是什麼。

佛教認為「萬法皆空」，「空」是指每一樣東西是由各種條件配合而形成的，人未必能掌握它的本質，甚至它根本無本質可言。

現象學的應用十分廣泛。每個人的認知範圍稱為「地平線」，我認識的地平線會與另一個人所認識的或另一本書所描寫的地平線相融合。這表明通過學習，我的認識可以得到不斷的擴展和深化。

自由想像法

下面說明現象學的兩種重要方法。

（一）存而不論

為了讓現象不受主觀干擾而自行呈現，要將外在的、次要的因素「放入括弧」，存而不論。這就像數學四則運算中「括弧」的作用，使括弧內的部分與外面暫時分開，先不做肯定或否定。然後再選擇某種特定焦點，全方位地「描述」該物件，使其本質得以呈現。

我的老師方東美曾講述他第一次到北京天壇的經歷。他先繞天壇一圈，又由近及遠，但是無論從哪個角度都無法看到天壇的全貌。突然聽到一陣鳴叫，只見一行大雁從天空飛過，他頓悟，從大雁的角度俯瞰才可掌握天壇的全貌。因此，認識一樣東西不能只站在自己的角度，而要跳開自己的角度，從更高、更遠的視角來看，才能把握全面。

（二）自由想像法

如何才能全方位「描述」物件？這需要運用「自由想像法」。下面通過舉例具體說明。比如想真正了解一個人，需綜合考慮以下四個方面：

1. 天生條件：年齡、外表、健康和聰明。

這其中哪一項比較重要？所謂「重要」是說「少了這項條件，他就不是他了」。一般人常常認為「外表」重要。

我在美國留學期間，一位電機系的同學回臺灣相親，在三個女孩中猶豫不決，徵求我的意見。我先讓他描述一下三個女孩的特點，他歸納為：第一個聰明，第二個能幹，第三個漂亮。我建議他選擇聰明的，因為聰明的女孩知道如何讓自己能幹和漂亮。

然而言者諄諄，聽者藐藐，他最終還是選擇了漂亮的女孩。結婚生活了一段時間後，我在大學裡見到他們，兩人在馬路上各走一邊，看樣子感情出了問題。這位同學忽略了一點：漂亮的女孩未必聰明，她不見得能與你共患難，因為她沒法判斷該如何做才好。

2. 後天培養或具備的條件：家庭、教育、專長和職業。

家庭屬於背景條件，有些孩子含著金湯匙出生，但那是他父母取得的成就，跟他本身未必有內在關聯。教育情況是指學什麼科系，受過何種程度的教育，有什麼水準。專長較特別，社會上每個人都需要有一技之長，所謂「萬貫家財不如一技在身」。職業方面，有調查顯示在現代社會中，人一生至少換三到五種職業。四項條件中，專長比較重要，能凸顯出個人的特色。

3. 社會成就：財富、名聲、地位和權力。

這四項條件常緊密相連，難以取捨。擁有權力，則財富、地位、名聲往往隨之而來，但權力是由他人或百姓賦予的，一旦權力更迭，其他條件也將隨之消失，因而權力不可靠。名聲是由別人給的，地位需要經過長期積累。人到中年會發現，在現代自由開放的社會中，財富比較實在，個人可以把握和運用。

4. 個人的選擇：志趣、交友、社團和信仰。

每個人的志趣各不相同，擇友和參與社團與個人志趣緊密相連。信仰則需要機緣，每個人都有自己獨特的心路歷程，有些人信仰宗教並甘願為之犧牲，如果沒有信仰，他就不是他了。

想要真正了解一個人，可以將上述十六項條件逐一列出，然後問：「如果少了這一項，他還是他嗎？」

我們常被一個人的外表所迷惑，哪個人不曾年輕過，哪個人不會老，要保持外表只好整形。有一個韓國選美比賽，初選入圍的十位選手中竟有六位長得一樣，原來都是整形後才來參賽的，這樣的比賽讓人難以理解。長相是父母所賜，我們應當珍惜和尊重。人到一定階段應當覺悟，人生絕不能全靠外表。健康固然不可或缺，但健康是讓人活著去做更有意義的事，如果活到一、兩百歲卻無所事事，人生有什麼意義？

要認識一人或一物，就要運用自由想像法，將內在與外在的條件全部列出，逐一追問：如果少了這一項，他還是他嗎？對任何人、任何東西，我們都要經常運用上述方法，慢慢將學會，如何透過現象掌握人或事物的本質。

閱讀的立足點

日常工作和生活離不開閱讀。現代社會流行手機閱讀，雖然篇幅簡短，但我們仍希望準確理解文字背後的意思，這就需要接受科學閱讀方法的基本訓練。

西方最新的詮釋學（Hermeneutics）為我們提供了閱讀的可靠方法。所謂「詮釋」，就是合理地解釋一句話、一段文字的意思，讓我們更好地理解。

閱讀文本首先應有「立足點」，即選擇某個特定角度切入文本，避免只在文字表面打轉。閱讀一般有三個立足點：傳統、個人和文本（text）。

（一）傳統

每種文化都有其獨特的社會環境和歷史背景，我們使用的語言文字、表達方式均受到自身傳統的影響。

中國文化與孝順密切相關，而西方並沒有專門一個詞可以準確表達「孝順」的內涵，一般使用兩個詞來形容：一是強調子女對父母的「順從」，但中國人心目中的「孝順」，除了順從還有尊敬、愛慕和保護父母的意思；二是類似宗教信仰的「虔誠」，然而在中國，子女與父母之間有親密的情感，完全不同於宗教的虔誠。

同樣的文本，由於閱讀者自身的文化傳統不同，會產生不同的理解。閱讀古代經典，「傳統」是很好的切入點。

（二）個人

每個人都會從個人經驗的角度去理解文本。前文介紹了英國哲學家培根打破四種假象，第二種為「洞穴假象」，即每個人都像生活在洞穴中，受到環境、風俗和教育的制約，習慣從自己的角度看世界，好似井底之蛙，無法看到事物的全貌。如果能認識到自身的局限，則會尊重他人的不同經驗，這樣反而可以將缺點轉化為優點。

在學校開會時，當有兩派因不同意見爭論時，我的一位同事常說：「你們聽我說，我最客觀。」大家都笑了，說自己最客觀，這句話本身就不太客觀。我們每個人都認為自己最客觀，最公平，但每個人的意見一定有自己的立場，不可能完全客觀。

西方人非常崇拜蘇格拉底，柏拉圖在《對話錄》中記載了不少蘇格拉底與別人的討論，但很少有結論。他常常從追問「勇敢」之類的詞的定義開始，請大家分別談談自己的理解。在對話中，一定會出現正反不同的意見，綜合各方意見的合理之處，可以向上提升到「合」的更高境界，由此發展出辯證法。

（三）文本

「文本」即文章本身，也就是中國傳統學術研究中「以經解經」

的原則。

比如，如何準確理解《論語》中「學而時習之，不亦說乎」？「學而時習之」涉及「學」、「時」、「習」三個概念。現在我們常把「學習」兩字連用，然而古代「學」是「學習」，「習」則指實踐，屬於行為範疇。

最重要的是對「時」應當如何理解？很多學生不喜歡孔子，是因為老師教書時常按照朱熹的解釋，將「時」解釋為「時常」，全句解釋為「學習之後時常復習」，再加上要考試，學生們肯定高興不起來。

正確的方法是「以經解經」，將《論語》中出現「時」的地方全部匯總，共十一處，可分為兩種用法：一指「適當的時候」，無論說話還是做事，都要考慮時機是否恰當，這涉及判斷時機的智慧；二指「春夏秋冬，四季四時」。沒有任何一處指「時常」。

因此，將「學而時習之，不亦說乎？」解釋為「學習任何東西並在適當的時候認真實踐，不也覺得高興嗎？」較為合理。無論是學習文學藝術、科學知識還是為人處事，學習之後，遇到有合適的機會，就要親身實踐，這會讓我們理解得更加深刻，應用得更加嫻熟，能力不斷提升，心中自然充滿喜悅。

閱讀要有立足點，傳統、個人、文本三者不可偏廢，如此閱讀才可能減少誤解。

它究竟說了什麼

詮釋學是關於如何有效閱讀的學問。閱讀一篇文章分四個階段：1. 它究竟說了什麼；2. 它想要說什麼；3. 它可能說什麼；4. 它應該說什麼。

（一）它究竟說了什麼（What did it say?）

讀書，尤其是讀古代經典，首先應該尊重原文，弄清楚它究竟說了什麼，文章中的每個字是否正確。如果讀了半天，發現字都印錯了，則不僅白費力氣還易產生誤解。為確保文本的可靠，應參考文字訓詁專家的意見，先做一番考證工夫。對於傳統經典的文本歷來存在不少爭議，專家意見各不相同，讓我們無所適從。

然而，中國文化源遠流長，不斷從地下出土文物，最有名的是甲骨文的出土。在一八九九年前後，河南安陽的小屯村（殷墟）出土了大量的龜甲和獸骨，許多被當地老百姓當做中藥（龍骨）吃掉了，而學者發現上面竟有字跡，於是收集研究，累計發掘近二十萬片，隨後湧現出不少甲骨文研究專家。這對我們了解商周時期的歷史和文化，提供了極大的幫助。

對道家代表作《老子》（又稱《道德經》）最具意義的研究是一九七三年湖南長沙馬王堆三號漢墓出土的甲乙兩種帛書抄本《老子》。在帛書《老子》出土之前千餘年的《老子》研究中，所有人參考的都是魏晉時代王弼（226 － 249）的注本。王弼是中國古代的天才，只活了二十三歲，他的注本成為後代學者研究《老子》和《易經》必須參考的經典著作。

所謂「帛書」是將文字寫在絹帛上，帛書本《老子》[57]比王弼注本早四百多年，年代在漢高祖劉邦之前，據此可以修訂王弼注本《老子》原文的一些錯字。一九九三年湖北荊門郭店村戰國楚墓又出土了竹簡本《老子》，可惜殘缺不全，無法深入研究。

57　帛書本《老子》中，有「治大邦如烹小鮮」等語句，王弼注本為漢初避諱漢高祖劉邦，將「邦」改為「國」。

閱讀第一件事就是要清楚原文究竟說了什麼。古代的書都刻在竹簡上，刻字工人可能出錯，多刻一字、少刻一字，或兩字字形接近而刻錯，我們應借鑑專家的研究成果。

《論語．為政篇》中有一句話大家耳熟能詳，子曰：「吾十有五而志於學，三十而立，四十而不惑，五十而知天命，六十而耳順，七十而從心所欲不踰矩。」其中「六十而耳順」很難理解，一般認為「耳順」是說耳朵聽到任何東西都可以理解，很容易理解別人說話的意思，別人批評我也不放在心上。但與孔子生平對照就會發現，「耳順」與他的生平沒什麼關係。

孔子「五十而知天命」，知道自己的使命是從政服務社會，造福百姓。因此他五十一歲出來做官，五年之內，政績突出，從縣長（中都宰）一路升到魯國代理總理（司寇、攝相事），這是當時平民百姓所能做到的最高官位。

然而他發現，魯國當時的政治格局限制了他的發展空間，國家權力分為四塊，魯國國君只占四分之一， 三家大夫勢力很大，瓜分了其他的四分之三，孔子無法施展自己的抱負。於是孔子去國離鄉，從五十五歲至六十八歲，開始了長達十四年的周遊列國生涯。這些經歷明顯與耳順無關。

對於古代經典原文的每一個字，任何人都不能隨意更改，否則每個人都可以改，古籍將面目全非。然而，萬一真刻錯了怎麼辦？《孟子．盡心下》說：「盡信《書》，則不如無《書》。」完全相信《尚書》所記的，還不如沒有《尚書》這本書。《尚書．武成篇》記載，周武王伐紂時，血流成河，很重的舂米木棍都漂浮起來，但孟子認為太過誇張。孟子並未見過當時的情況，他透過合理思考做出了自己的判斷。

受歷代專家研究的啟發，我認為「耳順」中的「耳」是衍文，是多出來的字，應為「六十而順」，即孔子六十歲順天命。《論語・八佾篇》記載儀城的封疆官員見過孔子之後，認為天將會以孔子做為教化百姓的木鐸[58]，這就是孔子的天命，孔子周遊列國正是順應天命。

我在歐洲荷蘭萊頓大學教書期間，召開學術研討會，向一位外國學者說明上述觀點，他表示同意，但說：「我們外國人讀中國經典覺得『耳順』聽起來比較神祕。」外國人固然可以這樣想，中國人卻不能如此。

閱讀文章第一步就是清楚原文究竟說了什麼。古書可能偶有錯別字，我們應大膽假設，小心求證，否則以訛傳訛，沒有真正理解古代思想的精華，甚為可惜。在此過程中，文字訓詁專家的意見和地下出土的材料均值得參考，由此入手研究才較為妥當。

它想要說什麼

（二）它想要說什麼（What would it say?）

人們說話常「意在言外」，這是因為每個時代均有其特定的歷史背景，對很多事情形成集體共識，不用解釋大家也心知肚明。但隨著時間的推移，後人可能完全不懂為什麼前人要討論那樣的問題。因此閱讀古代經典，要深入研究當時的時代背景，設法了解古人在當時的歷史條件下「想要」說什麼。

58　原文：天將以夫子為木鐸。木鐸，木舌的銅鈴，古代宣布政教法令時，巡行振鳴以引起眾人注意。用以比喻宣揚教化。

比如《論語》中多次記載孔子與學生討論有關「仁」[59]的問題，這代表「仁」是孔子最為重視的關鍵概念。學生們也很想透澈了解，卻很難完全掌握。孔子為什麼如此重視「仁」？他想要表達什麼？這就要回溯到孔子所處的春秋時代的歷史背景。

春秋時代（770 － 476 B.C.）天子失德，禮壞樂崩，天下大亂，社會價值觀瓦解，這樣的社會有兩個特色：1. 善惡不分，人人流於虛偽，無法分辨善惡；2. 善惡無報應，好人吃虧受苦，壞人猖狂妄行。平民百姓沒有人願意行善避惡，整個社會趨於崩潰。孔子正是在這樣的時代背景下提出並強調「仁」的重要性。他愈強調「仁」的重要，愈說明當時的社會缺乏「仁」，需要以「仁」來重建價值。

勸人行善避惡有三種可能途徑：

1. 依靠社會規範和輿論壓力。但春秋時代禮壞樂崩，社會規範和輿論壓力已失去效力。

2. 訴諸宗教信仰。宗教徒不修今生修來世，為了有福報而積極行善。但很多人沒有宗教信仰，而且宗教不只一種，不同宗教之間常常鬥爭甚至引發戰爭。

3. 訴諸個人良心。儒家就是選擇了這條路，讓每個人自己發現良心的可貴。

如果用一個詞概括儒家學說，其核心就是「真誠」二字。如果缺乏真誠，別人無法知道我的真實想法，人與人之間無法形成良好互動，無法長期交往。同時，一個人長期虛偽的後果是迷失自我，到最後自己也不知道內心有何真實想法。

一旦內心真誠，將會有以下表現：

1. 不安。《論語．陽貨篇》中，學生宰我覺得為父母守喪三年[60]時間未免太長了，一年就夠了。孔子問：「守喪未滿三年，就吃白米飯，穿錦緞衣，你心裡安不安呢？」這裡展現了孔子啟發式教學的特色。他啟發學生回到內心，真誠思考。每個人的人生經歷不同，不可能有標準答案，儒家只提供思考的出發點。

2. 不忍。《孟子．公孫丑上》中，孟子說，有人看見小孩爬到井邊，心中一定驚恐憐憫，並非與小孩的父母有什麼交情，並非想要在鄉親朋友中獲得聲譽，也並非不喜歡小孩的哭聲。這表明人只要真誠，不計較利害，一定心生不忍。孟子正是希望人們真誠，使力量由內而發，要求自己行善。

3. 快樂。孔子認為只要憑良心真誠做事，由於滿全了向善的人性，因此快樂由內而發，源源不絕，快樂是行善當下的直接效果。

因此，了解孔子所處春秋時代禮壞樂崩、價值瓦解的時代背景，才能體會孔子的用心良苦，他試圖透過「真誠」引發每個人的良心，讓人們重建價值的基礎，從而維繫社會的穩定。這就是儒家教育的基本策略。

前文提到笛卡兒最廣為人知的話是「我思故我在」，了解笛卡兒「想要」說什麼，必須了解他所處的時代背景。笛卡兒之前的一千三百多年是西方的中世紀時期，人們虔誠信仰天主教[61]，相信《聖經》就是全部真理。笛卡兒大膽提出，先不要盲目接受《聖經》的說法，而要「用理性探討真理」，這在西方社會無異於石破天驚。

理性思考第一步是要懷疑一切可以被懷疑的東西，目的是找到

59　《論語》共記載了十三則弟子「問仁」。其中，樊遲與子貢各三次，子張兩次，宰我、顏淵、仲弓、司馬牛、原憲各一次。

60　三年之喪：按《荀子》記載，三年之喪指二十五個月。

61　參見本書第三章關於天主教與基督教的分辨。

知識的可靠基礎。而在懷疑過程中發現，唯一不能懷疑的就是「自我」，因為如果自我不存在，是誰在懷疑呢？同時懷疑又是思想的一種作用，因此笛卡兒提出「我思故我在」。

了解西方的歷史背景後，不難理解為什麼黑格爾對笛卡兒如此推崇，說「經過漫長的中世紀，當笛卡兒出現時，就像海上航行很久的人高呼，陸地到了，陸地到了」。

如何理解十九世紀德國哲學家尼采（F. W. Nietzsche，1844－1900）宣稱的「上帝已死」[62]？十九世紀西方社會價值觀瓦解，而西方的價值觀是以宗教信仰做為基礎，價值觀瓦解代表上帝失去了作用，因此尼采才宣稱「上帝已死」。

要了解前代哲學家的話，需要先了解當時特定的時代和社會背景，否則脫離特定時空背景，只看單純的文字，可做各種解釋，卻未必是作者的本意。我們應尊重前輩哲人的思想，設法了解他們內心的真實想法，因此要問：他們想要說什麼？

它能夠說什麼

（三）它能夠說什麼（What could it say?）

「能夠」代表「可能性」。任何一句話讓不同時代、不同社會的人來理解，會有各不相同的解釋。這說明，每一句話都有獨立的生命，讀者根據自己的人生經驗可以有不同的體會。比如在研究《論語》的過程中，我參考了歷代四百多位學者的注解，《論語》的每句話都好像有無限的生命力，可以讓大家充分引申發揮。

有趣的是，有時作者寫作時都不清楚的意思，卻能被讀者闡發。臺灣有一位知名作家寫了不少言情小說，經常以聖誕舞會做為開場，男女主角在舞會中相識，由此發展出曲折離奇的愛情故事。多年後，有學者研究這位作家的小說，將其特色歸納為以聖潔的宗教情懷出發，有著宗教的儀式，其後漸漸發展出複雜的關係，分析得十分深刻，連作者本人看了都十分驚訝，不知道自己的文字可以如此解讀。

古希臘時代有一則類似的故事。蘇格拉底不相信德爾斐神殿女祭司的預言 —— 說他是雅典最明智的人。他於是帶領年輕人一起拜訪了雅典的三種人：一是政治家，二是暢銷書作家，三是科技專家。其中暢銷書作家是指雅典的悲劇和詩歌的創作者，當時雅典文藝風氣盛行，每年舉辦創作比賽，為獲獎作家頒發桂冠，給予「桂冠詩人」的榮譽稱號。

蘇格拉底問作家其著作當中一段話的意思，結果周圍每個人的解釋都比作家本人的解釋更合理、更深刻。這讓作家十分尷尬，無地自容，只好承認創作前先喝醉才有了靈感，自己並不知道究竟寫了什麼。蘇格拉底最終發現，雅典社會名流其實並不知道自己的無知。他的行為激怒了雅典權貴，埋下了日後被誣告受審的禍根。

閱讀的難點在於每個人都有自己的看法，都認為自己掌握了作者的意思，眾說紛紜，而作者本人不在現場，因而無法形成定論。

清朝著名學者顏元（號習齋，1635 – 1704）六十多歲時談了自己讀《論語》的三個階段。

第一階段（二十歲之前）：字字是文字。字是字，我是我，只是為了科舉功名而讀《論語》。

第二階段（二十至四十歲）：字字是習行。《論語》中的每一

62　出自《查拉圖斯特拉如是說》。

句話都在教如何做人處事，每一句話都需要認真實踐。《論語》不再只是文字，而是對人生有深刻啟發意義的指導書。

第三階段（四十至六十歲）：字字是經濟。「經濟」指「經國濟世」。《論語》字字珠璣，處處蘊含著治平天下的方略。

顏元以劉邦、項羽楚漢爭霸為例。劉邦之所以取勝，因為踐行了孔子「惠則足以使人」[63]的方針，即施惠就能夠領導別人。韓信破齊後，在劉、項之間觀望而按兵不動，派人給劉邦上書，希望劉邦封他為「齊假王」（代理齊王），劉邦審時度勢，說：「大丈夫要當就當真王，當什麼假王。」立即封韓信為齊王[64]，於是韓信發兵圍攻項羽，取得了「垓下之戰」的決定性勝利。

而項羽則缺乏宏圖大略，韓信說項羽每當部下有功勞應當封賞時，就把官印拿在手裡摩挲，把官印稜角磨掉了，仍捨不得頒發[65]。顏元用《論語．堯曰篇》中的「出納之吝，謂之有司」形容項羽，說他如同地位卑微的官吏，按規定分發錢財時，好像自己出錢似的捨不得。顏元借此事說明《論語》有經國濟世的作用。宋朝開國重臣趙普曾說：「吾以半部《論語》佐太祖定天下。」[66]這句話也表明了同樣的道理。

研究古代經典要參考歷代學者的研究心得，這是很繁重的工作。只有經過這一關，才能全面了解經典「能夠」說什麼，也才有信心進入最後的階段 —— 它「應該」說什麼。

它應該說什麼

（四）它應該說什麼（What should it say?）

「應該」代表個人的主觀看法。閱讀同樣的文本，每個人都有自己的主觀看法。專家權威的看法之所以較為可靠，是因為他們的研究經過了前面三個階段：1. 它究竟說了什麼，充分考證了文本的準確可靠性；2. 它想要說什麼，充分了解作者所處時代的社會背景，把握作者提出觀念所針對的時代需求；3. 它能夠說什麼，充分參考歷代學者的不同詮釋。最後一步還要結合自己的經驗背景，表明自己所贊成的立場。

比如《論語》經過兩千五百多年的研究，每一句話都有不同的解讀，唐宋八大家之一、「文起八代之衰」的韓愈也研究過《論語》，在下面這句話的理解上，與朱熹的觀點不同。

祭如在，祭神如神在。子曰：「吾不與祭如不祭。」（《論語．八佾篇》）

前半句意為：祭祀時有如受祭者真的存在，祭鬼神時有如鬼神真的存在。描寫了孔子祭祀時態度莊嚴肅穆，好像祖先、神明真在面前一般。

後半句孔子說：「吾不與祭如不祭。」對此韓愈與朱熹的理解完全不同。古文無標點斷句，朱熹將此句斷為「吾不與祭，如不祭」，解釋為「我沒有參加祭祀，就好像我沒有親自祭祀」，聽上去同語重複，讓人難以理解，而且也與前半句描寫孔子祭祀時的表現缺乏關聯。

韓愈則認為孔子「譏祭如不祭者」，即孔子譏笑那些「祭祀時

63　出自《論語．陽貨篇》，子張問仁於孔子，孔子提出「恭、寬、信、敏、惠」五點要求。

64　出自《史記．田儋列傳》。原文：韓信遂平齊，乞自立為齊假王，漢因而立之。

65　出自《史記．淮陰侯列傳》。原文：至使人有功當封爵者，印刓（ㄨㄢˊ）敝，忍不能予。

66　南宋羅大經所撰《鶴林玉露》中記載：「趙普再相，人言普山東人，所讀者止《論語》……太宗嘗以此語問普，普略不隱，對曰：『臣平生所知，誠不出此。昔以其半輔太祖定天下，今欲以其半輔陛下致太平。』」

態度散漫隨便，好像不在祭祀」的人。對照朱熹和韓愈的不同觀點，我們應該做出自己的判斷，這句話「應該」說什麼。

我可以接受韓愈的說法。「與」表示「贊成」，全句完整的意思是：孔子祭祀時非常虔誠，好像祖先和鬼神真的在面前一樣，稍後孔子說「我不贊成那種祭祀時有如不在祭祀的態度」。這樣的解釋前後連貫，意義明確。

幾十年前，許多學者共同編纂了《古史辨》，重新辨析中國古代歷史。有學者認為夏朝歷史缺乏證據，「禹古史辨這個人不存在，根據《說文》「禹，蟲[67]也」，猜測「禹或是九鼎上鑄的一種動物」。這只是代表他個人認為「應該如此」。之後的考古發掘則提供了不少證據，證明夏朝的存在。考古發掘與研究工作的不斷開展，使我們可以掌握更多資料，做出自己的判斷，學術才能不斷進步。

朱熹的《四書章句集注》在元、明、清三朝長達六百餘年的時間裡，均被奉為學官教科書和科舉考試的標準答案，但問題是朱熹注的《四書》真的合乎孔子、孟子的原意嗎？

朱熹認為「人性本善」，經過我幾十年的認真研究發現，孔子、孟子並不這樣認為。有兩個明顯的證據：

1. 孔子在《論語．季氏篇》說，君子有三戒[68]：年輕時，血氣還未穩定，小心不要好色；到了壯年，血氣正當旺盛，小心不要好鬥；到了老年，血氣已經衰弱，小心不要貪得無厭。所謂「血氣」是指，人有身體，隨著身體而有本能的衝動和欲望。人一輩子有身體，因此一輩子要小心，一輩子不能停止德行修養，以化解隨身體而來的本能的衝動和欲望。孔子怎麼會認為「人性本善」呢？

2. 孟子說「性善」，但並沒有說「性本善」。《孟子．滕文公上》中，孟子說：「人們吃飽穿暖，生活安逸而沒有受教育，就會和禽獸差不多。」[69]從堯舜時代就是如此，因此歷代社會都十分重視教育，否則一般百姓與禽獸差不多，只有本能的衝動和欲望。因而，我們要根據古代資料，自己判斷「性善」是什麼意思。

我認為孔子、孟子並非認為「人性本善」，而是認為「人性向善」。「向」代表「真誠」，人只要真誠，力量由內而發，如果不去行善，則心裡會覺得不安或不忍。整個儒家的理論系統就是從「人性向善」出發的。

在二十一世紀研究古代思想，必須經過上述四個階段：它究竟說了什麼，它想要說什麼，它能夠說什麼，以及它應該說什麼。它「應該」說什麼，要求我們做出自己的判斷，是自己要負責的個人研究心得。提出個人觀點後，要接受討論、批評和質疑。我們讀書要保持開放的心態，不斷擴展自己的視野，提升知識的地平線。詮釋學的四個階段都能兼顧，才可算是認真讀了一本書。

67　古代「蟲」並非單指昆蟲，實為動物的總稱，包括老虎、蛇等。

68　原文：君子有三戒：少之時，血氣未定，戒之在色；及其壯也，血氣方剛，戒之在鬥；及其老也，血氣既衰，戒之在得。

69　原文：人之有道也，飽食暖衣，逸居而無教，則近於禽獸。

第三章

人性的真相

為什麼要談人性

世界上有七十五億人，人與人各不相同，由此構成了複雜的人類社會。自古以來，人類的表現千差萬別，有些人善良而高貴，有些人醜惡而低俗，處在是非善惡、成王敗寇的複雜情況中間，我們每一個人一定會問：究竟人性是什麼？

這個問題眾說紛紜，從來未有定論。很多人認為，不管有什麼樣的哲學思想和宗教信仰，每個社會照樣有好人、有壞人，就像天下分久必合，合久必分，一治一亂，人類在大趨勢面前永遠束手無策。然而，哲學家總是前仆後繼、不遺餘力地試圖闡明人性的真相。因為只有清楚界定人性，才能以此為出發點，合理地安排人類的生活，為人類找到一條通往幸福的康莊大道。

人類面對著兩個世界：自然界和自由界。

（一）所謂「自然界」就是人類身處的宇宙大自然

中文中，「四方上下」謂之「宇」，是空間範疇；「往古來今」謂之「宙」，是時間範疇，「宇宙」就是時間和空間的總和。宇宙萬物的共同特色是「實然」，即實實在在的樣子。宇宙萬物的運動變化都符合客觀規律，晝夜交替，四季更迭，「自然」的就是「必然」的。一支手錶一鬆手自然會掉到地上，也必然掉到地上，如果手錶往上飛，一定是變魔術。

科學家一向致力於探索自然界背後的科學規律。古代科學萌芽時期，人類只能解釋很小範圍的自然現象，大量無法解釋的現象讓人覺得十分神祕。隨著科技的不斷進步，如今科學理論已經能夠廣泛而深入地解釋各類複雜現象。

然而最好的科學家也承認，人類可見的物質只占宇宙[70]的百分之四，還有百分之九十六的暗物質和暗能量人類根本無法了解。這讓我們每個人都大為驚訝，原來所謂的科學進步也只能掌握百分之四的物質。人類在面對自然界時，仍是相當無知的。

（二）所謂「自由界」就是人類世界

人類處在自然界之中，人的身體屬於自然界，受自然規律制約，不吃飯會餓，不休息會累；但人與萬物最大的不同是——人有自由可以選擇。因此人類除了有「實然」外，還有「應然」的問題，就是「應該怎樣做」的問題。

說「應然」就代表不是「實然」。人有理性可以學習，人有自由可以選擇，選擇之後還要承擔責任。比如人應該孝順，代表小孩孝順父母並非生來就有的狀態，需要先教育孩子為什麼要孝順：父母之恩，山高水長，孝順之心，由內而發。孩子懂得道理後，可以自由選擇。若不能選擇，只能稱為客觀規律，不能稱為「應該」，說「應該」就意味著有自由選擇的餘地。既是選擇，就有選對、選錯的可能，每個人都要為自己的選擇所造成的後果承擔責任。

只有人類才有「應然」的問題。人究竟應該怎麼生活？心理學家把這個問題看得比較簡單，他們把人性比做一張白紙，認為一個人行善還是為惡是由社會環境決定的，「染於蒼則蒼，染於黃則黃」（《墨子・所染》）。但是這樣一來，人不再需要為自己的惡行負責，人類的自由和價值也無從談起了。

心理學、社會學、法學、人類學等人文學科，都稱為經驗的學問，它們只能就已經發生的事件進行分析研究和歸納總結，以做出合理的解釋，但無法在經驗出現之前，提早預測和干預。這種情形下，人除了適應社會的挑戰之外，並無特別的價值可言。行善或為

70　天文學家推測，宇宙中最重要的成分是暗物質和暗能量，暗物質占宇宙實質的約百分之二十六，暗能量占百分之七十，通常所觀測到的普通物質只占宇宙實質的約百分之四點九。

惡是由社會環境決定的，人類自由的價值蕩然無存，這讓人難以接受。

哲學思考是先驗的，先驗就是先於經驗並做為經驗的基礎。

哲學思考的特色是：在人的經驗出現之前，先去探尋人的生命有何特定結構和特殊驅動力，會使人做出經驗中的各種事件。但困難的是，先於經驗的特性如何被人們了解和掌握？因此，哲學家需要有洞見（insight），不能只看事物的表象，更要深入到人性深處，洞察人性的真相。由此，才可能設計教育方針和政治架構，引領人類走向理想的未來。這就是哲學與其他學科的最大不同之處。

打遍天下無敵手

本章探討人性的真相，分為三個階段：1. 由古希臘的經典出發，認識人的現狀；2. 由中世紀的宗教信仰出發，探索人的起源；3. 由歐洲近代「進化論」出發，思考人的未來。西方文化的發展從古希臘、羅馬到近代歐洲一脈相承，是本章參考的主要材料，後面會有專門章節探討中國文化對人性的看法，以儒家、道家思想為主軸，並與西方文化進行對照。

就人的現狀看人性（古希臘思想）

談到古希臘思想，我們要參考三種觀點：荷馬（Homer）史詩、德爾斐（Delphi）神殿以及亞里斯多德哲學。

（一）荷馬史詩：能夠＝應該＝必然

荷馬是古希臘盲眼詩人，生前四處吟唱，著有《伊利亞德》、《奧德賽》等著名史詩，其中對於人性的界定，可概括為「能夠＝

應該＝必然」的公式。

《伊利亞德》的故事與古希臘神話有關。西元前十二世紀，特洛伊城王子帕里斯（Paris）誘走了斯巴達[71]國王的妻子海倫（Helen），是可忍孰不可忍，於是希臘城邦組織聯軍，渡海遠征特洛伊城[72]。戰爭延續十年之久，最後希臘人以「木馬計」攻破城池，焚毀特洛伊城。

特洛伊戰爭中表現最為勇敢傑出的當數阿基里斯（Achilles），可謂「打遍天下無敵手」，頗像金庸小說《雪山飛狐》裡的苗人鳳。這反映了遠古社會「能夠＝應該」的思維模式，即我有能力做到，就代表我應該去做，天生我才必有用，否則上天何必賦予我超凡的能力呢？因此，史詩塑造的英雄都是人高馬大，武藝超群，靠赤裸裸的力量取得勝利。

「應該＝必然」，必然代表命運。一座城池應該被毀滅，所以必然被毀滅，最後都是命運的安排，人們不需要抱怨，只能接受現實。「應該」也意味著「正確」，代表著「權力」[73]，由此衍生出「強權就是公理」的可怕論斷，這種想法毫無正義可言，對人類文明構成了重大挑戰，至今仍深深影響著西方人的思想。

人們常常好奇特洛伊城在歷史上真的存在嗎？它真如史詩中描繪的那般美麗和富饒嗎？一八七〇年，從小為特洛伊故事著迷的德國考古學家海因里希·施里曼（Heinrich Schliemann，1822－1890）按照《荷馬史詩》的描述，成功找到特洛伊城的位置。地下挖掘顯示特洛伊城有九個地層，其中第七層與《荷馬史詩》描述的

71　斯巴達，古希臘城邦之一。
72　特洛伊城，位於小亞細亞半島西端，即現在的土耳其靠近愛琴海一側的希薩利克（Hisarlik）。
73　權力、正確的英文都是right。

時代相仿。施里曼從中挖出了大量金銀珠寶，更重要的是證明特洛伊城確實存在過。

沒有人希望重新回到「強權就是公理」的時代，但是「能力=應該=必然」的思考模式對後代產生了重要影響。黑格爾曾說：「實在的就是合理的，合理的就是實在的。」[74]希臘人打下特洛伊城是事實，代表這種行動是合理的，這與古代思想類似。一件事能夠做成，一定有其成功的理由，每個人都可以為自己找藉口，如此一來，大家都不擇手段，先下手為強。手段不關乎好壞，只看能否達成效果，這種觀念對西方人有相當深遠的影響。

然而我們也應看到，人生是完整的歷程。當我們年輕力壯時，即使為所欲為，別人也無可奈何；但人終究會衰老，到那時我們會不會後悔當初的行為太過分呢？

這種以能力決定權力的思想，最後常常演變為暴力，使人類得到慘痛的教訓。這樣界定人性顯然不夠理想，由此演進到德爾斐神殿階段。

認識你自己

(二) 德爾斐神殿：認識你自己，凡事勿過度

德爾斐神殿是著名的古希臘神廟，位於雅典西北方帕爾納索斯山麓，其中供奉的是阿波羅神（Apollo）。阿波羅是希臘神話中的太陽神，天神宙斯之子，代表著光明和理性。任何人對人生問題感到疑惑，都可向神殿女祭司獻上一隻羊，來求籤解惑。通常女祭司的話含糊不清，需要另外的祭司解釋。

德爾斐神殿上刻了兩句話：「認識你自己」和「凡事勿過

度」。古代社會教育並不普及，除少數人受到完整的教育外，大多數人遇到人生困惑時，仍需要信仰的神明來解惑開示。在神殿上刻字就是一種普遍的全民教育方法。

「認識你自己」這句話至今仍然深深影響著西方社會。心理治療專家將它奉為格言，每當有心理疾病的患者前來就診時，心理師都會先問病人：「你了解自己，知道自己究竟想要什麼嗎？」

我們每個人在成長過程中都容易受他人影響，被各種廣告宣傳所打動，執著於許多東西，非要得到不可；真的得到之後常常發現，那並非我想要的。心理師的治療就是設法讓人真正認識自己，了解自己的目標，不要輕易受他人干擾。

孔子說：「富與貴，是人之所欲也。」(《論語．里仁篇》) 每個人都希望得到財富和地位，但是在正當獲取財富和地位的同時，也意味著必須承擔相應的社會責任。財富愈多，地位愈高，相應的社會責任愈大，否則財富和地位均難以為繼。人們常常以為財富和地位重要，但真的得到才發現，為此失去的東西可能更多。

美國拍攝了不少電影、電視，描寫家族成員之間為了追逐財富而勾心鬥角，最後形同陌路，彼此仇視。當年紀大了，回首往事，才發覺得不償失，追悔莫及，但是人生不能重來。因此我們首先要認識自己，究竟什麼東西是我們特別想要的，為了它，我們甘心努力奮鬥。

金庸小說《射鵰英雄傳》描寫西毒歐陽鋒為了「武功天下第一」的稱號，練習《九陰真經》而走火入魔，最後忘了自己是誰，逢人就問：「我是誰？」黃蓉告訴他：「你是歐陽鋒啊！」他又

74　出自黑格爾的《法哲學原理》，原意指宇宙和人類的歷史乃是絕對者的自我展現，實在界是絕對者（絕對精神）實現它自己所必須經過的歷程。

問：「歐陽鋒是誰？」忘了自己是誰，即使練成上乘武功又有什麼意義！

我們偶爾也會在忙碌中悵然若失，不禁自問：我是誰？我在做什麼？這些是我想要的嗎？為了這個目標付出這麼多究竟值得嗎？與其更多地了解世界，不如更多地了解自我。

「認識你自己」屬於「知」，「凡事勿過度」則屬於「行」，兩句話兼顧「知」與「行」，可謂相得益彰。「凡事勿過度」即行動適可而止，這需要智慧和修養。我們常常話到嘴邊脫口而出，本以為自己一片好意，結果反而造成更多的誤會與隔閡。

子曰：「人而不仁，疾之已甚，亂也。」（《論語．泰伯篇》）孔子說，一個人不行仁義，人們如果過分厭恨他，會使他作亂生事。因此，給別人留有餘地，讓別人有改過遷善的機會，一來一往之間，會對社會產生較大的幫助。

孟子曰：「仲尼不為已甚者也。」（《孟子．離婁下》）意為孔子是做什麼事都不過分的人，這正說明孔子做人處事的分寸把握得當，凡事適可而止，表現出高度的人文修養和處世智慧。

荷馬時代「能夠=應該=必然」的思想，使人們誤以為能力即是權力，從而演變為暴力，社會毫無正義可言，人類為此遭到慘痛的教訓；到德爾斐神殿刻出「認識你自己」、「凡事勿過度」兩句話，西方社會逐漸懂得收斂。

這兩句話說來容易做來難，只有念茲在茲，長期修練，才能產生明顯的效果。而對於大部分人來說，這兩句話只是警示格言，由於缺乏系統完整的說明，人們並不清楚背後的道理何在，因而無法產生深刻的作用，效果終究有限。

善用理性的力量

（三）亞里斯多德哲學：人是理性的動物

古希臘時期對人性看法的第三個階段，是以亞里斯多德為代表的哲學家的思想。

蘇格拉底、柏拉圖和亞里斯多德為三代師徒，被稱為古希臘三大哲學家。亞里斯多德是馬其頓人，馬其頓地處希臘東北邊緣，是巴爾幹半島上一個內陸城邦。柏拉圖年輕時跟隨蘇格拉底學習，在柏拉圖二十八歲時，蘇格拉底被人誣告而判處死刑，柏拉圖於是離開雅典，開始了長達十二年的周遊列國生涯。他曾到過埃及、義大利等地區，四十歲時回到雅典建立學院，這是歐洲第一所大學。亞里斯多德從十七歲進入柏拉圖學院學習，長達二十年，是柏拉圖最出色的學生。

柏拉圖去世後，亞里斯多德回到家鄉馬其頓，因其父親為馬其頓國王的御醫而受聘為馬其頓太子的老師。這個太子就是後來的亞歷山大大帝，當時年僅十三歲，由於受到亞里斯多德的教導，開闊了視野和心胸，日後建立了橫跨歐、亞、非三洲的帝國。

亞里斯多德為古代希臘學問集大成者，現代西方的各種學問，如邏輯學、形上學、植物學、動物學、氣象學，幾乎都可以追本溯源到亞里斯多德建立的方法和體系中。

現代流行的《*EQ*》[75]（*Emotion Intelligence*）這本書（譯為情緒智商，簡稱情商）在第一頁即引用亞里斯多德的話：「任何人都會生氣，這沒什麼難的。但是要能適時適所，以適當的方式對適當

75　作者丹尼爾．高曼（Daniel Goleman，1946 —至今），於一九九五年出版。

的物件恰如其分地生氣，可就難上加難。」

生氣誰都會，如何管理自己的情緒則是一門藝術。喜怒哀樂四種常見的情緒中，憤怒是最難控制的，也是最容易造成嚴重後果的。《易經・損卦》象曰：「君子以懲忿窒欲。」即君子由損卦領悟要戒惕憤怒，杜絕嗜欲，這對每個人都是非常重要的修養。

亞里斯多德對人性有一個簡單的說法：「人是有理性的動物。」並且解釋說，人的特徵在於「靈魂根據logos來運作」。「logos」是希臘文，直譯為邏各斯，最原始的含義是「言說」。說話的目的是與別人溝通，因此說話時應遵循理性的規律，避免出現前後矛盾，因而logos也表示人的理性。

「靈魂按logos來運作」即代表人使用理性進行思考和溝通，從而發展出邏輯這門學問。邏輯就是思維的規則，不按規則思考容易產生矛盾，與人說話溝通也達不到良好的效果。後來logos又引申出非常豐富的含義，現代各門學科都以「-logy」為字尾，也是從logos一詞衍生而來，代表以合理的方式表達某種專業學問，如Biology（生物學）、Psychology（心理學）、Sociology（社會學）。

亞里斯多德將人界定為有理性的動物，進而提出人生幸福的方法，使他的哲學構成完整的系統。他認為，人生的最大幸福在於將理性發揮到極致，即幸福在於理性的觀想（theoria，或譯為沉思、思索）。

觀想最為自給自足，一有行動就代表有所不足，譬如之所以喝水是因為口渴，之所以鍛鍊身體是希望身體健康。觀想不需要太多物質條件，不需要別人幫助，就可達到內在的滿足，它的過程即是目的，本身即是結果，當下即是一切。

然而，人除了有理性，還有情緒、意志和各種複雜的欲望。為什麼有理性的人經常做出非理性的事？為什麼人們常常對自己的所作所為深感後悔？英文有句話「Never say never」，永遠不要說「我永遠不怎樣」。自己發誓再也不做的事，都是我們最常犯的過錯，它根源於我們的性格。除非徹底改變自己的思維方式和氣質，否則一定會重犯，但要改變性格談何容易！

由此可知，亞里斯多德對人性的定義只注意到人與動物的差別，卻忽略了人類本身並未完全排除動物的特性。接下來將要介紹的是歐洲中世紀基督宗教關於人性的看法。

信徒最多的宗教

就人的起源看人性（基督宗教）

從古希臘時代進入羅馬時代，社會的主流思想並非來自羅馬自身的文化傳統。在羅馬時代，影響最為深遠的是由耶穌（Jesus，4 B.C. – 29 A.D.）創立的、依託猶太教傳統發展而成的基督宗教。

凡是相信耶穌是基督的人，都稱為基督徒，他們組成的宗教團體都稱為「基督宗教」（Christianity）。所謂「基督」就是彌賽亞（Messiah），即猶太教中的救世主。

基督宗教「一教三系」，按成立時間先後，分為天主教（Catholic）、東正教（Orthodox）和基督教（Protestant）三大系統。

天主教（Catholic）是歷史最悠久的，由耶穌創立，任命首席弟子彼得（Peter）為教會領袖。天主教以羅馬梵蒂岡為中心，從古至今一脈相承，均以羅馬教宗為主，全世界實行統一的一元化領導。羅馬帝國在西元三九五年分裂為東、西羅馬帝國，西羅馬帝國於西元四七六年被當時開化程度不高的日爾曼人所滅。歐洲西部行政上陷於分裂，但是在宗教信仰上仍奉天主教為共同信仰，接受羅馬教宗的統一領導。

東正教（Orthodox）始於一〇五四年，當時西羅馬帝國早已滅亡，東羅馬帝國[76]仍然存在，因此東羅馬帝國不再承認羅馬天主教的權威，而以君士坦丁堡（今土耳其伊斯坦堡）為中心建立教會，自居正統（orthodox意為正統），由於其地理位置在羅馬東側，故譯為「東正教」。它的影響範圍從巴爾幹半島到東歐、俄羅斯，一直延伸到中國的哈爾濱，哈爾濱至今仍保留著多座傳統的東正教教堂。天主教為了與東正教爭奪正統地位，歷史上發生過多次「十字軍東征」戰爭。

基督教（Protestant）始於一五一七年德國馬丁．路德（Martin Luther，1483－1546）的宗教改革，至今有五百年歷史，是三個系統中最晚出現的。Protestant具有「抗議」、「反對」的意涵，初衷是為了反抗天主教的腐敗，但中文翻譯為「基督教」，造成了不少理解上的困擾。因相對於原本的天主教（舊教），故又稱為「新教」。

天主教、東正教、基督教都屬於基督宗教，信徒都稱為基督徒，他們相信同一個耶穌、同一本《聖經》、同一個上帝。三個系統的信徒加起來超過二十億，在世界各大宗教中排名第一。

天主教目前仍由羅馬教宗統一領導，而基督教（新教）則各自分立。二十世紀八〇年代美國登記的基督教（新教）已有兩千多派，只要經濟獨立，有自己的教堂，對《聖經》有自己獨特的解釋方式，都可自成一體，建立新的教派。

羅馬帝國初期所信奉的神明是從古希臘神話中繼承而來的，僅僅改了名稱。為什麼羅馬帝國會接受與自己傳統信仰完全不同的基督宗教？

羅馬帝國依靠強大的軍事力量控制了猶太人，將帝國劃分為十個省，猶太人占其中的十分之一。耶穌按猶太教傳統創教之後，被猶太人當權派出賣，由羅馬總督彼拉多審判而被釘死在十字架上，年僅三十三歲。然而基督徒相信，耶穌死後第三天復活了，於是信徒們重新集結，開始傳教。

在開始傳教的階段，基督徒遭到羅馬帝國的殘酷迫害，當時羅馬鼓勵人們檢舉基督徒，被抓到的信徒要公開宣誓放棄信仰，否則其全部財產將被沒收送給檢舉人，而信徒本人將被送進鬥獸場餵獅子。然而信徒們高唱凱歌，視死如歸，甚至擁抱獅子，這極大地震撼了羅馬民眾：究竟是什麼信仰使得基督徒完全不懼怕死亡？經過三百年的流血犧牲，西元三一三年羅馬皇帝君士坦丁大帝終於公開承認宗教信仰自由，並成為第一位皈依基督宗教的羅馬皇帝。

談西方文化無法避開基督宗教，如果不談宗教信仰，則無法理解為什麼西方近現代哲學家仍念念不忘「上帝」這一概念，並在建構哲學系統時，一定要提出與「上帝」同樣位階的概念。這些表現都源於中世紀基督宗教的歷史背景。

人是神的形象嗎？

基督宗教的基本教義

上帝創造了世界和人類，人犯了罪，得罪了上帝，上帝讓自己的兒子耶穌降臨人間替人贖罪。耶穌由聖母瑪利亞童貞所生。耶穌

76　東羅馬帝國於西元一四五三年被鄂圖曼土耳其人所滅，比西羅馬帝國多存在約一千年。

勸人為善，愛人如己，後被羅馬總督彼拉多釘死在十字架上，被埋葬後第三天復活，復活後第四十天升天，復活後的第五十天聖靈降臨人間。他一生共收了十二個門徒，死後由門徒繼續傳福音。

耶穌對人說：「不要與惡人作對。有人打你的右臉，連左臉也轉過來由他打；有人想要告你，要拿你的裡衣，連外衣也由他拿去。」[77]（馬太福音，5：39 － 40）

無論耶穌的身世還是訓誡，從理性上看都是荒謬而不可理解的。但基督徒普遍相信兩點：

1. 我相信，因為那是荒謬的；
2. 我相信，是為了可以理解。[78]

如果理性上可以理解，人不需要借助於信仰。比如對於「地球繞太陽轉」這一知識，無論是科學觀測還是理論解釋，都可以被人的理性所掌握，因而不用「相信」。但是所有宗教的教義都有不可理解、荒謬矛盾之處，無法用理性掌握，只能「相信」它是真的。

人有理性，為什麼還會「相信」理性之外的東西？這是因為人雖然號稱是「理性的動物」，但仍會做出許許多多非理性之事。人對自己的理性缺乏信心，面對人生的複雜現象仍覺得十分困惑。

更重要的是第二句話。第一句話解釋了人「為什麼」要相信，是針對過去。第二句「為了什麼」則解釋了相信的目的，是針對將來，相信了才會理解人生的意義何在。

人活在世上，身體難免生病受苦，飽受折磨；世上的善惡報應的不合理更讓人覺得荒謬；最令人迷惑不解的是死亡：死後人還有靈魂嗎？靈魂會去什麼地方？靈魂還會回到人間嗎？一旦相信宗教給出的解釋，我們就會覺得人生是合理的而不再困惑。

基督宗教對人性的解釋有兩個重點：人有神的形象和人有原罪。

人是上帝按照神的形象造出的。神沒有身體，因此，神的「形象」不是指神的外形，而是指神是完美的、理想的典型。《聖經．舊約．創世紀》[79]中，上帝在第六天造出了人，第七天是安息日[80]，上帝停止了一切創造工作，在這天休息。上帝創造了萬物，覺得一切都很好。上帝用地上的泥土造人，在他鼻孔內吹了一口生氣，人就成了有靈性的生物（創世紀，2：7）。正是這一口氣，讓人具有了良心。良心給人以道德要求，讓人行善避惡，追求人生正確的歸宿，因此人具備了神的完美形象。

神創造出的人類後來沒有通過檢驗，犯了「原罪」，但不管原罪有多深，人始終有良心，可以向上追溯根源，回到神的世界。

基督徒相信「信耶穌，得永生」。但不相信基督宗教的人們就沒有機會得救了嗎？我中學上的是天主教教會學校，有些老師是天主教神父。我曾問老師：耶穌生活在西元前四年到西元二十九年[81]，而中國的孔子（551 － 479 B.C.）和孟子（372 － 289 B.C.）均早於耶穌的年代，他們是中國的聖人，難道沒有機會升天堂嗎？神父不知如何回答，只好說：「不要想太多。」

一九六二年，羅馬天主教會召集全球主教共同召開第二次梵蒂岡大公會議，宣稱：「不信耶穌，一生憑良心做事，死後同樣可以升天堂。」這說明人是按照神的形象造出的，人人皆有良心，良心的要求是一致的。只要行善避惡，終身按照良心的要求做事，任何

77　表示《聖經．新約．馬太福音》第五章第39至40節，以下同略。

78　拉丁文：1. Gredo，quia absurdum est；2. Gredo，ut intelligam.

79　《聖經．舊約》是猶太人的歷史故事和信仰經驗。

80　基督宗教將星期日定為禮拜日，因為耶穌星期日復活；猶太教則將星期六定為安息日。

81　有關耶穌的年代有兩種說法，一是以他為西元的起點（1 － 33 A.D.）；二是（4 B.C － 29 A.D.）。以耶穌的年代為歷史紀年，始自西元七三一年，英國學者彼得編纂《英國人的教會史》一書。參考《四大聖哲》。

宗教都會接納你。但終身按照良心要求做事，又談何容易！

人有原罪嗎？

基督宗教認為人有原罪，這一觀點成為基督宗教傳入中國的絆腳石。明朝末年，西方天主教傳教士來中國傳教[82]，中國人很難接受人有原罪的說法。

中國宋朝學者將儒家思想解釋為「人性本善」：朱熹（1130 － 1200）編纂的《四書章句集注》被列為科舉考試的標準答案；王應麟（1223 － 1296）將「人之初，性本善」編入童蒙讀物《三字經》[83]。

社會大眾雖然未必行善，但已普遍相信「人性本善」的觀點，對於基督宗教「人有原罪」的說法只覺得十分刺耳，並未深入思考現實存在的情況：為什麼西方宗教講「人有原罪」仍有人行善，而中國講「人性本善」卻不少人做壞事？東西方文化剛一接觸就產生了嚴重衝突。

對於原罪，我們可以換一個角度來理解。原罪不是說人生下來就有罪，而是問人間罪惡的來源是什麼。人類世界從古至今就有罪惡，即使是好人也不大可能一輩子沒做過壞事，所謂做壞事就是「明知故犯」。人性很脆弱，禁不起檢驗。

人類社會罪惡的來源不能歸因於上帝，只能歸因於人類的祖先。《聖經》正是用神話的方式解釋人類罪惡的來源。有些人認為《聖經》是神的啟示，每一個字都不能更改。但《聖經．舊約》成書於西元前十二世紀到西元前二世紀，當時的人們普遍認為宇宙分三個層次，上有天堂，下有地獄，地球是宇宙的中心，太陽繞地球運轉。這樣的描述在《聖經》中屢見不鮮，古人不可能超越當時人們對宇宙和人生的認知水準。

神按照自己的形象造了亞當和夏娃，讓他們生活在伊甸園中，讓地面生出各種好看好吃的果樹。生命樹和分別善惡樹在樂園中央，神給人下令說：「園中各樣樹上的果子，你可以隨意吃，只是分別善惡樹上的果子，你不可吃，因為你吃的日子必定死！」（創世紀，2：16 － 17）由此可知，最初的人類並不能區分善惡。

但由魔鬼變身的蛇誘惑夏娃，說：「你們不一定死；因為神知道，你們吃的日子眼睛就明亮了，你們便如神能知道善惡。」（創世紀，3：4 － 5）於是，亞當和夏娃偷吃了分別善惡樹的果子，破壞了與神的約定，得罪了神。神是無限存在的，人只是由泥土所造，因此人有了原罪，被逐出伊甸園。人類祖先犯了罪，後代的子孫也跟著受苦，這正是為了說明人性不夠圓滿。

人性不圓滿是因為人有自由，人常常誤用自由而犯罪，最明顯的是在人生選擇中弄錯了次序，把重要的事情放在腦後而去追逐次要的事。人活在世上，財富、地位都是次要的，重要的是追求神的公義，行善避惡，照顧他人。

原罪的說法可以解釋為何人類歷史上充斥著罪惡、不義、痛苦和戰爭，這些都來源於人性的不圓滿。但丁（Dante，1265 － 1321）的《神曲》（*Divina Commedia*）將人間罪惡歸為「七罪宗」，排在第一位的是驕傲。人類本來由神所造，來自泥土，一無所是；但人類居然認為自己和神一樣偉大，僭越了人應該有的身分，這就犯了「驕傲」的罪行。

82　西元一五八三年，義大利天主教傳教士利瑪竇（Matteo Ricci，1552 － 1610）做為羅明堅（P.M. Ruggieri）的助手到肇慶傳教建堂，此為近代天主教在中國內地傳教的真正開端。

83　《三字經》，作者王應麟，南宋官員，經史學家。

宗教固然可以解釋人類世界的種種問題，但卻無法預測人類未來發展的不同境界。

怎樣才可得救

我們習慣稱西方中世紀為黑暗時代，然而基督宗教為中世紀的歐洲民眾提供了安頓身心的途徑。基督宗教的目標是讓人可以得救，類似於佛教所謂的「解脫」境界。

在長達一千三百多年的中世紀裡，天主教做為人們的精神支柱和教化來源，穩定了歐洲的局勢。特別是在西元四七六年西羅馬帝國滅亡後，文化上落後的部族（當時稱為蠻族），如盎格魯-撒克遜（Anglo-Saxon）、法蘭克、日爾曼等民族掌握了西歐政權，但在宗教上仍接受羅馬天主教的領導。這對於教育未普及、科技未發展的歷史階段是十分必要的，否則又會回到古希臘「能夠＝應該＝必然」的強權時代，使地區陷於混戰，文明難以傳承和發展。

基督宗教中，一個人如果要得救，必須具備信、望、愛三種德行。

(一)「信」就是「信仰」，即「信耶穌得永生」

信仰對於人生好比定海神針，人生有如航海，先不要說要到哪裡去，恐怕現在身處何方都是問題，而宗教信仰可以幫助人們找到人生的定位和方向。

現在到歐洲旅遊，各城市的大教堂是一定要參觀的景點，如舉世聞名的巴黎聖母院大教堂（Cathédrale Notre-Dame de Paris），不僅建築本身極富特色，而且內部的圖案、布置也保留了中世紀天主教的主要特徵，成為珍貴的文化遺產。

哲學與宗教的關係是：兩者方向一致，方法不同。

宗教的方法是依靠信仰；哲學的方法是依靠理性，不斷質疑，注重辯證思考。

宗教與哲學方向一致，都是追求最後的真相，希望了解最後的真理。哲學定義為愛好智慧，智慧不能脫離完整而根本的真相；宗教的方向是了解宇宙萬物真實的本體。

在教育尚未普及、普通民眾不懂什麼是哲學思考的時代，依靠宗教信仰可以起到穩定社會的作用。宗教有明確的戒律，可以約束民眾謹守規矩，要求信徒定期懺悔，給人改過遷善的機會，使人們在生命過程中不斷調整自身的言行表現，從而使社會趨於穩定。

信仰與知識不同。宗教認為一般所謂的「知識」是向外的，比如了解自然界的變化規律，或了解人類的行為表現，這些都無法向內讓自己安身立命。

宗教信仰要靠個人的機緣。有調查顯示，百分之八十以上的宗教信仰與家庭傳統有關，子女大都會傳承父母的宗教信仰。為了抵達共同的目的地，每個人會選擇不同的交通工具，不同的宗教信仰恰似不同的交通工具。

相對於信什麼宗教而言，如何信更為重要。

有些人信教之後，三心二意，心不在焉，信了和沒信一樣，言行沒有任何改變。真正的信仰是相信之後，生命隨之改變。

(二)「望」指「希望」

人活在世上，有希望不容易。人有生老病死，當一個人垂垂老矣、瀕臨死亡之際，還談什麼希望？宗教給人的希望一定在來世，將希望放在死後的世界，使信徒對於死亡不再有孤獨無助和恐懼之感，反而充滿希望。

「希望」還有更深一層意義。但丁《神曲》分為三部分：地獄、煉獄和天堂，在地獄篇第三首的《地獄之門》結尾處寫到：入此門者，當放棄一切希望。地獄就是沒有希望的地方，因此我們絕不能剝奪別人的希望，否則就好比置人於地獄之中。

（三）「愛」，源於希臘文Agape，是一種不設限制的博愛

這種愛不能只愛自己的家人，而要推廣到身邊的每一個人。當有人在我身邊出現且正好需要我幫助時，此刻我能幫助他，這才是博愛的表現。

中世紀基督宗教宣導信、望、愛三德，並透過教義使人們相信，只要堅持不懈，死後可以升天堂，得福報。中世紀的民眾受到宗教的約束和限制，固然有其局限性，然而另一方面，人們也化解了無謂的煩惱和困惑。借助信、望、愛三德，基督宗教對於中世紀的歐洲社會產生了積極的正面作用。

這個時代黑暗嗎？

西方的羅馬帝國時代是以基督宗教信仰為主導的時代，一般人稱之為「黑暗時代」。歐洲十五世紀開始文藝復興，十八世紀出現啟蒙運動，啟蒙運動主要針對的是中世紀以來長期影響西方人的基督宗教信仰。啟蒙運動的思想主調是無神論，目的就是要與中世紀劃清界限。

因此，稱中世紀為「黑暗時代」，主要原因是近代歐洲開始注重理性思考，而中世紀則限制理性思考，以確保不會違背宗教教義。要完整理解中世紀的時代特色，還應注意以下幾個方面。

首先，教會承擔了中世紀人才教育的職責。西方第一所大學是由柏拉圖於西元前三八七年在雅典建立的，存在了九百一十六年，於西元五二九年關閉。任何時代與社會，都必須有人接受教育，才能擔負起管理社會的重要職責，否則人群像一盤散沙，無法形成正常秩序。

西方中世紀的教育資源掌握在宮廷與教會手中。教育內容為「七藝」[84]，即七種主要科目，包括：1. 實用的學問：算術、幾何、天文、音樂；2. 思辨的學問：文法、修辭、辯證法（含邏輯）。

哲學只剩下辯證法或邏輯這一門科目。在柏拉圖《對話錄》中，蘇格拉底與人辯論的正、反、合的過程，後來演變為辯證法。辯證法只是一種方法，哲學的根本關懷是愛好智慧，但中世紀的人們認為，《聖經》已經給人以明明白白的智慧，不需要做進一步的理性思考。

《聖經》中有一句著名的箴言「敬畏上帝是智慧的開端」。只要相信上帝創造世界，相信耶穌是救世主，就能得救。人活在世上如果一直向外追求，可能一輩子也尋覓不到根本答案，反而錯過了真正重要的問題。

佛教創始人釋迦牟尼也有類似的風格，他對宇宙和人類的來源之類的問題保持緘默。因為這些問題討論起來並無明確的證據，大家各說各話，反而讓人迷惑，錯過生命中真正的重點。

在中世紀的一千三百多年中，哲學成為神學的女僕。哲學並無獨立地位，只是提供邏輯思辨的方法，用來幫助神學定義和細分問題。

中世紀的哲學研究者大多數有宗教背景，主要任務是證明上帝的存在。對於虔誠的信徒，這一點並不需要證明，因為他們早就相

84　全稱為「七種自由藝術」，是西歐中世紀早期學校中的七種主要學科。

信上帝的存在。這類證明主要是要說服那些不信上帝或信仰不堅定的人。然而各種理性途徑證明的上帝，與信仰中的上帝完全是兩個範疇。

亞里斯多德（384 － 322 B.C.）比耶穌的年代早三百多年，他用哲學思考推論出「神」[85]的存在。這樣的「神」是理性思維的最高境界，它既不傾聽人類的禱告，也不受人類祭獻所影響，這是哲學史上第一次清晰呈現的「哲學家的神」，它是宇宙起源的象徵。

中國的《老子》一書中「道」就代表宇宙萬物的來源。「道生一，一生二，二生三，三生萬物」[86]，說明萬物由「道」而來。同時，「道」本來沒有名字，只能勉強稱之為「道」[87]，這正體現了老子的智慧。基督宗教把勉強稱之為「道」的宇宙來源落實化，從而限制了人的理性思考。

然而不能忽略的是，對於生活在中世紀的人們來說，因為有基督宗教做為信仰，人們生活得比較安適，從出生、受洗、結婚到死亡，生命中的每個重要時刻都有宗教儀式的配合，這使人們很清楚地知道：人活著是為了什麼？人生的歸宿何在？一生的所作所為到死亡時刻要對神明有所交代，神明會公正地做出審判，個人要接受善惡的報應。

因此，歷史上稱中世紀為「黑暗時代」，是針對當時人的理性被忽略這一點而言。但生活在那個時代也有其優點，人們無須為「宇宙何時消失」、「人生意義何在」之類的問題而煩惱。這些問題難以回答，常常讓現代人深感困惑。只有完整了解中世紀的時代特色，才能對所謂的「黑暗時代」有更為準確的理解。

天翻地覆的近代

人類的生命特色與未來發展（近代世界）

心理學家佛洛伊德綜觀近代思潮的發展，提出三重革命說：1. 天文學革命（哥白尼的日心說）；2. 生物學革命（達爾文的進化論）；3. 心理學革命（佛洛伊德的深度心理學）。

西方在十五世紀出現文藝復興運動，文藝復興的基本目標是希望回歸古希臘的人文精神，這是因為歐洲一千三百多年的中世紀是以天主教為主導的時代，不能滿足人類用理性認識世界的要求。

十四世紀中葉，歐洲發生了幾次大瘟疫，死亡人數超過總人口的三分之一，宗教界的主教、神父、修女亦不能倖免，人們於是醒悟，僅靠信仰並不足以應付人間的全部事物。瘟疫的另一個後果是，由於死者眾多，倖存者一下子擁有了較多的土地、房產和財富。於是，人們開始大力籌建大學，支持學術研究，以理性探尋人生問題的新答案。如始建於一二五七年的巴黎大學[88]（Université de Paris），即是歐洲最古老的大學之一。

除了天災之外，宗教腐化亦構成人禍。天主教的權力和財富在十三世紀達到了極盛，教皇積極干預歐洲各國的政治。十四世紀末期，甚至同時出現了三位教皇（1378 － 1417），他們各自有其支援的國家，相互爭戰不休。

85　亞里斯多德將「神」定義為「第一個不被推動的推動者」（the first unmoved mover）。

86　譯文：道展現為統一的整體，統一的整體展現為陰陽二氣，陰陽二氣交流形成陰、陽、和三氣，這三氣再產生萬物。參考《究竟真實：傅佩榮談老子》，天下文化出版。

87　原文：吾不知其名，強字之曰道，強為之名曰大。

88　巴黎大學的前身索邦神學院（Collège de Sorbonne），始建於一二五七年，一二六一年更名為「巴黎大學」。

天災和人禍共同促成了十五世紀的文藝復興運動，並演進到十六世紀的宗教改革和十七世紀的科學革命。

（一）天文學革命

天文學革命即哥白尼革命。哥白尼（Nicolaus Copernicus, 1473 － 1543）推翻托勒密（Claudius Ptolemaeus，約90 － 168）的「地心說」，提出「日心說」。基督宗教認為地球是宇宙的中心，人類是上帝在地球上用心造出的；而哥白尼指出，地球只是圍繞太陽運轉的小行星，這明顯違背了《聖經》的說法。因此，哥白尼及其後起的科學家伽利略（Galileo Galilei，1564 － 1642）等人遭到了宗教勢力的打壓和迫害。

牛頓（I. Newton，1642 － 1727）於一六八七年發表的《自然哲學的數學原理》（*Philosophiae Naturalis Principia Mathematica*），為古典物理學奠定了堅實的基礎，完全改變了人類對宇宙的看法，成為科學革命的代表事件。牛頓在蘋果樹下被蘋果砸到，因而思考「蘋果為什麼往下掉落而不向天上飛」，由此發現萬有引力定律和運動三大定律（慣性定律、加速度定律、作用力與反作用力定律），使人類眼界大開，跳出以地球為宇宙中心的格局，放眼無限寬廣的宇宙星系。夜晚群星閃爍，其中某一顆閃爍的星星可能早已消失，我們看到的只是它幾百萬年前發出的光線而已。

科學的巨大發展使西方人產生了強烈的自信和科技進步的觀念，認為人類文明一直在進步發展之中。同時人們更加實事求是，試圖了解真實的世界，不再去考慮是否符合《聖經》的描述，從而削弱了宗教的影響力。

（二）生物學革命

與天文學革命相比，對宗教信仰構成更大打擊的是生物學革命。

達爾文（Darwin，1809 – 1882）於一八五九年發表《物種起源》（*The Origin of Species*），提出「進化論」，英文evolution指「演化」，演化不同於進化。「進化論」的翻譯使人產生「進步」的聯想，認為愈來愈好；「演化論」則不存在價值判斷，更符合達爾文學說的原意。

進化論認為生物世界以「自然選擇」與「機體突變」的方式演化，其過程是由無機物到有機物，由低等生物到高等生物，連人類也在其中。這完全顛覆了人們長期以來相信的「上帝用泥土按照自己的肖像造人」、「人是萬物之靈」的觀念，其驚天動地的影響遠遠超過了天文學革命，對宗教信仰構成更大的挑戰。

進化論在說什麼

一八三一年底，生物學專家達爾文跟隨英國皇家軍艦「小獵犬號」出發，展開為期五年的科學考察之旅。期間，他四次橫渡大西洋，探訪南美大陸及其周邊島嶼，深入南太平洋，遠赴印度洋，親歷了豐富多變的自然與人文生態環境。比如他到過幾個孤島進行研究，發現某座島上的蜥蜴全是綠色的，與另一座島上的蜥蜴的顏色不同，他推測應該是蜥蜴為了保存自身不被天敵消滅，慢慢演化以適應環境的挑戰。

達爾文用嚴謹的科學態度和實證考察，提出了具有高可信度的「進化論」，試圖說明人類是怎麼出現的。但達爾文也承認，在準人（Pre-human）到人的演化過程中，有一個「失落的環節」（the missing link）一直沒有辦法找到。

演化的過程遵循「物競天擇，適者生存」的規律。「物競天擇」

強調自然的選擇，不適應環境挑戰的物種會被自然淘汰；「適者生存」說明生物必須慢慢演化、調整以適應環境。這種理論完全推翻了「上帝按自己的肖像造人」的宗教信仰，人由「萬物之靈」的地位一落千丈。

多年來，西方學術界一直在思考、反省進化論，有四個方面的觀點值得參考。

（一）是否所有生物像一條鞭一樣演化發展，所有生物彼此關聯

一切有機體都是由上一代有機體以胚胎、胚芽的方式繁衍出現的，不可能來自無機體。最初的有機體如何產生，仍需專家解答。如果按照進化論的觀點，所有生物像一條鞭一樣發展，那為什麼有些生物會發展得更加複雜精密？

即使基因突變可使生物適應環境挑戰，但時間上也是以億萬年為單位計算的，無法重現。因此，「所有生物是進化而來的」這一說法既不是假設，也不是事實。

進化論不是假設，因為人類無法為複雜多樣的生物界找到第二種更好的解釋。在科學上為解釋某種現象，科學家通常先提出某種假設，經由實驗驗證而不斷修訂假設，當假設可以圓滿解釋現象時，便成為新的理論，重大理論突破還可獲得諾貝爾獎。但除了進化論，人們無法更好地解釋為何複雜多樣的生物彼此既相似、又不同，或者同一種生物在不同時空條件下會呈現出不同的樣態。

進化論不是事實，因為生物演化過程動輒億萬年，不可能重現驗證。有的科學家希望在實驗室中模擬重現宇宙大爆炸，卻難以完全成功。大爆炸發生在距今一百三十七億年之前，復現的難度太高，且萬一成功，恐怕會給我們小小的地球帶來無法彌補的災難。

（二）「進化是如何發生的」與「進化的方向」兩者並不矛盾

至今沒有人能說清原始單細胞有機物如何一步步演化到人類，

但人們不能否認，進化成就了人類這種複雜的高等生物。

（三）進化的原因是什麼，無法說清楚

物競天擇、自然淘汰的說法似乎很有道理，但很多原始單細胞生物現在依然存在，也能適應環境的挑戰。

（四）進化的意義是什麼

這需要從整個進化過程達成的目標來評價。簡單說來，進化的意義是造就了人類這樣身體和意識合而為一、具有人類特有尊嚴的高等生物。

充分了解進化論之後，我們會發現進化論並不可怕，它不像上帝造人的說法那麼簡單清晰，易於理解。但借助科學研究的充足資料，我們也可以理解，人類的出現與生物的進化並不矛盾。

有趣的是，有些宗教神學家後來也可以接受進化論，認為上帝創造人與上帝讓人類以進化的方式出現並不矛盾，這代表宗教界也開始敞開心胸，接受科學研究的可靠成果。這樣才能讓人類的知識逐漸走向圓滿的境界。

人是猴子變的嗎？

一八五九年，達爾文發表《物種起源》，提出進化論。同年，西方誕生了三位著名的哲學家，包括法國的柏格森（Henri Bergson，1859－1941）、美國的杜威（John Dewey，1859－1952）和奧地利的胡塞爾（Edmund Husserl，1859－1938）。

柏格森反對進化論「物競天擇，適者生存」的思想，提出演化有三條途徑——植物生命、本能生命和理性生命，強調了人的生命與其他生物的不同特色，建構了一套生命哲學體系；杜威是美國實用主義的代表人物；胡塞爾則發起了風起雲湧的現象學運動。

在西方科學大力發展、人才輩出之際，中國則處於戰亂狀態。一八四〇年，中國爆發第一次鴉片戰爭，最終落敗；一八五一年，咸豐皇帝登基，同年太平天國起義，歷經十四年至一八六四年結束；一八九四年，中日甲午戰爭爆發。此消彼長，中西方力量對比的形勢完全改觀。

英國生物化學家和科學技術史專家李約瑟（Joseph Needham，1900 – 1995）編著十五卷的《中國科學技術史》（*Science and Civilization in China*），專門研究了中國科技和文明的發展歷史，該書指出：十六世紀之前（西元一五〇〇年之前），中國科技領先世界；在此之後，以歐洲為代表的西方世界則全面超越了中國。原因何在？因為西方的文化特色，造就了西方人實事求是的心態，即不帶入主觀情感，只就事實本身加以研究，從而引發了科學革命和科技迅猛發展。

進化論出現後，有兩個問題始終困擾著後人：

1. 假如人真的是由其他低級生物演化而來，為什麼人類出現之後沒有繼續演化出其他的高級生物？未來可能出現更高級的「超人」嗎？

宇宙演化一百多億年之後出現了人類，目前地球人口超過七十五億，但看不出有任何地區、任何人有演化進步的明顯跡象。

尼采受進化論啟發，提出「超人觀念」。但尼采的「超人」不是生物學意義上的「超人」，而是指一個人將身體、心智方面的潛能發揮到極致而成為「超人」[89]。

2. 假如人是由低等生物演化而來，人的靈魂是什麼？

靈魂可定義為生命原理。樹具有光合作用，能夠生長，具有生命力，「向陽花木易為春」，植物為了生長而自然朝向陽光，可稱為樹之魂。動物除了生命活動，還具有知覺能力，能夠覺察安危，對食物有本能的獲取能力，稱為動物之魂。如果按進化論「一條鞭」的演化方式，由於其他生物沒有類似人的靈魂，因此在演化中無法加上人的特質。

人具有區別於其他生物的特質嗎？人需要道德嗎？人的道德是什麼？按進化論的觀點，只能用適應能力來評判高下，愈適應時代挑戰，愈值得肯定。如此一來，複雜的人生問題被大大簡化了，人類存在的意義都成了問題。難道人只是萬物發展的一個環節嗎？難道人「萬物之靈」的地位最終會被新興的高級物種所取代？

談人性問題不能忽略進化論學說的重要發現，但緊接著我們就要思考如何為人的下一步發展找到方向。這是為什麼現代人一方面認同以科學發現為支撐的進化論，一方面仍願意相信某種宗教，並以之做為人生信仰。

美國南方較為保守的德克薩斯州，幾年前仍在討論在小學階段到底要教孩子們什麼觀點來說明人類的起源。上帝創造人類的說法，使人類保有高貴的尊嚴，而進化論有更多證據的支持，兩派意見相左，吵得不可開交。如果只教一種，當學生長大面對真實人生的挑戰時，又該何去何從？

人與動物有何不同？

一八五九年，法國誕生了柏格森。柏格森繼承了法國「文哲兼

89　尼采所說的「超人」，德文Übermensch，英文為Overman，意為「走過去的人」，尼采將人類比喻為一條繩索，是介於動物與超人之間的一條繩索。

修」的精神主義傳統，文采斐然。他於一九二八年獲得諾貝爾文學獎，是哲學家中獲得諾貝爾文學獎的第一人。這也激勵後起的哲學家，如卡繆、沙特、羅素等人陸續獲得諾貝爾文學獎。

柏格森的代表作是《創造進化論》（*Creative Evolution*）。人們一般認為「創造論」和達爾文的「進化論」兩者矛盾對立，但柏格森很好地融合了兩種觀點。一方面，不能否認人類與靈長類動物存在諸多相似。另一方面，按達爾文進化論的觀點，進化為「一條鞭」式發展，人與動物有共同的祖先，這實在讓人難以接受。如此一來，人的生命有何特別之處？柏格森認為人類生命演化中存在著與創造有關的成分。

有一次我去參觀德國的動物園，專程找到黑猩猩館，趁猩猩靠在玻璃窗邊，我也將頭緊緊貼在玻璃上，發現黑猩猩的頭是我的頭的四倍大小。專家研究指出，當黑猩猩與人類的體型相似時，猩猩的力量是人的四倍大。更重要的是，體型相似時，人的大腦容量是猩猩的四倍。這意味著，儘管動物園中黑猩猩的頭是我的四倍大小，但其大腦容量和我一樣，可見人類的神經系統更為複雜和精密，由此造成人與動物完全不同的生命結構特色。

馬克思曾說：「再好的蜘蛛所結的網，也比不上一個最差的工人所造的房子。」這是因為蜘蛛結網依靠本能，永遠都結一樣的網而無法改善；工人造房子則可通過學習和思考而改良，多蓋幾次會愈來愈漂亮。這是人與其他生物的根本差別。

有一個狼人的故事更凸顯了人類的特別。有一個小孩從小被狼叼走，十餘年後被獵人救回，人們試圖教他如何直立行走和說話，卻發現對於常人來說最普通的兩種能力，他無論如何也學不會。他只能四腳著地奔跑，無法起身直立行走。他的叫聲與狼類似，教了半年也只能發出簡單的「媽」的聲音，也不一定清楚究竟是什麼意思。

其他生物則不同。有一隻獅子從小在羊群中長大，因為牠的叫聲和羊的叫聲不同，所以常感到自卑。有一天，這隻獅子忽然聽到對面山上一頭獅子大吼一聲，猛然間覺悟自己原來是獅子，於是牠也大吼一聲，重新回到獅群之中。

這說明除了人類以外的任何動物，無論處於何種環境，牠的本能不會改變，獅子不會因為被羊養大而變成羊。只有人完全不同，如果從小沒有生活在人類社會中，則會喪失直立行走和語言的能力。孩子能直立行走看似簡單，卻需要大人的幫助和長期訓練，說話更是如此。台灣人長大後再學英文，旁人一聽就知道不是道地的英語或美語發音，有明顯的台灣腔。

柏格森認為人類與動物有不同的生命特色，動物只有種性卻缺乏個性，人類除了有種性之外還具有個體性。古代原始部落均有圖騰象徵，如山邊的部落用熊做為圖騰，曠野中的部落用鷹做為圖騰，古代中國人用龍做為圖騰。為什麼圖騰不用人的形象？因為人具有個體性，再偉大的部落領袖都會過世，而用動物做為圖騰則不會區分是哪一隻動物。動物的種族不會滅絕，人類部落亦生生不息，於是動物圖案成為部落的象徵。

柏格森認為演化有三條途徑，彼此不能混淆：1. 植物生命；2. 本能生命（動物）；3. 人類生命。人與其他動物的差別在於，動物用身體器官做為謀生工具來保障自身的延續存在，比如獅子牙齒鋒利，而羚羊跑得快且耐力強。人類的特別之處在於，可以使用身體以外的東西做為謀生工具，進而可以創造屬於人類的文明。

人有自由嗎？

法國哲學家柏格森的哲學被稱為「生命哲學」，主要觀點是創造進化論，認為整個宇宙的基礎是「生命衝力」（élan vital, vital impetus），即宇宙背後有一股生命力量在發展。他提出的學說主要目的是反對決定論。

決定論否認人的自由，認為人類的表現是由身體條件、外在環境決定的，如許多心理學家所描述的：人通常以為自己是自由的，但被許多先天條件和後天因素所控制，只是本人不知道而已。

柏格森指出人與其他動物的不同在於：其他動物使用身體本身的器官（如手、牙、足）做為工具謀生，而人類可使用身體器官以外的東西做為工具，來實現個體的生存和發展，從而開創了人類的文化。

有人研究黑猩猩，發現牠們懂得用竹竿、樹枝挖出洞內的螞蟻做為食物，但這與人類的創造、改善和推廣工具的能力相比，差距十分明顯。

有專家實驗，將一個孩子與一隻猴子同時放進柵欄，外面放上香蕉，裡面放上竹竿，小孩子會用竹竿把外面的香蕉撥弄到柵欄裡面，猴子模仿小孩，同樣可吃到香蕉，但吃完後就把竹竿丟掉，而小孩則會保留竹竿，以待將來再用或加以改善。這正是人類的獨特之處。

談到「文化」，「文」字在中國古代造字時用兩條線交錯而畫，在宇宙萬物中，只有人類知道把萬物交錯使用，不斷利用自然萬物，實現自身的目標。

柏格森認為人的理性有兩種作用：1. 理智；2. 直覺（intuition，即直觀）。

1. 理智，能夠製作和使用工具，這是出於實際需要的考慮，關注物質。

這種能力在帶給人類方便和福利的同時，也帶來了災難。人為了用理智把握萬物，發明了概念，如桌子、石頭，從而建構了文字表述的世界。通過文字認識世界，使人類逐漸與真實的世界脫節，無法領悟生命真相。

2. 直覺，是對實在界的直接意識。

做為真正的人，不能只靠理智，還需要靠直覺來掌握宇宙真實的本體。

一般人常以空間來理解「時間」，但是空間與時間的特性完全不同。空間具有同質性，比如在不同的教室都可以上課，差別不大。時間則不同，今天因故推遲半小時上課，好像無甚差別。但半小時之內，可能突然發生地震、海嘯等災難；半小時內有許多人離開世間，又有許多人降臨人間。因此時間不具有同質性，每一剎那都是獨一無二的。

時間其實是一種綿延（duration），我們的生命就像川流不息的河流，綿延不斷。一個人說的一句話、做的一件事，不能分割開來單獨去看，而應看到這是他整個生命長河裡展現出的一種力量。如此才有真正意義上的自由，否則人類沒有自由可言，更遑論責任。

真實存在的是綿延不絕的生命衝力，只有靠直覺才能看到整體。如何能認識一個人？通常用概念描述講不清楚，但一見到真人就知道他是誰，這就是直覺能力。我們可以根據一部分圖案的線索就能猜出完整圖案的樣子，在心理學上稱之為完形心理學（Gestalt psychology），這也借助了人類的直覺能力。

柏格森反對為自由下定義，因為定義是分析之後的結果，任何定義都會導致決定論的勝利，他認為「自由就是人與行動之間不可定義的關係」，自由行動源自更深的自我或整個人格。由此可以發現柏格森思想的重要。達爾文的進化論主張決定論，前面的條件決定後面的發展；而柏格森的創造進化論則展現出人類的生命特色。

人的生命源自「生命衝力」，如綿延的河流，融為一個整體。人使用語言和思考，以理智取代直觀，以致無法領悟生命真相。人的自由不可割裂為某一時間的某種行動，而是更深的自我或整體人格的完整展現。如此可擺脫進化論對人性問題的負面干擾，為推崇科技的現代人提供了理解人性的又一途徑。

人的出現與任務

德日進（Pierre T. de Chardin，1881 － 1955）是法國人，柏格森的學生。他的名字是中國朋友幫他挑選的，中國古籍中常出現，意為道德每天進步。他十八歲參加天主教耶穌會[90]，曾在中國居住二十年。

德日進是第一流的地質學家、考古學家，曾經參加周口店北京智人的考古發掘工作。他年輕時受過神學、哲學訓練，後來又深入研究地質學、考古學、物理學、天文學等學問，具有一般人難以企及的開闊視野，能夠貫通物質與精神的相關領域。他對人類問題的思考，無論在廣度與深度上均有其獨到之處。

他的代表作《人的現象》和《神的氛圍》都是在中國居住期間完成的。他是天主教耶穌會的神父，因為對原罪的見解與教會不同，被禁止發表自己的哲學見解，其著作直到去世後才被允許出版。他愛好智慧，追求真理，認為真正的信仰不能違背理性所掌握的真理，信仰與理性應相輔相成。

達爾文進化論有兩個困難：1. 沒有人能夠還原進化的完整歷程；2. 沒有人能夠把握進化何時停止。對此，德日進認為整個宇宙一直在朝一個方向演化，會經過三個階段：發散、收斂和凸顯。

第一步發散（Divergency），宇宙最初由大爆炸而發散出一大堆粒子，有原子、中子、正子、介子等，然後形成各種原子核及同位素；第二步收斂（Convergency），各種異質的原子收斂；第三步凸顯（Emergency），收斂集中的原子凸顯成為分子，分子經發散、收斂、突顯演化成為細胞，細胞經同樣三個階段演化成為植物與動物。

人的出現是宇宙本身的覺醒，這是德日進思想最為重要的一點。宇宙不斷演化，直到人類出現才發現演化的意義。意義即理解的可能性，沒有人類的理性，宇宙如何演化將無法被理解也不需要被理解。譬如恐龍曾在地球上稱霸，但恐龍存在了多久？六千五百萬年前為何滅絕？如果沒有人類的思考，根本不存在這些問題。人類的出現，標誌著宇宙演化取得了初步成果。下面分別介紹德日進的主要觀點。

（一）演化之能

演化是一種變化，在宇宙演化過程中，宇宙能量的總和是不變的（熱力學第一定律）。演化過程中會產生兩種能：切線能（tangential energy）和輻射能（radial energy）。

切線能又稱為結合能，把同類物體組合在一起，建立外在聯繫，從簡單變複雜；輻射能又稱為向心能，它指導物體向更高層次

90　耶穌會，是天主教系統內許多修會之一，重視學術研究，如果一個人名字後面加S.J.代表耶穌會神父。

發展，使物體內在精密程度提高，出現生命或意識。如植物自然向光生長，動物具有捕食和避難的直接意識。身體結構愈精密，意識程度愈提升。

（二）熱力學第二定律

任何能量轉變成熱量之後，熱量不能完全轉回成能量（即一部分熱量無法再做功），因此一個封閉系統中的能量會慢慢消耗掉，這稱為熵增原理。熵（entropy），又譯為「能趨疲」，亦即能量會趨於疲乏。

經科學家計算，八十億年後，宇宙的能量將耗盡而歸於沉寂。如此一來，宇宙的希望何在？按照當前人類的表現，根本等不到八十億年，單是溫室效應導致的冰川融化、海平面上升，就會使未來的人們遭遇巨大災難，更何況現有核武器的巨大破壞力能使地球毀滅七次。

人類的出現使宇宙本身意識到演化的目的，面對熱力學第二定律的危機和挑戰，每個人都要思考，人類應如何盡到責任，讓宇宙能夠繼續存在和發展。

跨過反省的門檻

（三）複構意識定律

有機體複雜的結構會孕生意識能力。生物在演化中結構從簡單到複雜，在同樣體形下，人類的大腦容量是黑猩猩的四倍，神經系統的複雜精密帶來意識能力的提升。

意識有兩種：

1. 直接意識[91]（consciousness），屬於動物的本能。

一般動物只有直接意識，牠們只能意識到外界，無法意識到自己，如牛渴了就會喝水。

2. 反省意識（reflection），只有人類跨過反省的門檻，出現反省意識。

人的「意識」能夠意識到自身，像照鏡子一樣看到自己，發現自己與其他生物不同，與其他人也不同，自己是獨特的個體，由此出現自我意識（self-consciousness）。

《舊約．創世紀》中記載，上帝創造了亞當、夏娃，讓他們在伊甸園生活，並規定不允許吃生命樹和分別善惡樹的果子，夏娃禁不住惡魔化身的蛇的誘惑，和亞當一起吃了分別善惡樹的果子，於是「他們兩人的眼睛就明亮了，才知道自己是赤身裸體」（創世紀，3：7）。

我們不禁要問：難道亞當、夏娃原來沒有睜開眼睛嗎？其實他們原來與其他生物一樣，只有直接意識，只能向外看，餓了就找果子吃，沒有意識到自己的存在。吃完分別善惡樹的果子的一剎那，真正的人類出現了。

他們覺得害羞，於是用無花果樹葉編了個裙子圍身，這也標誌著人類文明的開端。上帝到伊甸園散步，問亞當：「你在哪裡？」亞當回答說：「我在園中聽到你的腳步聲，就害怕起來，因為我赤著身子，就躲藏起來了。」上帝於是知道亞當、夏娃偷吃了禁果。

動物沒有自我意識，不會因為自己赤身裸體而覺得不好意思，而小孩到兩、三歲時不穿衣服就會覺得不好意思。這正是因為人能發覺自我是獨特的生命，與團體中的其他人不同，在相互對比中發

91　直接意識是憑感覺接受資訊後做出反應；反省意識則是指可以把自己本身當做觀察和思考的對象，亦即，「意識」可以意識到自己。

覺自身的差距。

除了人以外，其他動物會自殺嗎？

有報導稱，南極洲有幾萬隻老鼠一起游到海裡自殺。老鼠的集體行動一定是由於某種本能決定的，不是個體自己決定的，因而不能稱為自殺。

有的地方出現成群鯨魚上岸的現象，即使人們好心將牠們推回海中，牠們仍會再度游到岸上而死去。類似現象在古籍中早有記載，《淮南子》中兩次提到：「鯨魚死而彗星出。」古人觀察到彗星出現時，鯨魚會上岸而死，這是因為彗星的出現會影響地球磁場，使鯨魚的本能判斷受到干擾。還好彗星影響很快就過去了，如果磁場干擾持續存在，可以想像地球生態會完全改變。

還有一些狗在主人過世後，不吃不喝，守在主人的墳墓旁，最後竟然餓死了，人們感動得稱之為「義犬」。其實可能的原因是，主人生前用某種方法讓狗不吃別人的餵食，長期訓練形成狗的條件反射；主人去世後，狗仍按習慣守在主人墳墓旁，等到快餓死了，憑本能想去找吃的，卻已經餓過極限而動彈不得了。稱之為「義犬」，只是人類的善意而已。

德日進的複構意識定律代表西方哲學界已經可以更深刻地認識人性，人類跨過反省的門檻，出現自我意識，如此人類才可能自由選擇自己的未來。

人的未來何在？

德日進的思想讓我們知道，宇宙經過一百多億年的演化，迎來了自身的覺醒。宇宙演化的目的是讓人類出現。「在這個大牌局中，我們既是玩牌的人，又是被玩的牌。我們一放手，什麼也沒有了。」如果人類自暴自棄、自我毀滅，那麼人類所認識和掌握的宇宙、地球的歷史，以及人類文明都會變成一場空。

對於未來的生存之道，德日進有三點建議：

（一）人類應該攜手合作，形成大綜合。由認知開始，大家同心同德

人類應共同去了解宇宙演化的規律，除此之外沒有第二種選擇，因為「我們只有一個地球」。

（二）人要走向「超級位格」，由愛來統合萬物及提升人格

位格代表具有知、情、意能力的主體，即具有認知能力、審美感受能力和意志抉擇能力的主體。中文裡「位」代表「你我他」，不能用於形容獅子、老虎等動物。

在宗教信仰中，神、佛都是具有位格的。人跨過反省的門檻，具有自我意識，因此人也是具有位格的。「超級位格」是指打破個人的局限，形成超越個人生命的人類共同生命。

談到「愛」沒有人反對，但說來容易，從哪裡著手才是關鍵。個人的欲望和執著會造成對他人的威脅和傷害，因此以「愛」提升人格，要從化解個人的欲望和執著入手。

（三）化解心物的隔閡，拋開物質的束縛以投向宇宙精神結局

德日進認為 $\alpha = \Omega$。α 和 Ω 是希臘字母的第一個和最後一個，分別代表宇宙的開始和結束。開始和結束相同，意味著宇宙從哪裡開始，結束時又回到相同的地方。這可以理解為：一方面宇宙生生不息，終而復始；另一方面，結束回到開始代表圓滿的結局，好像每個人生命終將結束，但如果結束後可升天堂或到西方極樂世界，則為圓滿的結局。是否能達到圓滿的結局，取決於人類自身，人類要自己決定自己的未來。

現代人類的情況，可用《易經．乾卦》九四[92]的文言傳來描述：「上不在天，下不在田，中不在人。」「上不在天」，象徵現代人失去了宗教信仰和對超越界的信念；「下不在田」，象徵人類發展經濟科技，造成與自然界的疏離，對自然界的過度開發利用導致自然界的報復；「中不在人」，象徵現代人與群體產生深深的隔閡，彼此難以溝通理解。

同時還應加上一句「內不在己」，現代人向內已經忘記自己是誰。面對科技發展的浪潮，在天文學、生物學、心理學革命之後，資訊革命帶來了資訊爆炸，複製技術帶來了倫理困惑，現代人面臨著諸多挑戰，茫然不知所措。只有遭遇諸如科幻電影中的外星人威脅，不同的國家才有可能放下歷史的恩怨情仇，團結一致成為「地球人」。沒有外來威脅，人類世界只會四分五裂，彼此競爭、鬥爭以致於戰爭，希望人類團結一致似乎遙不可及。

但是人跨過反省的門檻，每一個人都可以自己思考自我的生命價值該如何安頓。一個人的力量不可能改變整個地球演化的走向和人類的命運，但我們至少可以調整自己的心態，以正確的態度把握自己的未來。自我的改善會對身邊的人產生影響，當愈來愈多的人朝向正確的目標前進，就可迸發出更大的力量。

人的未來在哪裡？德日進說：「在我看來，地球的整個前途，正如宗教，繫於喚醒我們對未來的信念。」我們應該對未來抱有希望，相信自己可以決定自己的未來走向，並由近及遠推擴發展，影響更多的人共同走向人類美好的未來。

我該何去何從？

了解了西方關於「人性的真相」的觀點之後，我們該如何把握人生的方向？

古希臘哲學家蘇格拉底被人誣告判處死刑，臨死前學生問他：「老師，您如果走了，我們今後該怎麼辦？」蘇格拉底的回答時至今日仍有啟發性：「今後你們要像以前一樣，按照你們所知最善的方式去生活。」他所說的最善的方式不是升官發財、揚名立萬等世俗利益，而是要我們思考，什麼樣的人生才是有價值的，如何做才是正確的選擇。也許幾年之後由於大師啟發或個人覺悟，我們會發現原先的認知存在偏差，發現之後就立刻按照新的方式去調整。人只能對現在負責，真誠面對現在的自我。

就算有人能描繪出一條人生的光明大道，不同年齡、不同閱歷的人的理解也各不相同。哲學是愛好智慧，別人的智慧對我而言只是認知的物件，智慧無法直接傳授，因而蘇格拉底常說「我只是幫助別人生出智慧的胎兒」。

對於人性的真相，《荷馬史詩》中描寫的人性原始而野蠻，「能夠＝應該＝必然」，人有什麼能力就應該做什麼事情，即使對別人造成傷害也屬於命運的必然。

德爾斐神殿的刻字，在古代教育尚未普及的階段起到教育民眾的目的，它的作用類似於座右銘。子貢曾請教孔子：「有沒有一個字可以終身奉行呢？」孔子說：「應該是『恕』吧，己所不欲，勿

92　《易經》中每一卦均有六爻，自下而上稱為初爻、二爻、三爻、四爻、五爻、上爻。陽爻稱「九」，陰爻稱「六」。因為六爻配合天、地、人三才，所以，初、二兩爻代表地，三、四兩爻代表人，五、上兩爻代表天。

施於人。」[93]（《論語·衛靈公篇》）孔子明確指出，終身奉行一句格言也可達到理想的效果。

對於一千三百多年的歐洲中世紀，不能簡單地認為那是沒有公理和正義的「黑暗時代」。這期間歐洲一直動盪不安，發生過幾次毀滅性的戰爭，正是宗教修道院保存了歷史文物。許多隱修士禱告之餘，將古代經典刻在羊皮上，大量關於農業、水利、工程、哲學、文學、神學的著作因此得以保存，否則西方文明將無法傳承和發展。基督宗教演化為天主教、東正教、基督（新）教三個系統，信仰使當時的人們有明確的人生方向，知道自己應該何去何從。可惜的是，哲學沒有得到充分發展，哲學成為神學的女僕，僅為宗教提供思辨的方法，用以證明上帝存在和教義合理，理性本身失去了獨立地位。然而，這期間探討的問題仍有價值，不能完全抹殺。

近代以來，西方發生了多次科學革命，以進化論為代表的生物學革命顯著地改變了人們對人性的看法。我們無法反駁進化論的觀點，即所有生命有機體從簡單到複雜一路演化發展，現代人相信上帝用泥土造人只屬於信仰範疇。但進化論的問題是，認為人是由其他生物演化而來的，因而人只是高級生物，不存在靈魂，這種觀點讓人無法接受。

以今日的科技水準，人類做為生物活著並不難，但做為人，我們還是要思考人生意義的問題。如果無法回答，代表人生是不可理解的，因而是荒謬的。二十世紀中葉，存在主義哲學家們普遍探討「荒謬」的觀念，不斷追問人生的意義何在。

針對進化論的缺陷，兩位現代哲學家分別提出自己的觀點：

柏格森提出創造進化論，認為宇宙的基礎是「生命衝力」，有一種擋不住的力量在推動宇宙的演化發展。演化分為三個方向：植物、動物和人。柏格森將人類與其他生物區隔，認為這種分隔是

「質」的差別，不是「量」的差別。

德日進融會貫通了自然、人文、哲學與神學等學科知識，清晰地展現了人類意識跨過反省的門檻，具有與其他生物完全不同的特色：只有人能夠認知過去，針對現在做出抉擇，並面向未來承擔責任。個人生命如此，人類共同的未來也如此。

後續章節會介紹中國傳統的儒家、道家思想，我們屆時將進一步闡明人性究竟是什麼。

93　原文：子貢問曰：「有一言而可以終身行之者乎？」子曰：「其恕乎！己所不欲，勿施於人。」

第四章

神話與悲劇

神話是迷思嗎？

本章介紹西方文化中的神話與悲劇。

電影「鐵達尼號」（*Titanic*）婦孺皆知，講述的是一艘豪華巨輪「鐵達尼號」在首航途中撞上冰山而不幸沉沒的故事，這場海難被認為是二十世紀人間十大災難之一。船名鐵達尼的英文源自古希臘神話第一階段的「泰坦族」（Titans，又稱巨人族）。

當鐵達尼號巨輪撞上冰山即將沉沒之際，甲板上的四位樂師共同演奏了一首小提琴曲〈與主接近〉[94]（*Nearer My God To Thee*），其旋律在西方耳熟能詳，家喻戶曉，廣受基督徒的喜愛。最終由於鐵達尼克號配備的救生艇不足，婦女兒童優先登船，幾位樂師不幸罹難。

欣賞這部電影，需要具備兩種背景：一要熟悉希臘神話元素，二要了解自猶太教發展而來的基督宗教的背景。西方文化從古希臘到羅馬，一路演進到近代歐洲和現代歐美文化，成為當今世界的主流文化，又被稱為現代化或西化。我們為了更加認識和弘揚中華傳統文化，參考和借鑑做為現代社會主流思潮的西方文化是很有必要的。

神話：神界故事，民族的夢，不自覺的虛構

神話是有關神的故事，是一個民族的夢，是這個民族不自覺的產物。

神話大多沒有明確的作者，同時流傳著多個不同的版本，它是一個民族早期口耳相傳留下的文化產物。當代美國神話學家喬瑟夫．坎伯（Joseph Campbell，1904 – 1987）說：神話是眾人的夢，夢是個人的神話。每個人都會作夢，代表每個人都有神話。

為了更好地理解神話的特色，需要與童話進行對照。童話有明確的作者，是講給小孩聽的故事，如丹麥作家安徒生（Hans Christian Anderson，1805 － 1875）所寫的童話：童話的開頭一般為「很久很久以前」，它不涉及具體年代，因為它不是歷史事件；童話有賞善罰惡的規則，且結局通常很完美，「從此以後，王子與公主過著幸福快樂的生活」。而現實人生很少有明確的結果，因為人生還在不斷繼續向前發展。因此，童話的特點是：作者明確，內容清晰，可實現預期的教育效果。

神話一般沒有明確的作者，通常始於創造世界。

《聖經．創世紀》第一句即為「起初，神創造天地」，有研究《聖經》的學者認為，「起初」指距今六千至七千年前[95]，這與現代科學公認的宇宙形成於距今約一百三十七億年前的說法相距甚遠。

遠古時代，人類無法按照現代科學的方式說明宇宙的起源；但人類有理解的需求，因此，只能靠想像去描寫神的故事，以此來解釋宇宙和人類的起源及發展。人活在世上，要活下去並不難，但更重要的是要理解人類為什麼而活，活著有什麼意義。

所有歷史悠久的民族均保留了豐富的神話，講述了本民族的祖先與神明之間的特殊約定或特殊關係。正是這些神話樹立的信念，使得今日許多少數民族在世界主流文化面前，依然保留了本民族的傳統，保持自身的獨立地位，安心接受自己做為少數民族的命運。

奧地利與德國接壤，兩國同文同種，德國在近代一度成為世界

94　〈與主接近〉是十九世紀由莎拉．亞當斯（Sarah Flower Adams）與她的妹妹共同創作，中文版收錄在中國基督教新編《讚美詩》第三百七十四首，也翻譯做〈更近我主〉。

95　根據一六五四年愛爾蘭大主教詹姆斯．厄舍爾悉心研究《聖經》後推算得出的結果，世界始於西元前四〇〇四年的三月二十三日，也就是說，地球僅有六千年的歷史。

強國，為什麼奧地利人沒有到德國去謀求更好的發展，反而長期維持其獨立地位？一位曾留學奧地利的老師介紹，當地每晚十一點全天電視節目結束後，所有頻道同時播放一句話：沒有奧地利就沒有歐洲，沒有歐洲就沒有世界。孩子在這樣的環境中長大，自然以奧地利為榮。對於近代歐洲，正是由於奧匈帝國[96]的強大，才奠定了今日歐洲的格局。

每一個國家或民族都有類似的神話，說明本民族頂天立地，不同凡響，與神明關係特殊，否則後代子孫如何了解自己生命具有的獨特價值，並將民族文化發揚光大呢？

佛洛伊德曾寫信給愛因斯坦說：「對你而言，我們的理論好像是某種神話學，但物理學和所有科學，不都是與此類似的某種神話學嗎？」佛洛伊德的心理學名著《夢的解析》（*The Interpretation of Dreams*），在愛因斯坦等物理學家看來像是神話。然而，物理學家突破人類的認識極限，得到對世界更深刻的認識，使人生豁然開朗而充滿意義，這不也是一種神話學嗎？

萬物互相轉化

神話的基本信念可概括為四點：天人無間、萬物有生、情感主導、戲劇性格。

天人無間

天代表大自然，人代表人類，天人無間是指大自然與人類之間沒有隔閡，是一個生命共同體。人的生命如何與萬物相通？

中國傳統的中醫蘊含了宇宙萬物相通的觀念，中藥當中有動物、植物和礦物，比如植物類的甘草，動物類的蛋殼、蟬殼，均可用於人的喉嚨保養。人的生命需要從自然界的動物、植物、礦物中攝取養分，以保持自身的良好狀態。

第一章提及，堯帝時庭院中生長著一種名叫「屈軼」的草，有讒佞的奸臣進來，草就指向他。《說文解字》中提到一種名叫「獬（ㄒㄧㄝˋ）豸（ㄓˋ）的動物，體型大者如牛，小者如羊，額上長一角，能分辨是非曲直，專門撞向邪惡之人。在古籍中至少出現過三次類似記載。

這些記載在現代人看來不僅不合常理，甚至難以想像，植物和動物怎麼可能分辨人類的是非善惡呢？但透過神話式的描述，使人們認識到宇宙萬物與人類之間沒有區隔，宇宙是一個完整的生命有機體，日月山川，草木蟲魚，每一樣東西都在整體之中。

在古希臘人看來，神等同於力量，力量即是諸神。神（theos）與力量（theoi）的字根相同，兩詞同出一源。

太陽光芒萬丈，因而有太陽神（Apollo 阿波羅）；狂風力量驚人，因而有風神（Aeolos 埃俄羅斯）；海上波濤洶湧，因而有海神（Poseidon 波賽頓）；人死會下地獄，因而有地獄之神[97]（Hades 黑帝斯）。如果神明無法展現力量，那麼它存在與否對人類沒有影響。

古希臘神話與童話相仿，樹木會講話，動物會思考，這可以使蒙昧的先民了解自身的生命狀態，並且認識到宇宙與人類是彼此互通的。

早期神話常與自然界有關。在古代，人的生命完全暴露於大自

96　奧匈帝國：一八六七年匈牙利自治，奧地利帝國正式更名為奧匈帝國。一九一八年第一次世界大戰後，奧匈帝國解體為奧地利、匈牙利、捷克和斯洛伐克四國。

97　又被稱為「地府之神」、「冥王」、「冥神」。

然的威力之下，風行草偃，任何東西背後似乎都有神明存在，抑或是神明的化身。中國古籍亦不乏對山神、海神的描寫，《莊子·秋水篇》描寫秋天雨水很大，各條小河一起灌入黃河，黃河之神「河伯」以為自己了不起，東流至海見到北海之神「北海若」而倍感慚愧，兩神之間於是展開了一段精采對話。

一般認為中國古代最早的神話是《山海經》。專家指出，《山海經》成書於戰國中期到漢初，並一度成為當時的顯學，達官貴族人人研究[98]。《山海經》的「經」並非指古代「經典」，而是指「經歷」，描寫山脈的綿延走勢與河海的流經灌注。該書的背景是大禹治水期間，沿途考察各地的山川水土，記載了各種奇聞軼事，內容光怪陸離，超乎人的想像。《山海經》可以看作神話，不必問真假，而要看到神話背後的「天人無間，萬物有生」的信念。

萬物有生

萬物有生是指萬物都有生命，可以相互轉化。

幾乎每個民族都有大地之母（Mother Earth）的神話，一切植物由大地生養，動物和人類從食物鏈向上回溯，也都能找到大地做為其根源，就像自己的母親一般。

神話中，所有生命可以相互轉化（Everything can become everything），人可變成鳥，鳥亦可變成人，十分有趣。《山海經》中有的動物人首馬身，與西方射手座的形象有幾分相似；有的動物龍首人身或鳥首龍身。最常見的還是人面獸身的形象，顯示人們希望可以與之溝通，以避免完全的無知和恐懼。

通過神話的描述，整個宇宙變得豁然開朗，由神祕莫測變成可以理解和溝通的世界。這樣才使得我們的祖先活得安穩，進而不斷開創出燦爛多姿的文化。

神的恩怨情仇

情感主導

神話發展並非依靠理性思維，不像現代小說那樣有明確的前因後果。神話通常以情感為線索，以喜怒哀樂愛惡欲等七情六欲為主導，神明往往擁有與人相似的強烈情感表現，反映出未經文化陶冶修飾、情感不受理性節制的人性原始面貌。

戲劇性格

神話的故事情節就像戲劇或電影，充滿了張力，以戲劇的方式重現了宇宙的起源與奧祕。隨著文明的發展，希臘神話一方面演繹出希臘悲劇，另一方面走向理性之路，演變為希臘哲學。著名荷馬史詩《伊利亞德》[99]描寫了希臘聯軍攻打特洛伊城的故事，其背景即與神話有關。

古希臘神分為兩個階段：第一階段為巨人族（Titans）；第二階段為奧林帕斯山上的諸神，以天神宙斯（Zeus）為主，天后是宙斯的姊妹赫拉（Hera）。

珀琉斯（Peleus）和海洋女神忒提斯[100]（Thetis）結婚時，奧林帕斯山諸神都應邀前來祝賀，唯獨忘記邀請紛爭女神厄里斯（Eris）。厄里斯心中充滿怨恨，設計報復。她在宴會席上丟下一顆金蘋果，上面寫著：送給最美麗的女神。可誰是最美麗的女神呢？天后赫拉（Hera）、戰神雅典娜（Athena）和愛神阿芙柔黛蒂

98　參見《國學與人生》，傅佩榮著，天下文化出版。
99　伊利亞德：Iliad，是特洛伊的希臘文音譯。
100　珀琉斯和忒提絲是神話英雄阿基里斯的父母。

（Aphrodite）當即為此爭吵起來，最後找到人間最英俊的男子 —— 特洛伊城王子帕里斯（Paris）[101]當裁判。

神像人類一樣充滿嫉妒，她們紛紛設法賄賂帕里斯。赫拉許諾：「只要選我是最美女神，就給你權力和財富。」雅典娜是雅典城的守護神和戰神，也是智慧女神，但此刻顯然未表現出智慧，她許諾：「如果選我，就讓你戰無不勝，攻無不克，威名遠揚。」愛神阿芙柔黛蒂許諾：「如果選我，則讓你擁有完美的愛情，讓天下最美的女子愛上你。」

帕里斯年輕俊美，想擁有一份美好的愛情，他不假思索，選擇阿芙柔黛蒂為「最美女神」，由此得到了天下最美麗的女子 —— 斯巴達國王的王后海倫（Helen），但因此引發了希臘聯軍討伐特洛伊城。希臘聯軍歷經十年苦戰，最後上演「木馬屠城計」，取得了戰爭勝利。希臘聯軍攻打特洛伊城是客觀存在的史實，可見古代神話與歷史糾纏不清。沒有神話做為背景，人們很難解釋為什麼希臘聯軍要堅持十年圍攻特洛伊城，並最終將其付之一炬。

另一部荷馬史詩《奧德賽》（*Odyssey*）講述伊薩卡（Ithaca）城邦國君奧德修斯（Odysseus或稱尤利西斯）在結束特洛伊戰爭後，如何歷經艱險，花了十年時間才得以返國的故事。《荷馬史詩》中最英勇的英雄當數阿基里斯，因為他的母親是海洋女神忒提斯[102]；最聰明的英雄則是奧德修斯，正是他獻的木馬計攻破特洛伊城。

特洛伊戰爭結束後，奧德修斯在海上漂流，到了一座小島，被兇殘成性的獨眼巨人波呂斐摩斯（Polyphemus）困在山洞中，獨眼巨人吃人就像吃一塊肉，他吃掉了奧德修斯的許多同伴。獨眼巨人問奧德修斯叫什麼名字，他機智地回答：「我叫『無人』。」

後來奧德修斯和同伴用燒紅的尖木棍刺瞎了獨眼巨人的眼睛，獨眼巨人痛苦地大聲求救，其他巨人問他：「是誰把你的眼睛弄瞎的？」獨眼巨人說：「無人。」巨人們很納悶，紛紛回去了。奧德修斯和同伴們藏在羊的肚子下，躲過獨眼巨人的檢查，總算逃離了小島。但是獨眼巨人的父親是海神波賽頓，於是海神要為兒子報仇，製造了海上災難和妖女，最後只有奧德修斯一個人勉強活著回到了自己的國家。

這些神話故事以情感為主導，具有戲劇式的情節，表面上是在講述神話故事，實際上都是在講述人類自己的故事。時至今日，當我們閱讀這些神話故事時，還會從中發現自己的心路歷程，使我們深受啟發。

由神話而理解

為什麼人類需要神話？神話有哪些作用？

有人認為，遠古時期人類的理性能力有限，當人類文明出現後，人可以逐步掌握自然規律，成為自然的主人。因此對現代文明社會而言，沒有繼續探討神話的必要。其實未必如此。「神話是眾人的夢，夢是個人的神話」，今天我們每個人仍會作夢，都會想像未來的不同境遇，對未來充滿希望，這恰恰反映了神話存在的作用。

中國古代用四個階段說明文明的發展：有巢氏、燧人氏、伏羲氏和神農氏。

第一階段為有巢氏階段。有巢氏並非特指某一個人，而是代表

101 Paris，即今日法國首都巴黎的名字來源。
102 忒提斯：Thetis，海洋女神，海神涅柔斯（Nereus）和海洋女神多麗斯（Doris）的女兒。

古代社會發展的一個階段。遠古時代的人類穴居野處，野獸眾多，充滿危險，《莊子》[103]和《孟子》書中均有記載。《孟子．滕文公下》[104]記載夏桀、商紂為了個人享樂，圈占了大量民宅農田，聚集了大量的虎豹犀象。說明古代中原地區體型龐大的野獸眾多，人民生命毫無保障。有巢氏時期就由穴居改為在樹上結巢而居，以躲避危險的野獸。

第二階段為燧人氏階段。燧人氏發明了火，可以用火取暖和對付野獸。火的發明對人類意義重大。希臘神話中，普羅米修斯（Prometheus）維護人類而欺騙了天神宙斯，使得宙斯拒絕向人類提供生活必需的最後一樣東西 —— 火，於是普羅米修斯到天上盜取了火種，使人類得以征服自然。由此可見，無論東方還是西方，都認為火的發明使人類得以掌握優越的生存條件，從而使人的生活逐步穩定下來。

第三階段為伏羲氏階段。傳說伏羲氏發明了易經八卦，是中華民族的人文始祖，位居三皇之首，但將其看作一個時代更為合適。「伏」代表馴服，「羲」代表野獸，伏羲氏把野獸馴服成家畜，為人所用。《易經．繫辭下傳》中又稱其為「包犧氏」[105]，「包」同「庖」，即伏羲氏教人燒菜做飯，使人們的飲食更加安全衛生。

第四階段為神農氏階段。神農氏又稱炎帝，為農業和醫藥的發明者，有「神農嘗百草」的傳說。神農氏之後又出現「黃帝」，為五帝之首，因此中國人自稱是「炎黃子孫」。

神話可以幫助我們了解祖先如何在上古洪荒時代，一步步開拓出適合人類生活的世界。

神話的目的是用神的故事來說明宇宙如何由混沌進入秩序。混沌即混成一團，無法區分時間與空間。「上下四方曰宇，往古來今曰宙」[106]，「宇宙」是時間與空間構成的整體，希臘文中「宇宙」

為cosmos，代表秩序。人在有時空秩序的宇宙中生活，才能更好地思考人生意義的問題。如果沒有神話，則無法解釋人類如何由洪荒時代過渡到文明社會，為何出現社會分工，為何人的欲望如此複雜？

印度最早的經典《吠陀經》（*Vedas*）主要由奉獻給眾神的頌歌構成，包括四部分[107]，其中就有「雞子神話」這種創世神話的類型。中國盤古開天闢地有兩個版本，最早記載於三國時期吳國徐整所著的《三五曆紀》，描寫天地混沌如雞子（雞蛋），盤古生在其中，每天長大，天地因而慢慢撐開。《吠陀經》在西元前一五〇〇年已經出現，三國時期（220 － 280 A.D.）佛教早已傳入中國，因此專家認為盤古開天闢地的神話原型可能來自印度的「雞子神話」。

另一個版本的盤古開天闢地記載盤古累倒後，他的雙眼、四肢、肌膚、血液變成了太陽月亮、江河大地，這種說法也有其來源。由此可見，古代各國神話有相似的基本類型，很難分清神話最早起源於哪個國家。古代各個民族面對相同的自然界挑戰，人們的認識和理解十分相似。

遠古時代，在人類理性尚未充分發展、知識尚未形成系統的情況下，神話使人們可以理解自己的生存狀況，進而安定下來謀求更好的發展。

103 參見《莊子．盜跖》。原文：古者禽獸多而人民少，於是民皆巢居以避之，晝拾橡栗，暮棲木上，故命之曰有巢氏之民。

104 原文：壞宮室以為汙池，民無所安；棄田以為園圃，使民不得衣食。邪說暴行又作，園圃、汙池、沛澤多而禽獸至。

105 原文：古者包犧氏之王天下也，仰則觀象於天，俯則觀法於地，觀鳥獸之文與地之宜，近取諸身，遠取諸物，於是始作八卦，以通神明之德，以類萬物之情。

106 出自《尸子》，作者尸佼。

107《吠陀經》包括四部分，分別是《梨俱吠陀》、《娑摩吠陀》、《耶柔吠陀》和《阿闥婆吠陀》。

比歷史更真實

神話有以下四種作用：1. 掌握真實；2. 建立原型；3. 為世界帶來意義與結構；4. 説明自然現象、社會分工和人的欲望。下面將分別加以介紹。

掌握真實

神話可以幫助人們掌握真實，這令人難以置信。神話明明是虛構的，如何能掌握真實呢？神話的英文為myth，發音與「迷思」類似，所以有人戲稱「神話就是迷思」，是胡思亂想而已。然而，事實未必如此。

何謂「真實」？一般人會認為，只有歷史紀錄才是真實的。歷史是有關真實的記載，只能按照特定作者的特定角度，記述真實的一個側面，沒有人能全部還原真實的歷史。義大利歷史學家克羅齊（Benedetto Croce，1866 – 1952）認為：「一切歷史都是當代史。」（《歷史學的理論和實際》）歷史就是現在活著的人解釋過去發生的事，歷史被不斷重寫或重新解讀，有時甚至出現完全相反的解釋。

中國古代著名史學家司馬遷在《史記》中為帝王所做的傳記稱為「本紀」，其中包括《項羽本紀》和《呂后本紀》，引發後人不少爭議。司馬遷有自己的判斷標準，他認為劉邦死後，呂后號令天下，莫敢不從；同樣的，項羽有五年時間號令諸侯，期間劉邦也向項羽稱臣，項羽是當時天下的實際統治者，自然可以寫「本紀」來記載。

後代的人卻不一定接受這樣的説法。項羽雖然「力拔山兮氣蓋世」，但在「楚漢爭霸」中最終還是輸給了劉邦，成者為王，敗者為寇，自然不能尊項羽為帝王。可見，歷史寫作者本人的人生觀決定了其解讀歷史的角度，如此一來，哪裡有真實可言？

歷史在時間長河中一去不復返，就像我們今天生活在二十一世紀，同樣也是時光飛逝，一去不返，將來的人們看今天的我們也不過是一個歷史片段而已。既然歷史一去不復返，那麼了解歷史又有什麼意義？我們能從歷史中學到什麼？

也有人認為歷史是不斷重複。「不斷重複」是指「類型接近」。黑格爾曾說：「人類從歷史中學到的唯一教訓就是，人類無法從歷史中學到任何教訓。」（《歷史哲學》）人類所犯的過錯一再出現，這是因為人性相同，人們對於環境的反應模式是類似的：有人得意，就有人失意；有人成功，就有人失敗；有人號令天下、稱王稱霸，就有人卑躬屈膝、俯首稱臣。這就是相似的歷史類型不斷上演。

神話的「真實」是指「類型」上的真實。神話通過神的故事來展現真實的人生歷程，幫助人類了解「生老病死、喜怒哀樂、恩怨情仇、悲歡離合」的人生完整歷程，這是永遠存在而無法逃避的「真實」類型。閱讀神話是發現自我的過程，是回歸自我心靈深處的旅程。我們在神話中會發現內心對永恆的嚮往：希望「善有善報，惡有惡報」，希望一個人有什麼樣的行為，就會有與之相應的結果。

歷史中的善惡報應，不會如想像中那樣對稱和公平。世上很少有人認為自己受到了公平的待遇。與命運坎坷的人相比，我們不禁自覺幸運；但與春風得意的人相比，我們難免心生委屈。縱觀歷史，我們很難從中發現生命的基本類型。

神話是永恆的循環，永遠回歸到普遍的事實；神話是人們不自覺的虛構，是一個民族對理想的投射；神話通過情感主導和戲劇情節，使人恍然大悟，徹底理解人生。這不就是我們要求的真實嗎？

古希臘神話中神明眾多，每個神明背後都有一段故事，他們的遭遇和感受是常人放大幾倍後的呈現，人們在口耳相傳的過程中，逐漸發現了自己的真實處境，體會了內心的真實感受，了解了人際互動的基本形式，掌握了「善有善報，惡有惡報」的真實類型。

歷史在時間長河中一去不復返，難有真實可言。神話的真實是類型的真實，是永恆的回歸，它幫助每一個人重新回到內心深處的根源。

跨過生命缺口

建立原型

神話的第二個作用是建立原型，即建立原始的模型。

人活在世界上，無論生在什麼時代，長在什麼地方，總會經歷生命中四個重要斷裂：出生、成年、結婚、死亡。經過這四個關卡，生命狀態將發生明顯改變。神話通過描寫神明經過類似生命關卡時的遭遇和表現，建立原型，供人參考。如果沒有神話，人在經歷斷裂時，難免覺得困惑而不知所從。

出生：意味著新生命的誕生，每個人都歡迎新生命的到來，並準備讓一個位置給他。新生命的降臨好似宇宙從混沌進入秩序，開始時難免造成混亂。新的生命需要立足點，我們出生時別人給了我們機會，我們的下一代同樣也需要生存空間。對於新生命的降臨，每種文化都有獨特的風俗：中國有的地方在小孩出生後，父母要送親朋好友紅蛋，表示新生命到來，請大家多多關照；孩子滿週歲時要抓週[108]，預測小孩未來事業的發展方向。

成年：成年禮在古代是十分重要的禮儀，在現代社會則只保留了某種外在形式。澳洲某些原住民在男孩滿十五歲後，會給他一把小刀，讓他獨自一人進入森林生活一週。如果通過考驗，代表他有資格進入成年人的社會，可以與大人一起抽菸喝酒，並承擔狩獵、作戰等保護部落的責任。

結婚：代表兩人天地相合，陰陽相配，可以組成家庭，傳宗接代。其中的禮儀繁複而重要。

死亡：死亡對人的生命特別重要。死亡是結束嗎？或是死亡只是一個通道，是通往另一個世界、另一種生命的通道？《西藏生死書》[109]中描述，人死後到下次投胎轉世需要經過七輪世界，七七四十九天。瀕死之人需經過喇嘛的教導，這一過程將帶給陪同的親友們強烈而切身的經驗。喇嘛並非只是回顧死者生前美好的一面，而是對死亡進行一種冥想。人的生命來自大地母親，死亡後要回歸母親的光明，回歸到原始狀態，由此自我意識與宇宙意識之間沒有任何障礙而完全融合。

天主教十分重視宗教儀式。嬰兒出生後要「受洗」，代表洗去與生俱來的原罪；孩子成年時要舉行堅振禮（confirmation），要堅定其信仰，從此自己負責；結婚、死亡都有相應的禮儀。各種宗教都有類似的禮儀。

禮儀是一套完整的行為模式，如穿著特製的禮服，在特定時間舉行特殊的儀式，每一個信徒都要模仿古代原始的生命狀態。經過

108 抓週：新生兒週歲時，將各種物品擺在孩子面前任其抓取，常見的有筆、墨、紙、硯、算盤、錢幣、書籍等，此風俗魏晉南北朝時已存在。

109《西藏生死書》（*The Tibetan Book of Living and Dying*）：作者索甲仁波切，一九四七年出生於西藏，西藏寧瑪派大圓滿喇嘛。

這些儀式，信徒的生命進入不同的階段。整套儀式背後有完整的神話做為解釋，否則人們只是參加儀式，無法理解儀式背後的深刻內涵。

不同民族都有神話建立的原型。當人們面臨生命的關卡時，透過神話故事建立的原型，人們會發覺，自己的生命要進入不同的階段，與其他人的關係需要重新調整，有全新的責任需要自己承擔。

心理學認為「原型」就是完整而正確的模型，每個人可以從中體悟出生命的正確狀態。借助這樣的原型，個人生命可以恢復與整體的和諧關係，可以獲得擔當的勇氣和前行的力量。否則，面對生命的一去不返，人會感到茫然無助，無法回歸生命的原始狀態。

很多人並非基督徒，每年也會過耶誕節、復活節[110]，這些節日正是基督宗教通過完整的神話故事構建的原型。佛教的浴佛節[111]和各種齋戒儀式，背後也有神話故事，幫助人們進入生命的新境界。

神話通過講述神明和英雄的生命歷程，為人們提供了參考借鑑。人們將會意識到，我們今天面對的生命困境和挑戰，以往的神明和英雄都曾經面對過，今後的人們也一樣會經歷類似的挑戰，於是人們不再擔驚受怕，可以從容以對。

世界有意義嗎？

為世界帶來意義與結構

意義即理解的可能性。別人說希臘文而我無法聽懂，表示這句話對我來說沒有意義，也就是不可理解。我們生活在世界上，世界可以被我們理解嗎？神話可以用來說明世界的意義和結構。

創世神話通常描寫的是，世界如何由開始的混沌（chaos）進入有秩序的宇宙（cosmos）。秩序是指時間、空間具有明確結構。神話可以讓人清楚地知道上下四方、前後左右的空間方位，準確地把握過去、現在和未來的時間順序。神話的宇宙觀一般包括三層世界：上有天堂，下有地獄，人在中間，海洋是陸地的延伸，人的生命在這樣特定的時空結構中可以安穩地發展。

世界上許多文明都會找到某種特定的東西代表生命的核心，最常見的是通過山和樹的接引，與最高神明建立關係，稱之為「聖山」、「靈樹」。

《莊子》書中描寫古代大樹的樹蔭可以遮蔽幾千頭牛，甚至一千輛馬車[112]，樹之高大讓人難以想像。澳洲有個原始部落用一棵枯槁的樹幹做為聖樹，他們相信部落的祖先從這棵樹上得到生命，不管部落遷徙到何方，都會帶著這棵樹幹，這會使他們心中安穩。這棵樹幹象徵了部落生命的來源，是他們生命的核心。

中國的「中」字也有深刻的內涵。「中」字在古代指一面旗幟。原始社會為圖騰社會，每個部落都會選取某種動物做為部落圖騰，象徵部落的生命來源，並將其繪製在旗幟上。通常部落首領所在地插旗為號，以此做為部落中心，區分東南西北四方。每當旗幟升起，部落百姓要迅速向中間集聚，遲到的人還有可能被殺。旗幟只有一面，但風一吹兩面飄揚，由此構成「中」字的原始形態。

中國人的祖先稱自己為中國，帶有神話的特別含義，體現了炎

110 復活節：Easter，紀念耶穌基督復活的節日，在西方教會傳統裡，為春分之後第一個滿月後的第一個星期日。

111 浴佛節：每年農曆四月初八，佛祖釋迦牟尼誕辰。

112 出自《莊子．人間世》。原文：南伯子綦（ㄑㄧˊ）游乎商之丘，見大木焉有異：結駟千乘（ㄕㄥˋ），隱將芘（ㄅㄧˋ）其所藾（ㄌㄞˋ）。譯文：南伯子綦到商丘遊玩，看見一棵大樹與眾不同。一千輛四馬共拉的大車，都可以隱蔽在它的樹蔭下。

黃子孫以本民族為文化中心的優越感。《左傳・成公十三年》中記載「民受天地之中以生」，說明中國百姓在天地中間得到生命，可見「中」這個字對中國人來說意義重大。

印度文化以恆河[113]做為聖河。對一般人而言，恆河只是一條普通的河流，似乎不太衛生，河面上漂浮著動物死屍，以及人死後焚化的骨灰；但對印度人來說，恆河是生命之源，是印度人生命的核心。印度人還認為牛是神聖的。這些神話或神聖之物意在讓人與永恆接上關係。

猶太人認為自己是上帝的選民，為了這一信念，猶太民族在幾千年的歷史發展中飽受摧殘。但也正是這樣的信念，使得猶太民族在艱難困苦中得以延續發展，宗教背後的神話是猶太民族生命的基礎。

古希臘神話中，混沌初開，出現了大地女神蓋亞（Gaea）和深淵神塔爾塔洛斯（Tartarus）。大地女神演變出天神烏拉諾斯（Uranus）與山神烏瑞亞（Ourea）、海神蓬托斯（Pontus）。然後大地女神蓋亞與天神烏拉諾斯搭配，天地相合，生下了泰坦族（Titans，又稱巨人族），其中克洛諾斯（Cronus）後來推翻了天神父親烏拉諾斯。

天神Uranus的字首「Ur」在德語中意為「根源」，克洛諾斯Cronus與chronicle（編年史）字源相同，象徵「時間」，代表時間的出現使根源消失。

克洛諾斯與妹妹瑞亞（Rhea）生育了六個子女，由於擔心子女叛變，克洛諾斯吞噬了自己的孩子，這代表時間吞噬一切。人的生命經驗是，時間一去不復返，不管是榮耀還是屈辱，過去就沒有了，好似船過水無痕，了然無蹤跡。

瑞亞把最小的孩子宙斯（Zeus）換成石頭包在襁褓中，克洛諾斯吞下石頭並未發覺異常。宙斯成年後迫使父親吐出了其他五個兄姊。於是宙斯自立門戶，由此進入希臘神話的第二階段——奧林帕斯山諸神階段。

神話表明世界由原始的根源進入到時間，又由具有統治意志的宙斯主宰，象徵著權威和力量。但宙斯的權力有限，並非全能，他的哥哥海神波賽頓掌管海洋，另一個哥哥地獄之神黑帝斯（Hades）掌管地府。希臘神話幫助古希臘人了解了世界的意義與結構。

在科技不發達、教育不普及的古代社會，人類仍需要理解生命的意義和世界的結構，神話正可以起到幫助人類理解世界的作用。

都是神的問題嗎？

神話可用來說明自然現象、社會分工、人的欲望

（一）神話可用來說明自然現象

為什麼一年分為春夏秋冬四季，春夏秋三季萬物生長，冬季則萬物凋零？希臘神話中，宙斯與狄蜜特（Demeter）的女兒珀耳塞福涅（Persephone）被冥王黑帝斯[114]劫走，成為冥后。狄蜜特是豐收女神，她十分悲痛和憤恨，使得大地寸草不生，四處饑荒。宙斯於是找到黑帝斯，希望讓女兒回到母親身邊，否則人類將統統死光，沒有人類獻祭和頂禮膜拜，神明也將失去其尊貴。於是，黑帝斯同意一年中三分之二的時間珀耳塞福涅可以回到地上，此時萬物生長，欣欣向榮；三分之一的時間留在地府，此時萬物凋敝，一片

113 恆河，發源於喜馬拉雅山南麓，流經印度、孟加拉，注入孟加拉灣。
114 羅馬神話稱為普魯托（Pluto）。

衰殺。希臘神話解釋了季節變換的節律，是古人理解自然現象的重要管道。

（二）神話可用來說明社會分工

人在社會中生活需要分工合作，每種行業都有其獨特價值。希臘神話的眾神有各自的分工，天神、海神、地府之神分別掌管天、海、地府三大領域。天神宙斯子女眾多，他的兒子太陽神阿波羅負責藝術和音樂，阿波羅的兒子醫神阿斯克勒庇俄斯（Asclepius）管醫藥，阿波羅的孿生妹妹月亮女神[115]阿特米斯（Artemis）管狩獵（古人常在月光下打獵）。宙斯的另一個兒子赫淮斯托斯（Hephaestus）是火神和建築神。赫爾墨斯（Hermes）是傳訊神，他的形象是一個鞋上有翅膀的俊美男孩。另外還有戰神阿瑞斯（Ares）、法律神忒彌斯（Themis），人間每種行業幾乎都可以找到其守護神。

古希臘城邦雅典的守護神是智慧女神雅典娜，傳說從宙斯的頭部出生。雅典娜是宙斯親生的女神，在母親墨提斯（Metis）懷孕期間，命運女神摩伊拉（Moira）告訴宙斯，墨提斯將生下一兒一女，兒子將來會推翻宙斯的統治，宙斯害怕了，於是把墨提斯吞進肚子。過了一陣子，宙斯頭痛欲裂，就讓兒子火神赫淮斯托斯用斧子劈開自己的頭顱，雅典娜便從宙斯的頭顱裡出生了。她頭戴發光的戰盔，手持長槍盾牌，眼睛中閃爍著智慧的光芒，戰無不勝，攻無不克，成為雅典城邦的守護神。

酒神戴奧尼索斯（Dionysus）促進了希臘悲劇的產生。負責牧羊的是潘恩（Pan），專門照顧牧人和獵人。英文Panic（驚慌失措）正是由Pan衍生而來的，形容羊群受到驚嚇而四散奔逃的慌亂場面。西方文化正是從神明的互動中演化發展而來的。

電影《雷神索爾》一再重拍，其故事情節源於北歐神話。索爾（Thor）的父親是北歐最高神明奧丁（Odin），索爾擁有三樣寶物：腰帶、手套和雷神之錘。

閱讀神話最大的困難是沒有統一的版本，每個神話中都有許多神明的互動，這些神明有的來自其他文化，如兩河流域[116]神話、埃及神話等。現在看到的希臘神話於西元前一〇〇〇年左右出現，當時已經有其他文化進入這個系統。

（三）神話可用來說明人的欲望

人的欲望無窮，欲望得不到滿足就使用各種陰謀詭計，做出各種不道德的行為。希臘神話後來被一些哲學家批判，神明的許多作為在人類社會上是不允許的，用神話教導百姓豈不成了反面教材？這些哲學家恰恰忽略了神話可以起到說明人的欲望的作用。

希臘神話中每個神都表現出了人類的複雜情感和欲望。天神宙斯與眾多女神、凡人女子生了許多孩子，他的兒子太陽神阿波羅繼承了乃父之風，私生子眾多。人的情感欲望非常複雜，人在面對自己內心的欲望時，常感到可怕甚至絕望。神話用神的故事說明，神也會做出這類行為，人們不用擔心，不管做任何事情都是可以理解和原諒的。否則人一旦犯錯，容易喪失前進的勇氣。

總之，神話有四種作用：1. 掌握真實，真實不是在時間中發展的歷史真實，而是類型的真實，是永恆的回歸原始狀態；2. 建立原型，幫助人們跨過生命的關卡，使人們不因為生命類型轉變而放棄奮鬥意志；3. 為世界帶來意義與結構，使人們可以理解世界的結構，發現生命的意義；4. 說明自然現象、社會分工和人的欲望，使

---

115 又稱「狩獵女神」。

116 兩河流域：指底格里斯河和幼發拉底河之間的美索不達米亞平原。主要由蘇美、阿卡德、古巴比倫、亞述等文明組成。

人們身心安頓。

現代人是否仍舊需要神話？答案是無庸置疑的。但是現代人需要的神話類型應該與古代神話有所不同，後面章節將進一步討論這個問題。

誰創造了世界

神話的主題可大致分為六種類型：創世、造人、災難、救世、文化超人以及英雄典型。以下分別加以介紹。

創世

人活在世界上會對宇宙的起源充滿好奇，因為起源亦會影響未來的歸宿。人們最熟悉的創世神話是猶太教《聖經．舊約．創世紀》中描寫的：起初，神創造天地。神說要有光，就有了光。神一共花了六天時間創造了萬物，第六天造出了人類。上帝說要有什麼，什麼東西就會出現，人的理性很難理解這種從虛無中創造萬物的方式。

一般說來，創世神話有五種類型。

第一種，由至高創世主直接創造。即《舊約．創世紀》中記載的，創世過程從無到有，上帝說有什麼，什麼就出現。

第二種，通過生成。由地球上某種內在力量支配，像胚胎一樣孕育成功。

第三種，世界父母。以太陽、月亮或中國傳統的一陰一陽為原始的二元力量，生出各種生命。

第四種，宇宙蛋。如雞子神話，宇宙像雞蛋孵化，蛋殼分為兩半，上面是天，下面是地，中間出現人類。

第五種，陸地潛水者。一切生命由水而來，水是生命和大地的來源。

不同類型的創世神話都要說明宇宙如何由混沌進入秩序，混沌有兩個特點：空間上無法區分前後左右、上下四方；時間上沒有前後的連續發展。

「混沌」在《莊子》書中就曾出現過，莊子所講的寓言顯然有神話背景。《莊子．應帝王》記載，南海的帝王叫儵（ㄕㄨˋ），北海的帝王叫忽，中央的帝王是混沌。儵與忽經常在混沌的土地上相會，混沌待他們非常和善。儵與忽想要報答混沌的美意，就商量說：「人都有七竅，用來看、聽、飲食、呼吸，唯獨混沌什麼都沒有，我們試著為他鑿開。」於是，一天鑿開一竅，七天之後混沌就死了。[117]說明人有七竅可以看、聽、飲食、呼吸，從而由混沌進入人類的世界。

前文談到盤古開天闢地的神話有兩個版本，一個為三國時期徐整所著的《三五曆紀》，其中記載：天地混沌如同雞蛋，盤古在其中出生了，過了一萬八千年天地開闢。盤古每天變化九次，天每天高一丈，地每天厚一丈，盤古每天長高一丈。經過一萬八千年後，天變得極高，地變得極深，由此才出現了人類。[118]按時間推測，這種雞子神話類型很可能是由印度《吠陀經》演變而來。

---

117 原文：南海之帝為儵，北海之帝為忽，中央之帝為混沌。儵與忽時相與遇於混沌之地，混沌待之甚善。儵與忽謀報混沌之德，曰：「人皆有七竅以視聽食息，此獨無有，嘗試鑿之。」日鑿一竅，七日而混沌死。

118 原文：天地混沌如雞子。盤古生在其中，萬八千歲，天地開闢。陽清為天，陰濁為地。盤古在其中，一日九變。神於天，聖於地。天日高一丈，地日厚一丈，盤古日長一丈，如此萬八千歲。天數極高，地數極深，盤古極長。後乃有三皇。

另有「盤古化萬物」一說，最早見於南朝梁人任昉（460－508, A.D.）所著的《述異記》。盤古死後，頭變成四嶽，眼睛變成日月，肌肉血液變成江海，毛髮變成草木，呼吸變成颳風，聲音變成打雷。[119]

盤古神話的記載時間較晚，中國創世神話也有更早的版本記載，但均語焉不詳。

造人

《聖經．舊約》記載，上帝在第六天用泥土造人，並吹了一口氣，這構成了人類的兩個關鍵元素：泥土造人說明人的生命來自自然界，吹一口氣代表注入了神的力量。這兩種力量的結合，使人的生命比自然界萬物更為高級，成為萬物之靈。古人發現人類的特性後，用神話來說明人性的根源。

中國神話女媧造人的詳細記載也出現在三國時代[120]，更早期的記載較為模糊，屈原的《楚辭．天問》是戰國後期的作品，裡面提到「女媧有體誰能匠之」。女媧摶土造人的過程與猶太教《聖經．創世紀》中的記載相似。古人由此相信，人的生命來自偉大神明的創造。

西方現代存在主義哲學家海德格引述過一則中世紀的拉丁文寓言，講述了造人的過程，並揭示了人的本質是「掛念」，人終其一生都處在掛念之中：

掛念過河的時候
看到一塊黏土
他思念著
拿起黏土開始塑造

他正在想
自己做了什麼東西
精神來了
掛念就請求精神把精神賜給這塊土
他輕易地得到他所求的
當掛念要取它的名字時
掛念說取為「掛念」
精神不肯
他說你應該取我的名字
因為我把精神給了這塊土
掛念與精神在爭論不休時
大地起來了
他說應該取名為「大地」
因為是他提供了肉體
於是
他們邀請時間來做法官
法官作這樣的公正判決
精神既然給了精神
死了之後你取回精神
大地既然給了肉體
死了之後你取回肉體

119 原文：昔盤古之死也，頭為四嶽，目為日月，脂膏為江海，毛髮為草木。秦漢間俗說：盤古頭為東嶽，腹為中嶽，左臂為南嶽，右臂為北嶽，足為西嶽。先儒說：盤古氏泣為江河，氣為風，聲為雷，目瞳為電。

120 應劭（約153－196年），東漢學者，著有《風俗通義》，記載了女媧摶土造人之說：「俗說天地開闢，未有人民，女媧摶黃土作人，劇務，力不暇供，乃引繩於泥中，舉以為人。」

掛念既然最先塑造
有生之日
就讓他來掌握
但是
現在因為名字而發生爭執
可以稱它為homo
因為它似乎是由泥土（humus）所造成的

誰來拯救人類

災難

為什麼人類出現後會造成災難？因為人有理性，會通過人為設計改變自然界的狀態，創造對自己有利的生活條件，久而久之就演變為自然界的災難。古代一再出現的災難題材是洪水滅世的神話。

最著名的洪水滅世神話當數猶太民族的諾亞方舟的故事（《舊約．創世紀》）。諾亞奉神的命令建造方舟，帶上自己的家人以及各種飛鳥、牲畜、爬蟲各一對進入方舟，隨後天降大雨，連續下了四十個晝夜，洪水淹沒了所有土地。除了諾亞一家人和方舟內的動物以外，其他生物和人類都滅亡了。

中國大禹治水的故事與諾亞方舟類似，都不約而同地選擇了洪水做為背景。人類在利用自然界謀求生存的過程中，不加節制，濫砍濫伐，使得水土流失，生態平衡遭到破壞，從而形成巨大的災難。

現今的澳洲中部是一片沙漠，然而，幾百年前並非如此。當初英國人剛到澳洲，看到澳洲中部有很多樹木既不開花又不結果，不夠美觀，於是把它們砍伐殆盡，大面積種植從英國運來的樹種。然而英國的樹木無法適應澳洲四面環海的特殊氣候環境，大片土地逐漸沙化，最後竟變成沙漠。這是近代有紀錄的生態破壞事件。人類自古至今不斷製造著各種生態災難，史不絕書，但人類並未從中吸取教訓，反而變本加厲地不斷上演。

救世

中國家喻戶曉的救世神話當數女媧煉石補天的故事。水神共工和火神祝融交戰，共工戰敗，生氣地用頭撞倒了撐天的立柱不周山，天塌了半邊，天河之水注入人間。於是，女媧煉出五色石補好天空，折斷神鱉的四足撐起天地四方，平洪水殺猛獸，拯救了世人。

一九七三年馬王堆漢墓出圖的帛畫為T字形，自上而下把世界描繪成天上、人間和水下三個層次。最下面有裸身巨人撐著大地，巨人腳下踩著兩隻像龜又像魚的海底生物。這幅畫展現了古人對宇宙結構的理解，古人認為天地是被某種力量撐起來的。

大禹治水的不同版本中，多次提到「息壤」。「息」並非「停止」，而是由「氣息」引申為「生長」、「生命力」之意。「息壤」是古代傳說中一種能夠自己生長、永不減耗的土壤。原來的大地被洪水淹沒，大禹用息壤填洪水，使土地重新不斷生長，二度創造了世界。許多神話正是從災難後如何拯救世界和人類開始說起的，災難之前的原始世界已經無從了解。大禹治水的故事流傳甚廣，人們稱讚大禹「八年在外，三過家門而不入」，該故事背後很可能具有神話背景。

猶太人稱救世主為彌賽亞，並將亞伯拉罕（Abraham）奉為共同的祖先。在遇到饑荒的年份，由亞伯拉罕的孫子雅各（Jacob）

帶領子孫遷往埃及。開始由雅各的小兒子約瑟[121]（Joseph，當時身為埃及宰相）照顧，約瑟死後，猶太人淪為奴隸，在埃及做了四百三十年的苦役。後來在摩西[122]（Moses）的率領下離開埃及，遷回迦南地[123]（今巴勒斯坦）。後代人將歷史事實、英雄事蹟與神話信仰相融合，創造了摩西這一救世典型。

中國的關公與之類似。關羽是歷史上的真實人物，他過五關、斬六將等忠烈事蹟令後人感動，於是人們便將各種神話附會在他身上，將關公塑造成一個讓人頂禮膜拜的英雄典型。人們崇拜的正是人類心中永遠的光明典型。如果沒有英雄典型，人類要何去何從？

猶太人自稱是上帝的選民，飽經患難，終於由大衛（David）於西元前一〇〇四年建立以色列國，但不久，西元前九三三年即分裂為北部的以色列國和南部的猶大國，並於西元前七二二年和西元前五八六年分別被亞述人征服和被巴比倫人滅亡。猶太人一直期待救世主彌賽亞的出現，曾有許多人自稱彌賽亞，最後都歸於失敗，直到耶穌[124]出現。耶穌到底是真是假？耶穌繼承了猶太人的傳統信仰，具有宗教背景，符合神話的典型。

創世、造人、災難和救世，是神話最原始的題材類型，不同文化背景的神話都有類似的故事。羅馬神話完全繼承了希臘神話，只是改變了神明的名字，如希臘神話的宙斯（Zeus）在羅馬神話中被稱為朱庇特（Jupiter），神明的事蹟基本類似。

神話並非異想天開，純屬虛構，而是人類祖先在原始洪荒狀態下的真實需求。今天雖已進入二十一世紀，科技發展，知識進步，但仍然無法完全替代神話的作用。

文化超人來了

文化超人

所謂「文化超人」是指，人類生活所需的各項產品，在這個人所處的時期大量出現，後代人把這些文化發明歸功於這一個人。中國最著名的文化超人就是黃帝，在他統治期間發明了許多文化產品，譬如文字、指南車、紡織等，這些不可能是黃帝一個人發明的，而是那個時代人類共同的智慧結晶。

黃帝是誰？歷史上是否真有其人？古代神話和歷史常常結合在一起，使人難以分辨。

《太平御覽》記載子貢曾請教孔子，說：「古代黃帝有四面，是真的嗎？」大概古代傳說中黃帝有四張面孔，像泰國的四面佛。孔子說：「黃帝選拔了四個與自己想法接近的人治理四方。」孔子將「四面」解釋為東西南北四方，黃帝居中治理天下百姓。[125]

一九九七年長沙馬王堆漢墓出土戰國帛書《十六經・立命篇》云：「昔者黃帝質始好信，作自為象，方四面，傳一心。」司馬遷《史記・五帝本紀》記載，黃帝選拔風后、力牧、常先、大鴻四人

121 約瑟：雅各與拉結所生的小兒子，因聰穎得其父偏愛，遭眾兄嫉恨將其賣到埃及。因給埃及法老釋夢得到重用，被任為宰相。預見災荒，建倉儲糧，使埃及倉滿糧足。其故鄉遇饑荒，與前來埃及買糧的弟兄相認和解，接全家前往埃及。與其兄弟一起被視為以色列十二列祖之一。

122 摩西：是西元前十三世紀時猶太人的民族領袖。史學界認為他是猶太教（Judaism）的創始者。《聖經・舊約・出埃及記》中記載，摩西受耶和華（神）之命，率領被奴役的猶太人逃離古埃及，前往迦南地。經歷四十多年的艱難跋涉，他在就要到達目的地的時候去世了。

123 參考《聖經・舊約・出埃及記》。

124 基督宗教認為耶穌就是基督也即彌賽亞，所指皆為救世主。猶太教信徒則予以否認，仍然期待他們心中的彌賽亞來臨。

125《太平御覽》卷七九引《尸子》：子貢雲：「古者黃帝四面，信乎？」孔子曰：「黃帝取合己者四人，使治四方，不計而耦，不約而成，此之謂四面。」

治理百姓。歷史與神話結合在一起，令人真假難辨。

關於「黃帝四面」的另一種解釋是黃帝建造了明堂，面向四方。明堂在黃帝時期稱為合宮，用於祭祀、會見諸侯和發佈政令。《孟子》書中記載「夫明堂者，王者之堂也」（《孟子．梁惠王下》）。明堂有四面，伸向東西南北四個方向，每面有三間，共十二間，象徵十二個月，中間是核心部分。

人類文化上的許多資料，可在古代神話中找到線索。

譬如一週工作六天，第七天休息，西方稱為主日，這是從猶太教的神話中演變而來的。《舊約．創世紀》中記載，上帝創造世界和人類一共花了六天時間，第七天休息，定為安息日[126]（創世紀，2：3）；西方學者教授，教書第七年為安息年，可以帶薪休假或進修；猶太人的燈檯有七支蠟燭（出埃及記，25：37）。

亞伯拉罕的孫子雅各為了迎娶舅舅的小女兒，服侍舅舅七年，結果舅舅卻把大女兒嫁給了雅各，雅各真心喜歡舅舅的小女兒，於是舅舅讓雅各再服侍他七年，才將小女兒許配給他（創世紀，29：30）。

諾亞方舟的故事中，上帝告訴諾亞「凡潔淨的畜類，你要帶七公七母」（創世紀，7：2），諾亞為了驗證洪水是否退去，先放了一隻烏鴉，洪水沒退，烏鴉飛回來，後面每過七天，諾亞放一隻鴿子，直到鴿子飛走不再回來（創世紀，8：7）。

最早關於「七」的記載是亞當和夏娃生了兩個兒子，後來哥哥該隱（Cain）殺了弟弟亞伯（Abel），上帝懲罰該隱。該隱認為自己罪過深重，遇見他的人會殺掉他。上帝說：「凡殺該隱的，必遭報七倍。」上帝就給該隱一個記號，以免遇見他的人擊殺他。（創世紀，4：15）「七」對於猶太人具有十分特別的意義。

中國也有類似說法：《易經》復卦卦辭即有「七日來復」之

說；前文提到《西藏生死書》中記載人死後要經過七七四十九日才會投胎轉世；《莊子・應帝王》記載七竅開而混沌死。

我們現在使用的星期一到星期日的英文名稱均來自希臘、羅馬或北歐諸神的名字[127]。現今的年月日和星期的計算也均有其文化背景，讓現代人可以有節律地安排自己的生活。

今日生活中使用的文化產品、風俗禁忌、行業分工等都有神話故事做為背景。今天社會各行各業都有自己的鼻祖或守護神，以他們做為最早的原型，如教師以孔子為至聖先師，木匠以魯班為開山祖師，使人們認識到自己的工作具有神聖價值。

現代人為何需要了解古代神話？因為神話裡蘊含的思想彌足珍貴。美國歷史上開發華盛頓州時，找到當地名叫「西雅圖」的部落酋長，與他商量，希望購買部落土地。酋長說：「我們怎麼可能買賣土地？是我們屬於土地，而不是土地屬於我們。」

原住民依然認為人的生命與自然界是不可分割的整體，沒有對於天空、海洋、陸地的主權意識。的確，人的生命來自大地，屬於大地，這些由神話塑成的觀念，時至今日仍有寶貴的借鑑意義。

---

126 猶太人的安息日是星期六。

127 Sunday來自sun，太陽神日；Monday來自Moon，月亮神；Tuesday來源於Tiw，是北歐戰神；Wednesday來源於Woden，北歐最高主神；Thursday來源於Thor，北歐雷神；Friday來源於Frigg，北歐愛情女神；Saturday來源於Saturn，羅馬農神。

英雄不死

英雄典型

一個人若要成為被社會大眾崇拜模仿的英雄，必須經歷三個階段：退出、考驗和復返。

退出指一個人背井離鄉，到外面的世界打拚，孤身一人闖入不同時空、不同文化背景中，前途不明，語言不通，獨自接受生存考驗。好比將一棵樹連根拔起，很多人無法通過試煉而失敗。但大浪淘沙，最後通過考驗的人榮歸故里，成為人們崇拜的英雄。

退出、考驗和復返稱為「英雄三部曲」。如果一個人一輩子未曾離開家鄉，沒有經歷過外面世界的磨練，即使成功，也只能被看作運氣好而已。英雄神話的重點是，每個人都有豐富的潛能等待開發，必須離開溫暖的母體到陌生而黑暗的環境中接受考驗，好比樹苗若想長成參天大樹，必須向下深深紮根於黑暗的土壤中。

學者榮獲諾貝爾獎[128]（The Nobel Prize）將成為英雄。諾貝爾獎自一九〇一年首次頒發以來，每年每個專業領域只評選一人獲獎，因此獲獎意味著成為該領域百年以來最傑出的人物，會被全世界奉為英雄。每個社會都需要英雄做為人們學習的楷模。

英雄的誕生，在宗教創始人的經歷中表現得更為明顯。

釋迦牟尼原為古代印度迦毗羅衛國的王子，屬於武士階層。古代印度戰亂頻仍，權力掌握在武士階層手中。釋迦牟尼從小坐享榮華富貴，直至二十九歲才第一次出城。他看到老人、病人、死人和僧人，發覺眾生皆苦，於是決意出家苦修。他進入森林，避開世人，選擇了孤獨清苦的修行生活。六年後，他在菩提樹下證悟佛法後重回人間。人們重新見到他時，發現他已經不再是那個不識民間疾苦的王子。只見他神采奕奕，內心好似充滿無限的喜悅、和平，遂成為人們心目中的英雄典型。

猶太教中率領猶太人離開埃及的英雄是摩西，他曾離開眾人，獨自一人上西奈山禱告四十天，山下百姓等得不耐煩，便用大家的耳環、手鐲鑄了一隻金牛犢，對其頂禮膜拜，求取現實利益。上帝憤怒地要毀滅這些民眾，摩西為百姓求情，帶上寫著律法的石版下山，並怒摔法版。後來上帝又給了百姓一次機會，再造了刻有「十誡」的法版。

宗教塑造的英雄一定離開過他熟悉的生活環境，再次歸來時顯示出截然不同的風貌。這種不同並非是人的「身」與「心」層次的變化，而是開發出生命中「靈」的層次，展現出精神的世界。人活在世上都要經歷生老病死，生命似乎黯淡無光，而宗教英雄的出現，給人類帶來光明，照亮了黑暗的大地。

耶穌在傳教前最後一次出場是在十二歲時與父母一同去耶路撒冷聖殿，之後了無蹤跡，找不到任何資料記載。直到十八年之後，耶穌三十歲時才再度出現在眾人的視野中，他與大家簡單照面後，又獨自一人到曠野中禱告四十天，與世隔絕，接受魔鬼的試煉，通過檢驗後才正式開始了傳教生涯。

伊斯蘭教創始人穆罕默德（Muhammad，569 － 632）年輕時飽經患難，後與富商赫蒂徹結婚後生活得到改善。婚後的穆罕默德常到麥加郊區希拉山一個山洞裡隱居潛修，沉思冥想，在他四十歲時得到真主阿拉的啟示，以口述方式記錄下伊斯蘭教的經典 ——《古蘭經》。

宗教英雄不約而同地離群索居，一個人孤獨地回到內心世界，

128 諾貝爾獎，於一九〇〇年六月設立，一九〇一年十二月十日首次頒發，共設物理、化學、生理學或醫學、文學、和平、經濟學六個獎項。

與信仰的神明溝通，再次返回人群時宛若重生。一個人降生世間只是身體的出生，能夠覺悟人生正道，意味著精神生命的誕生。

基督宗教的受洗儀式最早是把人完全浸入河水中，當再次將人從水中拉出時，象徵著全新的生命降臨。宗教儀式的背後，常有神話英雄做為典型。

每個時代的人都需要效法英雄典型，每個國家或宗教團體都會把歷史英雄和神話人物不斷加以詮釋和弘揚，讓百姓能夠清楚地了解：人生的目標何在，什麼才是值得珍惜的價值，怎樣的人生才是有意義的人生。

神話這一題材使人感覺古老而遙遠，卻與每個現代人息息相關。現代人常常覺得孤獨無助，無法與他人互信和溝通，透過神話可讓人們回歸原始的完整世界，使每個人與自然界、與其他人重新融為一體。當時間跨入二十一世紀的現代社會，還會有神話產生嗎？

今天需要神話嗎？

神話，現代人聽起來覺得遙遠而古老，在二十一世紀的今天，神話還有存在的必要嗎？答案是肯定的。

一九二七年，美國飛行家林白（Charles Lindbergh，1902－1974）駕駛雙翼飛機成為第一個穿越大西洋的英雄人物。他的成功鼓勵了眾多平凡人勇敢地走出屬於自己的人生之路。

現代人已經不太可能相信創世、造人、災難、救世以及文化超人這樣類型的神話，現代人最常見的神話題材是英雄典型，將英雄人物渲染上神話色彩，使平凡的人們相信：只要朝目標努力奮鬥，日後一定會取得出類拔萃的成就。

史懷哲（Albert Schweitzer，1875 － 1965）是現代人崇拜的英雄，他是德國著名的哲學家、醫學家、神學家和音樂家，三十八歲時放棄了優越的生活條件遷往非洲行醫，九十歲時安息在那裡。近代歐美白人瘋狂掠奪非洲的資源，使非洲陷於苦難，史懷哲認為自己的行為是在為白人贖罪。史懷哲被稱為「二十世紀最偉大的人道主義者」。

德蕾莎修女（Blessed Teresa of Calcutta，1910 － 1997）於二十世紀後半葉在印度幫助窮苦之人，被天主教封為「聖人」[129]，成為現代人心目中希望效法的英雄典型。

瑞士心理學家榮格（Carl Gustav Jung，1875 － 1961）說過，一個沒有神話的人「就像被連根拔起一樣，與過去、與自己身上延續的祖先生活、與他所處的人類社會皆失去連結」。生活在今日社會，每個人都在過著自己的生活，難免覺得孤單寂寞，神話可以使我們與歷史、祖先以及同時代的其他領域的人，重新連結成為生命共同體。

名人與英雄不同，名人是一般人崇拜的明星、歌星或運動員，他們只在特定領域有傑出表現，借助聲光效果的包裝讓人目眩神迷，但名人對於我們充實內心世界、提振勇氣、活出自己的生命特色方面，幫助有限。崇拜名人只是找到心理上的依附物件，讓自己與名人之間好像存在某種特別關係，名人本身可能亦有其追隨崇拜的偶像。

《英雄與英雄崇拜》（湯瑪斯．卡萊爾著）一書指出，每一位英

---

129 二〇〇三年十月被教皇列入天主教宣福名單Beatification，名字變為Blessed Teresa。

雄年輕時都會崇拜另一位英雄。中國古代最明顯的例子是孔子，孔子以周公為偶像，並感慨：「我實在太衰老了，竟然很久都沒有夢見周公了。」[130]（《論語・述而篇》）周公在武王伐紂革命成功後，吸收夏、商兩代的禮樂精華，與時俱進，制禮作樂，使國家重新安定。孔子希望有機會可以像周公一樣實現自己的抱負。

周公崇拜自己的父親周文王，認為他的德行、智慧、能力都達到巔峰；周文王則崇拜先王堯舜禹；而孟子崇拜孔子。通過對前代英雄的崇拜，後代人得以在前輩成就的基礎上，不斷超越，發掘生命的潛能。

共產主義在二十世紀中葉風起雲湧，它宣導人人自由平等，沒有私產，使人類回歸到原始的平等和諧狀態，每個年輕人聽到共產主義理論無不心生嚮往。共產主義繪製了一幅未來理想社會的畫卷，是現代社會的神話。如果沒有理想，人生又該向哪裡奮鬥？

政治人物常成為人人崇拜的英雄，因為他們在競選中提出的口號回應了大多數人內心的願望，然而當選後能否真正實現，則另當別論。

在現代社會中保存最為完整的神話還是存在於宗教之中，從受洗、皈依到各類宗教活動，每項宗教儀式背後都以神話故事做為背景。

現代人應如何面對宗教中的神話題材？應當去掉宗教神話的神祕性，保持神話特質。

宗教中含有非理性的神祕部分，使人難以想像，並與日常生活經驗相矛盾。在教育普及的現代社會，應去掉諸如世界分三個層次的過時宇宙觀，去掉上帝以土造人等不合時宜的人類學觀念。

與此同時，應保留神話元素，為每個人提供可參照的生命原型。透過神話英雄的啟發，使人們領悟攸關生死的智慧，成功需要先承受考驗，只有通過地獄才可到達天堂。面對歷史上英雄人物的傑出表現，每個人都會覺得自己並不孤單，我們正像歷史上的英雄一樣，都在挫折中努力奮鬥，共同走在人生的光明大道上。

悲劇並不悲哀

悲劇（以希臘悲劇為代表）

本章介紹的悲劇特指希臘悲劇。

希臘悲劇是一種西元前六世紀至五世紀在雅典盛行的文學體裁。當時的雅典興起了文藝創作競賽的風潮，獲勝者被授予「桂冠詩人」的榮譽稱號。「詩」在希臘文中指廣義的文學創作，包括悲劇、喜劇、詩歌、小說、歷史劇等。希臘悲劇如同一般戲劇一樣，講述一個內容豐富而完整的故事，但並非僅僅通過講述悲慘的故事來引發觀眾的同情、惻隱之心。

一般戲劇故事有以下四種可能：

1. 善有善報：主人翁是好人，做了好事得到好的結果。
2. 惡有惡報：一個人做壞事得到壞結果。
3. 善有惡報：一個好人做了一輩子好事，竟落得悲慘下場。
4. 惡有善報：一個壞人做了很多壞事，竟然得到好的報應。

善有善報與惡有惡報符合人們的普遍心願，這兩種類型可稱為「道德劇」，具有教化的意義，但藝術成就一般有限；善有惡報或惡有善報違背人們心中的願望，讓人反感厭惡。然而，這些都不算真

130 原文：子曰：「甚矣吾衰也，久矣吾不復夢見周公。」

正意義上的希臘悲劇。

希臘悲劇的基本架構是：一個平凡人，既不算好也不算壞，因為命運的安排或自身的性格特質，無意中犯下滔天大罪，陷入悲慘境遇，讓觀眾覺得十分同情與不忍。劇情中含有「遽（ㄐㄩˋ）變」和「發現」兩種特色。「遽變」指一個平凡人在平凡的生活中，忽然經歷猶如天崩地裂般的可怕遭遇；「發現」是指劇情演變到最後，真相大白，觀眾瞬間恍然大悟。如果缺乏這兩種特色，則無法吸引觀眾的興趣。

古希臘哲學家亞里斯多德在《詩學》一書中談到悲劇的定義：「悲劇是模仿一個嚴肅而本身完整的行動。行動的範圍相當廣泛，劇中使用的言語，應依不同情節加上愉悅的伴奏；其形式應是戲劇性的而不是敍述性的；最後，以其劇情引起憐憫與恐懼之感，藉以達成此等情緒之淨化。」

其中，行動即「Action」。電影拍攝開始時導演都要喊「Action」，表示開演。悲劇首先應有好的故事情節，透過完整的故事使人得到啟發。行動的範圍相當廣泛，包括生活的方方面面。悲劇應透過角色扮演的形式，以人物的言語配上音樂伴奏來展開情節，不能以一個人講故事的方式平鋪直敍。

悲劇的重點是透過劇情引發觀眾「憐憫」和「恐懼」兩種情緒，然後加以淨化（purify）。當主人公遭遇不幸時，觀眾如同在岸上看到一艘船在波濤洶湧的海面上行將傾覆，不免心生「憐憫」之情；與此同時，也會產生深深的「恐懼」，因為發生在別人身上的不幸遭遇也可能會發生在自己身上。欣賞完整部悲劇後，觀眾的內心好像被清洗了一遍，心靈回歸原點，生命可以重新開始。

人活在世界上，常常按照前輩的模式循規蹈矩地生活，與別人漸漸產生隔閡。特別是在現代資訊社會，新聞中不斷播報世界各地人們的不幸遭遇，久而久之，心中的憐憫和恐懼之情逐漸被淡忘，看見別人的災難和不幸遭遇，大家只會安慰自己：還好不幸沒發生在自己身上，天下這麼大，什麼事情都有可能發生。

悲劇對社會教化具有積極的作用，透過悲劇的形式，我們內心會產生憐憫和恐懼的情緒。對於別人的災難，如果我們不能心生憐憫，就有加害別人的嫌疑。心靈經過洗滌變得純粹，每個人可以重新恢復孩童般單純易感的心。既然大家都是人，就有可能面臨同樣的不幸遭遇，我們應攜起手來，共同面對人生的挑戰。

希臘悲劇之父

希臘悲劇的三位代表作家分別是：埃斯庫羅斯（Aeschylus，526 － 456 B.C.）、索福克勒斯（Sophocles，496 － 406 B.C.）和歐里庇得斯（Euripides，480 － 406 B.C.）。

埃斯庫羅斯

埃斯庫羅斯被譽為「希臘悲劇之父」。古希臘本來沒有悲劇這種藝術形式，悲劇（tragedy）一詞源自希臘文「山羊」（tragos），「山羊神」是葡萄園裡最重要的神明，最早的希臘悲劇被稱為「山羊劇」。歌舞隊在隊長的帶領下，圍繞著葡萄園載歌載舞，用以祭祀酒神戴奧尼索斯，一人戴著山羊面具與歌舞隊長對話，講述一段故事，這是希臘悲劇的最初形式。

埃斯庫羅斯認為一個人講話所表達的意思有限，於是在劇中增加了一個角色，變成兩個人都戴著面具對話，面具可以更換以扮演不同的角色。如此一來，悲劇形式發生改變，由原來的以歌舞隊唱歌跳舞為主、說話為輔，轉變成以對話為主、歌舞為輔，兩人分飾不同角色，演繹一個完整的故事。

不少古希臘悲劇的劇本在流傳過程中遺失，埃斯庫羅斯流傳下來的最重要的一部悲劇是《普羅米修斯》，講述人類出現後，世界沒有火，地面泥濘不堪，人類無法抵禦野獸侵襲，普羅米修斯於是到天上盜取火種。火帶給人類光明和希望，可用於驅逐猛獸，冶煉金屬，製作器物，西方人將普羅米修斯盜火視為西方文明的開端。

中國的《易經．繫辭下傳》中提及，最早出現的卦為離卦。離卦象徵「火」，卦的形狀像一張網，可以用來捕捉魚類和野獸。相傳，伏羲氏馴服野獸就與網的發明有關。當然，火的發明更為重要，火可以顯著改變自然的面貌，是文明之源。

普羅米修斯因為盜火得罪了天神宙斯，宙斯為了懲罰他，將他綁在高加索山上，讓老鷹每天啄食他的肝臟。如果普羅米修斯為了人類的光明而犧牲，可謂「求仁而得仁，又何怨？」但後果並非如此簡單。普羅米修斯死不了，每到隔天早上，他的肝臟又會重新長出來，又要繼續忍受老鷹啄食的折磨。這代表只要活著，痛苦就不會消失。

這部悲劇表達的意涵相當深刻，後來西方人常以普羅米修斯做為藝術家的原型，來說明藝術創作的特色。無論從事繪畫還是音樂創作，藝術家常有靈感枯竭、江郎才盡之感。藝術家專心於藝術創作，缺乏謀生的專長，在現實人生中常常窮困潦倒。

近代荷蘭印象派畫家梵谷（Van Gogh，1853 － 1890），一生中只賣出過兩幅畫作，窮困失意，最終自殺身亡，年僅三十七歲。梵谷的經歷正像普羅米修斯，他終日埋頭創作卻無人欣賞，夜深人靜時感到生命枯竭，心裡想著明天老老實實做個小夥計，好歹有固定收入可以維生；但是第二天天一亮，「肝臟又長出來了」，他又下定決心要努力創作。對梵谷而言，世上謀生賺錢算什麼，只有藝術是永恆的，正像帶給人類光明和希望的聖火，值得繼續奮鬥。

《普羅米修斯》這部劇有三部曲：《盜火的普羅米修斯》、《被縛的普羅米修斯》和《解脫的普羅米修斯》，最終大力士赫拉克勒斯（Heracles）設法幫助他從困境中解脫。這齣悲劇想要表達的核心思想是：做一件事要付出代價，活著的過程就等於痛苦的過程，人生不能沒有痛苦。埃斯庫羅斯由此開創了悲劇這一嶄新的藝術類型。

埃斯庫羅斯的去世也極富悲劇色彩。法國作家蒙田（Michel de Montaigne，1533 － 1592）曾寫道，有人預言某日埃斯庫羅斯會被壓死，他在那天一早便離開自己的家到曠野上散步，設法避免被可能倒塌的房屋壓死。令人意想不到的是，一隻老鷹抓到一隻烏龜，本想將烏龜丟到石頭上以砸碎龜殼，但由於烏龜太重而鬆開爪子，正好砸中偉大的悲劇作家埃斯庫羅斯。我們聽後不禁要問：難道真的有難以避開的宿命？人們試圖避開命運的安排，但陰差陽錯，最後還是常常應驗。

無論如何，埃斯庫羅斯將他的悲劇作品做為寶貴的精神遺產留給了後人，他開創了希臘的悲劇時代。他的年代早於蘇格拉底，隨後上場的兩位悲劇作家則與蘇格拉底的時代幾乎重疊。

伊底帕斯王

索福克勒斯

希臘悲劇三位代表作家中，最具影響力的當數索福克勒斯，他所著的《伊底帕斯王》（*Oedipus the King*）是希臘悲劇中最典型的代表。近代著名心理學家佛洛伊德根據《伊底帕斯王》的故事提出「伊底帕斯情結」（Oedipus complex 戀母情結），指出每個男孩子心中都有一個打不開的情結，在四歲左右會喜歡媽媽，討厭爸爸。

這部悲劇的劇情簡述如下：

希臘是城邦社會，有個城邦叫底比斯城（Thebes），另一個叫科林斯城（Corinth）。底比斯國王拉伊俄斯（Laius）和王后伊奧卡斯特（Jocasta）生下一個兒子，他就是後來的伊底帕斯王。國王拉伊俄斯得到神示，這個孩子將來會弒父娶母，這是人類所能想到的最可怕的惡行，國王無法接受，就把小孩的左右腳跟釘住，叫僕人將孩子丟到基泰戎山裡。

僕人奉命帶著襁褓中的孩子上山，不忍心下手。此時恰逢科林斯城國王的僕人經過，科林斯城的國王和王后一直沒有孩子，於是僕人把這個孩子帶回科林斯城，取名為伊底帕斯（腳後跟腫起來的意思），由國王和王后撫養長大成人。

伊底帕斯成年後一表人才，高大英武，但在他二十歲時，又有人預言他將來會弒父娶母。他以為科林斯國王和王后是他的親生父母，為了避免此事發生，他離開科林斯城，走向他命中注定的底比斯城。

當伊底帕斯走到一個三岔路口，正在考慮要走哪條路時，迎面一輛馬車飛馳而來，馬車上一個中年男子態度粗魯，揮舞著雙尖頭的刺棍打向伊底帕斯。但伊底帕斯人高馬大，用棍子將中年男子打翻在地並殺死了他。這位中年男子就是底比斯城的國王，伊底帕斯的親生父親拉伊俄斯。車上的僕人見勢不妙，慌忙逃走了。

伊底帕斯繼續前行，到底比斯城門口時，發現山丘上有一隻人面獅身、背上長著老鷹翅膀的怪物，名為斯芬克斯（Sphinx）。往來的路人必須回答斯芬克斯的謎語，若是答錯就被吃掉，若是答對，斯芬克斯就自殺，相當於今天的零和遊戲。

沒有人可以回答斯芬克斯的謎語，全城被圍困多時。國王拉伊俄斯帶著僕人從城後的山中繞出去尋找救兵，結果在途中被伊底帕斯打死，僕人回到城中報告，全城哀悼。最後大夥決定，誰能解開斯芬克斯的謎題，就選他當底比斯的國王，並娶王后為妻。

怪物斯芬克斯攔住伊底帕斯，問道：「哪一種動物早上四隻腳，中午兩隻腳，晚上三隻腳？」伊底帕斯回答道：「這是人類，人生下來在地上爬，是四隻腳；長大之後雙腳走路；老年之後撐拐杖，是三隻腳。」這個問題顯示出很多人缺乏自我反省的能力，從未就自己的一生做完整思考，只能看到自己現在的情況，向外去尋找答案，而忘記了人類本身即是答案所在。

伊底帕斯說出正確答案後，斯芬克斯躍下山谷自殺身亡。底比斯全城解圍，大家擁戴伊底帕斯成為國王，並娶了他的母親，生下兩男兩女。

大約十年之後，底比斯城發生了瘟疫，死亡人數眾多。伊底帕斯派人到德爾斐神殿求得神諭：「誰殺死了前任國王，誰就是罪魁禍首，只有把他清除，瘟疫才會結束。」大家想起以前的預言，前任國王的兒子會弒父娶母，於是找來當初奉命丟棄孩子的僕人一問究竟。

僕人只好坦白說，自己當初不忍心丟棄那個腳後跟被釘在一起的孩子，就把他送給了科林斯國王的僕人。伊底帕斯聽後大驚失色，想到自己從小腳後跟有一個傷疤，至此真相大白，他無意中犯下了滔天大罪。

《伊底帕斯王》在雅典能容納五千名觀眾的露天廣場上公開演出時，所有觀眾都不忍心，而呼喊「不要，不要這樣做」。但希臘悲劇的主角不是人類，不是帝王將相，而是命運。不管你是誰，不管願不願意，都不可能改變命運的安排。

真相大白後，伊底帕斯的母親上吊自殺了，伊底帕斯用母親衣服上佩戴的金別針刺瞎了自己的雙眼，他不要再看到這個世界。後來，他牽著小女兒的手流浪四方，臨終前回顧此生時只說了一句話：「這一切發生的事都沒有問題。」

人活在世界上，不管遭受了多大的委屈，承受了多大的苦難，最後了解之後都可以化解和放下，並說出「一切都沒有問題」，這就是人類理性的力量。

憐憫與恐懼的情緒在《伊底帕斯王》一劇中表現得淋漓盡致。希臘悲劇到底有什麼樣的特色？悲劇會給西方人的心理帶來什麼樣的力量？我們將在下面章節中闡述。

命運使人偉大

歐里庇得斯

歐里庇得斯（480 － 406 B.C.）與蘇格拉底（469 － 399 B.C.）年代接近。當時希臘流行文藝競賽，每年選出一位桂冠詩人，受到社會大眾的推崇，其劇作也會被公開演出。索福克勒斯與歐里庇得斯都曾多年蟬聯桂冠詩人的獎項。歐里庇得斯是後起之秀，他在創作上開始注意觀眾的需要，受到了更廣泛的歡迎，但在藝術成就上無法超越索福克勒斯的巔峰。

希臘悲劇的最大特色是：命運是劇中的主角，它不可預測，無法改變，人們面對命運時只能接受。如果一個人的對手是命運，而命運非常偉大能控制一切，一個人會因對手的偉大而使自己變得偉大。

悲劇帶給觀眾憐憫和恐懼的情緒，長期下來給觀眾造成壓力。歐里庇得斯注意到觀眾的需求，他創造的悲劇開始出現「快樂的結局」，使希臘悲劇這一文學體裁無法向前發展而走向終點。

歐里庇得斯的代表作為《伊翁》（*Ion*），「伊翁」是劇中小男孩的名字。太陽神阿波羅風流倜儻，一次遇到美麗女子克瑞烏薩（Creusa），兩人發生關係生下一個兒子。克瑞烏薩將兒子丟在供奉阿波羅神的德爾斐神殿。德爾斐神殿的女祭司於是撫養了這個孩子，並給他取名為伊翁。

後來克瑞烏薩結婚了，好幾年都沒有生小孩，於是與先生到德爾斐神殿求子。先生得到神諭，女祭司告訴他，神殿外第一眼看到的小孩就可做為他的孩子。先生於是到神殿外，一眼看到了可愛的伊翁，與孩子聊天也很投緣。

妻子克瑞烏薩出來後看見先生和小孩玩得很愉快，心中不禁猜忌，認為這個小孩一定是先生的私生子。事實上，這個小孩恰恰是她自己的私生子。這裡巧妙地表現了人類自然的心態，即一個人很容易以自己曾經的過錯來衡量別人。於是她橫下心準備謀殺這個孩子。

克瑞烏薩倒了杯水給伊翁，並在其中下了毒。但在神廟中喝任何東西之前，都必須先倒一點在地上祭神，這時恰好有一隻鴿子飛來，喝了水之後立即死掉了，克瑞烏斯的陰謀由此敗露。

有人問她為何要殺這個孩子，她把心中的疑惑說了出來。神廟的女祭司告訴她，伊翁不是她丈夫的私生子，而是她自己的私生子。至此真相大白，險些釀成悲劇，於是夫妻倆把伊翁帶回家，由此演變為「快樂的結局」。

從此悲劇引發的憐憫和恐懼慢慢消失，觀眾不再深入思考我與別人的關係，看完戲劇後依然故我。歐里庇得斯連續多次摘得桂冠詩人的榮耀，但也為希臘悲劇畫上了句點。

希臘悲劇到底在表達什麼？悲劇的主要角色不是人，而是命運。

希臘神話中有三大主神分別為天神宙斯、海神波賽頓和地府之神黑帝斯，另有兩位女神不受三大主神的節制，一個為命運女神摩伊拉，另一個為愛神阿芙柔黛蒂。除了智慧女神雅典娜、灶神赫斯提亞（Hestia）和月亮女神阿特米斯之外，沒有人能擋住愛神阿芙柔黛蒂的誘惑，連宙斯也不例外。

但更厲害的是命運女神摩伊拉，她現身時所向披靡，威力無人能敵。任何東西都有其命運的限定，命運何時出現、何時轉變，沒有人能了解和抵擋。希臘悲劇以命運為主角，人類生命原本平凡卑微，因為與命運這樣偉大的對手對抗，反而凸顯出人類的偉大情操，這就是希臘悲劇的重要作用。

人活在世界上常覺得生活瑣碎，日復一日，年復一年，周而復始。久而久之，覺得自己平凡而庸俗。人們在欣賞希臘悲劇時，會發覺生命具有偉大的潛能，生命雖然短暫，人類雖然仍有卑微之處，但人類可與偉大的命運進行較量，展現不屈不撓的精神，這就是希臘悲劇的最大貢獻，並影響了後來西方科學文明的發展。

近代歐洲的悲劇

希臘時代結束之後，歐洲跨過一千三百多年的中世紀，迎來了天翻地覆的文藝復興、宗教改革和科學革命的時代。

近代歐洲的悲劇作家有三位代表：英國的莎士比亞（Shakespeare，1564 – 1616）、西班牙的塞萬提斯（Miguel de Cervantes Saavedra，

1547 – 1616）和德國的歌德（J. W. von Goethe，1749 – 1832）。莎士比亞的悲劇有四大代表作，分別是：《哈姆雷特》（*Hamlet*）、《李爾王》（*King Lear*）、《馬克白》（*Macbeth*）、《奧賽羅》（*Othello*）。

莎士比亞生活在十六世紀後期，那個時代的人們不再被宗教信仰所束縛，不再以《聖經》做為唯一的真理來源，人類的理性開始自由伸展，要以理性探索新的天地和人類的潛能。

人類理性的特色是把所有事物化為概念，並加以分類，試圖認識其本質。然而人類的生命有超越理性的成分，如盲目的情感、偏差的認知以及隨之而來的狂妄的衝動。莎士比亞的悲劇說明，人類如果只依靠有限的理性去發展自身的潛能，追逐無窮的欲望，最後的結局往往歸於幻滅，從而演變為虛無主義。

以經常上演的《馬克白》為例，「野心」是該劇的重點。馬克白是蘇格蘭的大將，由於女巫預言他會當國王，加上妻子一再慫恿，終於弒君稱王。馬克白最後受到報復，被前王之子復仇所殺，表明野心會招致覆滅的結局。

《哈姆雷特》最著名的是他的猜疑，該做還是不該做？這樣做結局如何？哈姆雷特本來要報仇，但猶豫不決的性格導致了失敗的結局。《哈姆雷特》最經典的臺詞是「To be or not to be，that is the question」，有人將之譯為「要活下去還是要死亡，這才是最重要的問題」，但如果譯為生與死，原文直接寫「To live or to die」則更加清晰。

西方文字中，be做為動詞可以有多層含義。「To be or not to be」含義豐富，可以理解為「要做你自己，還是不要做自己」、「要真誠，還是違背良心做人」，最廣義的還可理解為「要存在，還是不存在」，不宜直接譯為「要生存，還是要死亡」。

西班牙作家塞萬提斯的代表作是《唐吉訶德》（*Don*

Quijote）。在小說描寫的時代，騎士早已絕跡了一個多世紀，但男主角卻因沉迷於騎士小說，常幻想自己是中世紀騎士，自封為唐吉訶德。他把風車當做巨人，把羊群當做軍隊，把鄉間女子當做騎士夫人，做出種種匪夷所思之事，但是四處碰壁，最終從夢幻中醒來。

更能體現歐洲近代悲劇特色的作品是《浮士德》，前後有三個版本。最早的版本是英國劇作家馬婁（Christopher Marlowe，1564 – 1593）所著的《浮士德博士的悲劇史》。浮士德是真實存在的德國學者，學識過人。他透過咒語認識魔鬼梅菲斯特，在二十四年中，魔鬼滿足他的所有願望，於是浮士德盡情施展魔術，甚至在夢裡與古希臘絕代佳人海倫幽會；二十四年結束後，浮士德的靈魂被劫往地獄。該劇說明了十六世紀後期，不少歐洲人在知識上覺醒後，開始測試自己的底線。科學發展擺脫了中世紀「黑暗時代」的束縛，擺脫了宗教教條的限制，人能否隨心所欲，為所欲為呢？浮士德的想法反映了當時歐洲人的心態。

第二個版本是歌德的代表作《浮士德》（*Faust*），分上下兩卷。《浮士德》的寫作貫穿歌德的一生，一七六八年開始創作，一七九〇年歌德四十一歲時發表了片段，一八〇八年發表上卷，一八三一年歌德逝世前一年完成下卷，前後歷時六十四年。

歌德塑造的「浮士德」形象廣為人知。浮士德與魔鬼梅菲斯特交換條件，只要魔鬼滿足浮士德生前所有的欲望，浮士德死後就把靈魂賣給魔鬼，象徵了當時歐洲人為了得到欲求之物，不惜出賣生命中最為珍貴的靈魂。浮士德每索求一樣東西，魔鬼都可以滿足他的欲望，從財富、名聲、地位，到愛上引起古代特洛伊戰爭的絕代美人海倫，浮士德一旦得到，就覺得「好像還不夠好」。該劇反映了人類為了滿足自身的無限欲望，竟然可與魔鬼聯手來對付自然界，對付其他人，甚至對付神明。

第三個版本是德國哲學家托瑪斯．曼[131]（Thomas Mann，1875 – 1955）於1947年創作的長篇小說《浮士德博士》（*Doktor Faustus*）。小說主人公雷維庫恩代表德國現代的浮士德，他是一位音樂家，為了追求「真正偉大的成功」，獲得創作的靈感而與魔鬼交易，最終墮落直至瘋癲。小說影射了當時納粹德國擁有無限欲望，妄圖控制整個世界和人類，但最終走向覆滅。

與希臘時代不同，近代歐洲是理性昌明的時代。人類希望以有限的理性指導欲望和情感，挑戰生命的限度，發展到極限則演變為悲慘的結局，均以真正的悲劇收場。這些劇作反映出人類在努力尋求完整生命過程中，無法克服人性的軟弱和限制。

人到最後還是要回溯自己的來源，體認人類生命的局限性。如何開發生命的潛能，讓生命達到應有的高度？人不能一味向外追尋，而應向內回到自己的內心世界，以及向上與超越界保持聯繫。

中國有悲劇嗎？

中國並沒有嚴格意義上的希臘式悲劇。希臘悲劇的特色是以命運為主角和對手，充分展示了人類的潛能。中國戲劇常見的類型是歷史劇和道德劇，歷史劇以某個歷史故事為題材，改編成戲劇，用以教化百姓；道德劇主要描寫善惡報應。

結局悲慘的就是悲劇嗎？中國著名元曲作家關漢卿[132]

131 托瑪斯．曼：一九二九年曾獲得諾貝爾文學獎，第二次世界大戰時由德國移居美國。
132 關漢卿與白樸、馬致遠、鄭光祖並稱為「元曲四大家」。

（1219 － 1301）的代表作《竇娥冤》，取材自東漢「東海孝婦」的故事，描寫了竇娥被無賴誣陷，又被官府錯判誤斬。竇娥死後，誓言應驗，血濺素練，六月飛雪，大旱三年，代表了人間的重大冤情和不公不義，反映了統治階級的腐敗黑暗和百姓遭到的壓迫。最終竇娥託夢於父親，使沉冤昭雪，正義得到伸張。

《竇娥冤》針對元朝特定的歷史背景，希望解決當時異族入侵、官場腐敗、民不聊生等社會問題，並不具有類型上的普遍性，對現代人的生活很難有借鑑意義。我們只會同情劇中人物的悲慘遭遇，並慶幸自己生活在現代文明社會，卻不會因此受到啟發，體會到人類生存的普遍狀態。

《紅樓夢》算中國的悲劇嗎？《紅樓夢》之所以受到廣泛關注，是因為它融合了中國傳統的儒、釋、道的各種思想元素，構成了中國社會的縮影。《紅樓夢》的藝術特色在於人物塑造，劇中角色眾多，言談舉止都刻劃得恰如其分，符合其身分和特點。

《紅樓夢》有儒家背景，元春一旦選妃受寵，整個家族受到封賞而興建大觀園，這對平民百姓來說是難以企及的。其中描寫的祭祀和消災祈福等各種宗教活動，屬於道教的儀式。最後結局一僧一道架著寶玉離開，具有佛教的情操，讓人看穿人間的富貴榮華其實是一場空。

《紅樓夢》做為小說非常生動，人物繁多，各具特色，我們很容易在身邊的人與事中找到劇中對應的原型。如果去掉儒釋道的元素，《紅樓夢》好似一場夢，我們只能通過它了解到古代社會是帝王專制的時代，很難對整個人類的處境有深刻的啟示。

金庸的武俠小說也算不上悲劇。金庸的武俠小說受到廣泛歡迎，是因為它符合亞里斯多德提出的「詩的正義」。「詩」指包括戲劇在內的廣義的文學創作。「詩的正義」是指，在真實的人生中並沒有善惡報應，所以很多人創作戲劇、小說，讓善惡有報應，以滿足人們的心理需求。金庸的小說結局都安排了妥當的善惡報應。

金庸的小說中有一部比較深刻的是《俠客行》。金庸在《俠客行》不斷再版時寫過一段後記，說他當初寫作《俠客行》時並不了解什麼是佛教的禪宗，後來學習了一些禪宗思想後，發現《俠客行》的構思與禪宗的境界不謀而合。

《俠客行》描寫很多人到了俠客島，看到島上一面很大的牆壁上刻著李白的詩作《俠客行》，每個人都想從中參悟武功祕笈。男主角不識字，卻因此注意到刻字的力道，悟出武功的運氣方法，從而練成上乘武功。

禪宗講究「不立文字，教外別傳」，一般人認識文字卻迷惑於表象，文字反而成了障礙。《俠客行》表達了人具有直接領悟真實本體的能力。

中國戲劇與希臘悲劇有明顯的差異，這種差異並沒有高下之分，東西方文明在不同時空背景下，呈現出各具特色的文化產品，很難照搬和複製。

神話與悲劇的啟示

西方文化傳統中，神話與悲劇的題材豐富，保存也較為完整。古希臘悲劇以希臘神話做為背景演化而來，給人類帶來很大啟發。當今時代還有必要閱讀神話和悲劇嗎？

中國最早的神話題材書籍為《山海經》，成書時間在戰國後期至西漢初期，裡面提到種種奇怪的動植物都可與人類相通，對人類生活大有幫助。其中夸父追日和精衛填海的故事較富有啟發性。

夸父追日[133]的故事（《山海經．海外北經》）體現了人與自然界的競爭。夸父與太陽賽跑，一直追趕到太陽落下的地方，他口渴難耐，喝乾了黃河和渭水而未解渴，在去大湖尋找水源的途中口渴而死。夸父雖敗猶榮，人活在世界上不正是「知其不可而為之」[134]（《論語．憲問篇》），明知理想無法實現卻依然堅持奮鬥，並非外在的力量敦促我們行動，而是內心的呼喚要求自己對生命負責。

精衛填海（《山海經．北山經》）的故事講的是，炎帝女兒名叫女娃，一日在東海邊遊玩，不幸溺水身亡，化為精衛鳥，每天銜樹枝或石塊決心把海填平。這個故事表明，人的力量雖然渺小，但經過長期不懈的努力，可以征服自然。愚公移山的故事與之類似。可見，古代人與自然界之間，除了和諧共存之外，也存在著互相競爭的關係。

希臘悲劇與近代西方科學革命亦有關聯。近代科學的突飛猛進為何會在西歐出現？中國的科技水準在西元一五〇〇年前領先世界，進入十六世紀後，西方的科學水準逐漸超越中國，十七世紀被稱為科學革命的世紀。

西方現代重要的哲學家懷德海（A. N. Whitehead，1861－1947）於一九二五年出版的《科學與現代世界》（*Science and the Modern World*）一書回答了上述問題。懷德海早先在英國教授數學和自然科學，一九二七年他以六十三歲高齡受聘哈佛大學教授哲學，他將早年對自然界的深入研究轉向自然科學的哲學基礎。對於科學革命為何在西方出現，懷德海提出了三個理由：

1. 希臘的悲劇；2. 羅馬的法律；3. 中世紀長期的宗教信仰。

這三點聽起來與科學似乎毫無關係，但懷德海認為，希臘悲劇的主要角色是命運而不是人類，命運超越了人的理智、情感和意志，不以人的意願為轉移。自然界的規律扮演了與命運相同的角色。比如我們要舉辦奧運會總希望期間天公作美，風和日麗，但不管誠心禱告還是人工干預都收效甚微。不要說浩瀚的宇宙和太陽系，就是在地球範圍內的自然規律，人類都難以改變。希臘悲劇使西歐人相信命運不以人的意志為轉移，同樣的，自然規律也不以人的意志為轉移。

中國由於較早實現了國家統一，各種實用技術得以持續發展，而西方國家長期分裂，戰亂頻仍，常造成文明中斷或徹底毀滅。但促成近代科學革命最重要的因素是科學精神，要求人的主觀意願降到最低，面對客觀世界時保持實事求是的超然態度。

羅馬法律的特色是規定基本原則後使用演繹法，王子犯法與庶民同罪，任何人犯法都要承擔相應的罪責，不因個人的身分、地位而改變，法律好似天羅地網，人完全無法干預。

基督宗教相信上帝掌管一切，耶穌說：「兩個麻雀不是賣一分銀子嗎？若是你們的父不許，一個也不能掉在地上。就是你們的頭髮，也都被數過了。」（馬太福音，10：29 － 30）說明所有一切都在神的掌控之中。

在希臘悲劇、羅馬法律和基督宗教信仰三者近兩千年的薰陶之下，塑成了西歐人對世界實事求是的態度，形成了冷靜客觀的科學心態。人們可以清楚地分辨哪些事情可由人的意志所掌控，哪些事情遵循客觀規律，不以人的意志為轉移。

科學心態由西方獨特的人文環境培育而成，中國則缺乏這樣

133 原文：夸父與日逐走，入日；渴，欲得飲，飲於河、渭，河、渭不足，北飲大澤。未至，道渴而死。棄其杖，化為鄧林。

134 原文：子路宿於石門。晨門曰：「奚自？」子路曰：「自孔氏。」曰：「是知其不可而為之者與？」

的文化背景。中國戲劇大多是歷史劇、道德劇，結局大都是善惡有報。對於現實社會不公不義的憤慨，透過觀賞戲劇，非但沒有深化加強，反而得以平衡紓解。久而久之，人會遺忘現實世界的苦難和罪惡，不再願意用實際行動去改善現狀。中國人對於現實世界寄託了主觀的美好願望，卻不再注意客觀世界的嚴肅性。

西方文化積累了豐富的素材，有明確的發展線索，參照西方文化的發展歷程，可以深入了解中國文化的特色。人活在世界上，若希望得到救贖或解脫，首先要恢復生命的完整面貌，找到生命的根源。我們可以回到自己的內心去尋找，但更好的途徑是由文化的源頭找到線索。因此，神話與悲劇的題材時至今日仍值得我們認真學習和思索。

第五章

蘇格拉底

從神話走向理性

本章將介紹古希臘哲學家蘇格拉底。首先介紹蘇格拉底所處的時代背景。

古希臘並非統一的國家，而是城邦（polis, city-state）林立。這些城邦環繞於愛琴海周圍，愛琴海位於地中海的東部。希臘哲學的發源地是愛奧尼亞（Ionia），位於小亞細亞的愛琴海邊，在今日土耳其境內。愛奧尼亞被希臘武力征服，成為希臘的殖民地。

愛奧尼亞地處亞、歐、非三洲交界，是古代的交通要衝，與巴比倫、埃及貿易往來頻繁，逐漸產生了有錢又有閒暇的富人階層。埃及的數學和巴比倫的天文學開闊了這些富人的眼界，使他們對變化萬千的自然界產生了強烈的好奇心，想要對宇宙的起源一探究竟。同時，希臘宗教中的弱勢祭司無法約束人的思想，社會上開始盛行公開討論的風氣，以求取公開的認同。這些條件促成了希臘哲學的興起。

用一句話來描述希臘哲學的起源，即「從神話（muthos）走向理性」。從前人們用神話解釋宇宙的起源，用神的故事說明世界如何由混沌演變為有秩序的宇宙。哲學家開始使用理性思考，設法從經驗的材料中找尋宇宙起源問題的答案。

古希臘第一位哲學家是泰勒斯，他曾預言西元前五八五年五月二十八日的日蝕，是希臘最早的自然科學家。透過對自然界的長期觀察和研究，他發現自然界有其自身的規律，探索宇宙的起源不必依靠荒誕不經的神話故事。

泰勒斯留下兩句最重要的話：「宇宙的起源是水」、「一切都充滿神明」。兩句話合而觀之，泰勒斯所謂的「水」並非指單純的物質 H_2O，不是日常生活中可看到、可飲用的水。希臘文中，神明象徵著力量，力量即是諸神。因此，泰勒斯所謂的「水」是指一種充滿活力、具有神性力量的萬物始源，可以變化生成萬物。泰勒斯觀察到，水是液體，燒開變為氣體，結冰又變為固體，水的三態可以說明大部分的具體事物。

阿那克西曼德是泰勒斯的學生兼助手，他認為以水做為萬物的起源有問題，水太過明確具體，宇宙起源應為「未限定之物」（apeiron），因為不受限定，所以可以生成水、火、土、氣等各種自然界元素。這種說法比老師泰勒斯的說法更進一步，但「未限定之物」太過抽象，令人難以捉摸。

第三位上場的是阿那克西曼德的學生兼助手阿那克西美尼，他認為宇宙的本原是「氣」，「氣」不像水那麼具體，也不像「未限定之物」那麼模糊，「氣」可被人類感知，卻沒有明確的形狀和樣式。

由此可見，西方哲學在開始階段就展開了辯證思考，不盲目以老師為權威，而是以其為思考的出發點，不斷探討老師的說法是否正確，嘗試提出更為合理的解釋。

愛奧尼亞的哲學家們所關心的主要是自然界，但當時自然科學尚處於初期發展階段，對自然科學的認識受到很大限制。

「自然界」希臘文為physis，與physics（物理學）為同一字根。古希臘對自然界的定義是「有形可見，充滿變化」，哲學則要探討自然界背後「無形可見，永不變化」的本體，這使得人們的思考更有深度。人們每天看到的一切事物都在變化之中，一切變化現象的背後應該有做為本體的存在。本體能否掌握，如何掌握，永遠都是值得思考和探討的問題。

希臘早期的哲學家幾乎都是研究自然界的科學家。泰勒斯有一則軼事，他曾在夜間邊走邊觀察天象，不慎失足掉入淺井中，跟隨的女僕嘲笑他說：「我們的主人連地上的情況都沒看清楚，卻去關心天上的情況。」後起哲學家一直遭到類似的嘲諷，然而如果沒有這些哲學家，人類只能活在變化的現象世界中，始終無法掌握變化背後不變的規律和力量。

靈魂是一種精巧的「原子」？

哲學在古希臘並非一門學科，而被界定為「愛好智慧」，即透過事物的表面現象，發現事物背後的本質究竟是什麼。

古希臘哲學發展出的第一派為自然學派，研究的焦點在自然界，古希臘哲學家幾乎都是自然科學家。自然學派將宇宙起源歸結為水、火、土、氣等質料（類似於印度哲學將地、水、火、風——「四大」做為基本質料）；將變化背後的動力歸結為吸引力和排斥力，吸引力是愛，排斥力是恨，由此貼近人的生命。

畢達哥拉斯（Pythagoras，約571 – 497 B.C.）是數學家，發現並闡明了「畢氏定理」（直角三角形斜邊的平方，為兩直角邊平方之和）。他同時也是宗教家，主張人的靈魂不死並不斷輪迴，影響了蘇格拉底和柏拉圖的思想。他認為宇宙的起源不是物質，而是形式，萬物的存在都有一定形狀，而有形之物都可用「數」來計算。因此，宇宙的起源是數字，用數字做為萬物起源可使宇宙萬物具有根本的統合性。

埃利亞學派的代表人物巴門尼德認為，宇宙萬物的變化並非真實。人的感覺不可靠，由感官而感受到的萬物變化會受到事物表象的迷惑，只是俗見而已；用理性認識宇宙萬物將會發現，沒有任何東西在變化。

古希臘哲學早期最有影響力的學派被稱為「原子論」(Atomism)，代表人物是德謨克利特(Democritus of Abdera，約460 － 371 B.C.)。「原子」希臘文為Atom，「A-」做為字首表示「否定」，「tom」代表切割，「Atom」即表示不可分割的最基本的單位(現代科學發展認為，原子是由質子、中子、電子等更基本的粒子構成的)。

原子論是古代最早的唯物論，德謨克利特認為宇宙萬物由原子組合而成，「虛空」存在，原子在虛空中活動。原子的性質完全相同，物體的千差萬別是由原子的數量、形狀及排列不同所決定的。

人之所以有理性會思考，是因為人有靈魂。靈魂是一種比較精巧的球形原子，因為球形最能動也最有穿透力。人與人之間的溝通，即是各自派出的球形原子的交流碰撞。

植物、動物和人類的生命結束時都歸於大地或空氣，即「塵歸塵，土歸土」。原子論可以較好地解釋這一現象，說明人與萬物可以相通；但對於人的思想、精神層面則較難解釋清楚。

任何流派的哲學主張，最後都要回歸到實際生活中，說明人應該如何為人處世，如何界定人生的幸福所在。原子論主張人應該過一種節制而寧靜的生活，讓自己走在正義、合法的路上。

譬如人使用理性反省，飲食過量不舒服，因此應該節制自己吃到七分飽即可。人際交往中產生的衝突是原子間產生的碰撞摩擦，樹敵太多將使人防不勝防，可謂「明槍易躲，暗箭難防」，因此應該多交朋友，廣結善緣，從而減少世間的干擾。原子論透過對人生經驗的觀察總結，試圖指導人們如何生活得更加輕鬆愉快。

原子論的基本觀點是宇宙萬物均由原子構成，原子在虛空中活動碰撞，原子只有形狀與大小的不同，沒有本質的差別。人的靈魂是由最為圓滑的球形原子構成，最具活力和穿透力。原子論的觀點指導人們選擇最基本的平安生活，卻無法幫助人們樹立高尚的人生目標，對於人與人之間的深刻情感也不易說明。蘇格拉底之前，希臘哲學中的自然學派發展到「原子論」階段後，達到了頂峰。

人是萬物的尺度嗎？

蘇格拉底之前，古希臘哲學發展出兩個派別，蘇格拉底曾被人誤會屬於這兩個派別。

第一派是以原子論為代表的「自然學派」。蘇格拉底曾說：「太陽是個火球，月亮是一堆土。」因而被認為屬於自然學派。蘇格拉底為自己辯護道：「請你們不要冤枉我，我只是轉述某些哲學家的觀點，這並非我的創見。」

第二派為「辯士學派」(the sophists)。這個名稱的字源是「智慧」(sophia)，因此這派哲學常被譯為「智者學派」。但哲學的原意為愛好智慧，任何人都不可能真正擁有智慧，因而將其譯為「辯士學派」更為合理。

《莊子》書中多次使用「辯士」一詞來形容當時擅長辯論的「名家」，希臘辯士學派的性質與之類似。他們口才出眾，見多識廣，遊歷於希臘不同城邦之間。

亞里斯多德曾對希臘一百五十八個城邦進行研究後指出，每個城邦都好像是獨立的部落，中心有城堡，周邊是農田，各城邦在經濟上獨立，一旦發生戰爭，百姓就會撤回城堡中。各城邦在法律制度和宗教信仰方面皆有明顯差異。

這些辯士在遊歷中發現，沒有所謂的客觀標準，對同一行為是否有罪的判定，在不同城邦可能大相逕庭。他們眼界開闊，精通辯論，以教授修辭、演說、辯論為業，並收取高額學費。他們教人如何鼓動人心以贏得廣泛的支持。

辯士學派的代表人物之一是普羅塔哥拉，他最常被人引用的名言是「人是萬物的尺度」（Man is the measure of all things.）。對這句話的解釋歧義百出，句中的「人」指「人類」還是「個人」？若指人類則過於空泛，即使兩、三個人也很難建立共識，更何況整個人類；若指個人，一個人與他人看法不同時，又該以誰為準？

如此一來，哲學演變為「相對主義」，每個人都以個人感覺為主，每個人都是真理的標準，大家各說各話，這樣的哲學難以傳授和普遍推廣。

普羅塔哥拉對神明的看法很到位：「關於神明，我們一無所知。既不知他們是否存在，也不知他們形象如何，阻礙我們獲得這類知識的因素很多，比如物件太過模糊，人生太過短暫。」由此保留了宗教信仰的空間。對於神明不必說清楚，人生短暫，人們無法真正了解信仰的神明究竟是什麼。

辯士學派的另一位代表人物高爾吉亞，提出了三句論斷：1. 無物存在；2. 即使有物存在，也無法被人認識；3. 即使可以被人認識，也無法告訴別人。這樣一來，人與人之間無法溝通，人們無法通過對話增進彼此的理解，整個社會也難以維繫和發展。

辯士學派對古希臘社會造成了不小的負面影響。他們教出的學生在政治活動和法律辯論中無人能敵，他們收取相當於半座房子的高額學費，受到蘇格拉底和柏拉圖的嚴厲批評。

柏拉圖《對話錄》中有一篇〈普羅塔哥拉〉，形容這些辯士是「販賣精神雜貨的掌櫃」，他們無法告訴人們精神有何價值，人生該向何處發展。柏拉圖借蘇格拉底之口說：「讓希臘人知道你是一個辯士，難道不覺得可恥嗎？」

由此可見，當時社會對辯士學派深懷戒心，此派哲學的發展將導致社會價值的瓦解。辯士學派由相對的觀點引發人與人之間的相互懷疑，一切都不可靠，人人我行我素，人際互動無法開展，社會的穩定和諧亦無從談起。

在自然學派和辯士學派的基礎上，蘇格拉底將開創希臘哲學的全新格局。

第一位街頭哲學家

蘇格拉底在孔子去世後十年誕生，他走上歷史舞臺時已是年逾五十的中年人，關於他前半生事蹟的歷史資料很有限。他曾參加過著名的伯羅奔尼撒戰爭（the Peloponnesian War，431 － 404 B.C.）。

古希臘經歷過兩場著名的戰爭。

一是波希戰爭（The Greco-Persian Wars，492–449 BC）。西元前四九〇與四八〇年，希臘城邦聯軍兩度成功抵抗波斯大軍的入侵，電影《300壯士：斯巴達的逆襲》記錄了第二次波希戰爭中斯巴達國王領導的溫泉關戰役，即他們如何以三百勇士抵抗波斯王薛西斯（Xerxes）的百萬大軍。

二是伯羅奔尼撒戰爭。希臘聯軍打敗波斯大軍之後，斯巴達與雅典兩大城邦各組聯盟，開始內戰，內戰地點是伯羅奔尼撒半島，雙方時打時停，戰爭綿延了二十七年。

蘇格拉底曾參加曠日持久的伯羅奔尼撒戰爭，以勇敢知名。當時作戰需自購裝備，蘇格拉底是全副武裝的步兵，可見其家境小康。

希臘哲學自誕生之日起，經過一、兩百年的發展終於傳入雅典。首先傳入的是自然哲學，人們逐漸意識到，僅靠物質不足以解釋自然界和人類的種種現象。宇宙萬物顯示出秩序和規律，日月星辰斗轉星移，春夏秋冬四季更迭，這一切的背後似乎有一種力量在操控。

阿那克薩哥拉（Anaxagoras of Clazomenae，約500 － 428 B.C.）是把哲學引進雅典的第一人，他認為宇宙萬物背後有一個偉大的心智（nous, mind）在控制。蘇格拉底滿懷希望，但自然哲學家並未進一步說明「心智」究竟是什麼，以及它如何運作，這讓蘇格拉底感到失望，於是轉而研究人類社會。

蘇格拉底說：「我的朋友不是城外的樹木，而是城內的居民。」城外的樹木代表大自然，城內的居民代表人類，不管對自然界了解得多麼透徹，最後還是要回到「人應該如何生活」這個問題上來。人的生活如果沒有客觀的道德標準，則法律規範就成了外在的裝飾品。

為研究人類社會，蘇格拉底開始轉向辯士學派。他熟知辯士學派的觀點，因為他每天上街與人辯論而被人誤會為辯士之一，實則不然。

一般認為，西方民主制度始於雅典。雅典全盛時期經常在對外戰爭中獲勝，按當時的慣例，獲勝方會將失敗方的成年壯丁全部處死，將有學問的老人和婦女擄掠為奴，老人負責教育孩子，婦女負責承擔家務。雅典男子在家無事可做，時間充足，於是可以上街開展選舉投票之類的民主活動。

值得注意的是，雅典的民主並非今天所謂的全面民主，只有雅典公民才享有民主權利，而公民人數比例極低，約占百分之十五，奴隸和婦女無法成為公民。男子二十歲成為有投票權的公民，三十歲可承擔城邦義務，如輪流擔任陪審團法官。雅典分為十個區，每個區每年選舉五十人組成陪審團，後來蘇格拉底被誣告，就由五百人陪審團審判。

蘇格拉底每天到街頭、體育館、市場附近與人聊天對話，從不做公開演講，因為他認為公開演講無法達到相互交流的目的。當蘇格拉底聽到有人提到勇敢、虔誠、謙虛、美、善等價值評價字眼時，就會興奮地上前請教：「你剛才提到勇敢，真是太好了，我到現在仍不知道什麼是勇敢，既然你提到勇敢，代表你知道勇敢的意思，請你告訴我，勇敢到底是什麼意思？」

通常人們未經深入思考就使用這些評價詞語，在蘇格拉底追問之下，人們發現自己其實並不了解這些詞語的真正含義。蘇格拉底弄得雅典人心惶惶，他正是以這種方式刺激大家思考道德的相關概念，使人覺悟德行的真諦，找到人生的幸福。

蘇格拉底說：「沒有經過反省檢驗的人生，是不值得活的。」這句話成了千古名言。一個人若不知何謂德行，如何可能實踐德行？真知才有恆久的德行表現。我們從小聽從父母和老師的教導，卻從未省察為何應該這樣做。

蘇格拉底代表了哲學的重要轉捩點，在蘇格拉底與人對話的過程中，逐漸形成了「歸納法」與「辯證法」，目的是幫助人們找到「人生應該何去何從」這一問題的答案。

雅典誰最聰明

了解了蘇格拉底的相關背景後，我們可能會詫異，為何這樣一位年逾半百、喜歡與人聊天的長者，最終竟然被誣告而判死刑？這中間發生了這樣一段故事。

蘇格拉底每天上街與人交談，久而久之，身邊聚集了一批朋友和追隨者。蘇格拉底從未正式收學生，但有心上進的青年自願追隨效法。蘇格拉底的話語令人震撼，這使習慣於裝腔作勢的雅典權貴們感覺受到了挑戰。

一天，蘇格拉底的朋友凱勒豐（Chaerephon）到德爾斐神殿求籤[135]，希望知道在雅典有誰比蘇格拉底更明智。凱勒豐得到的神諭（the Pythian）是：索福克勒斯很聰明，歐里庇得斯更聰明，但在雅典沒有人比蘇格拉底更聰明。索福克勒斯與歐里庇得斯是希臘悲劇三大代表中的兩位，是家喻戶曉的桂冠詩人。蘇格拉底既無悲劇作品，也沒有知名著作，居然僅憑每日上街聊天，就被神認為是雅典最聰明的人，這使得凱勒豐欣喜異常，覺得自己追隨蘇格拉底是正確的決定。

當聽說凱勒豐得到的神諭，蘇格拉底謙虛地認為那不可能。為了證明神諭有錯，他帶著年輕人四處拜訪大眾心目中的三類聰明人。

首先拜訪的是政治家，做為城邦領袖應當了解人生的幸福所在，否則要將城邦帶向何方？政治家們的答案無非是發展經濟和加強國防，然而幸福絕不僅僅是經濟繁榮、富國強兵，人開始賺錢時會有快樂，但久而久之則重複而乏味。大家發現政治領袖並不了解人生幸福何在，這讓政治家們大為惱火。

拜訪的第二種人是文藝作家，即現代所謂的暢銷書作家。每逢他們的作品出版面世，一時洛陽紙貴。但令人尷尬的是，周圍每一

135 德爾斐神殿位於距雅典一百五十公里的帕爾納索斯山上，供奉著象徵光明和理性的阿波羅神。雅典人遇到困惑之事就帶一隻山羊到德爾斐神殿獻祭，由女祭司為其解籤。

個人對作品的詮釋都比原作者更加合理與深刻，最後，作家只好承認酒醉之後才有創作靈感。

第三種人是工藝專家，包括修築城牆、雕塑造型和軍艦製造方面的專家，令人失望的是，他們不過是按照師傅留下的藍圖修建，並不了解其中的原理。

最後蘇格拉底下結論說：「神說我最明智，因為只有我知道自己無知，其他人連自己無知都不知道。」這句話聽上去很反諷，卻也是顯見的事實。每個人經過長期努力，可能在某一專業領域取得過人成就，但這並不代表對於其他領域也具有同樣權威，可以隨意發表意見。這就是中國人常說的「強不知以為知」。

然而，一般人常產生錯覺，認為諾貝爾化學獎得主對宗教、教育等方面的看法應該同樣專業，或認為成功企業家一定可以給年輕人合理的人生建議，其實未必如此。一般所謂的「成功者」只是知道「如何將一件事做好」，卻不一定知道活著是為了什麼，人生的意義何在，為什麼要有德行。

蘇格拉底承認自己的無知。哲學是愛好智慧，智慧是屬靈的，只有神才能擁有智慧。人有身體的限制，必須透過感官接觸外在世界，理性思考亦無法擺脫個人的有限經驗。因此，人只要活在世上，就不可能真的擁有智慧。這種想法後來進一步發展出「身體是靈魂的監獄，死亡之後才有解脫可言」的思想。

蘇格拉底在四處訪談過程中，得罪了社會上最有權勢的三種人，於是他們聯合起來找了三個人[136]出面控告七十歲的蘇格拉底，羅列了兩個主要罪名：第一個罪名說蘇格拉底「腐化雅典青年」，使雅典青年不再迷信權威，不再對長輩畢恭畢敬；第二個罪名說「他不信奉城邦所信的神明，而自立新神」。蘇格拉底究竟引進了什麼新神，後面再做詳細說明。

誰對神不敬

蘇格拉底被控告的罪名之一是對神不敬。「敬」指宗教的虔敬（piety），柏拉圖《對話錄》中有一篇名為〈尤西弗羅〉（*Euthyphro*）專門探討了這個問題。

蘇格拉底接到法院傳票後，一大早就到法院門口等待開庭，碰到對神學頗有研究的尤西弗羅。尤西弗羅問蘇格拉底：「先生你怎麼跑到法院來了？你平日待人溫和，應該不是來告人的吧？」蘇氏回答說：「我是被告，你又是來做什麼的呢？」尤氏說：「我是來告人的啊！」蘇氏問：「你要告誰？」尤氏答道：「我要告我爸爸。」蘇格拉底十分驚訝，說：「這麼特別的行為，一定有非常的理由，願聞其詳。」尤氏回答道：「因為我爸爸侵犯了神的權力。」

原來尤西弗羅的父親是農場主，夏天農忙時，從外地請了工人來做工，外來工人喝醉了酒，與家中長工發生爭執，打死了家中的長工。尤西弗羅的父親身為主人，命人將外來工人捆綁起來，丟到山溝裡，再派人到雅典向神巫請教如何處理。當時希臘人認為只有神有權處置犯錯之人，但接到神的旨意之前，這個工人就被凍死了。尤西弗羅認為，父親由於疏忽而侵犯了神的權力。

蘇格拉底聽到後說：「太好了，我被人控告的罪狀之一就是對神不敬，既然你認為自己對神非常虔敬，要維護他的權力，那麼請你做我的老師，教我什麼叫做『敬』。」尤西弗羅看到已經七十歲的蘇格拉底還如此謙虛，於是回答：「『敬』就是做的事情讓神喜歡。」蘇格拉底追問：「可是神有那麼多位，應該讓哪個神喜歡？」

136 指控蘇格拉底的三個人：代表詩人的美勒托（Meletus）、代表手工藝者與政界人物的安尼多（Anytus）和代表演說家的萊孔（Lycon）。

天神烏拉諾斯被兒子克洛諾斯推翻，克洛諾斯又被兒子宙斯推翻，神明之間相互鬥爭，意見不一。尤西弗羅沒想過這個問題。

蘇格拉底接著說：「一件事被稱為善事，是因為神喜歡才被稱為善事，還是這件事本身是善事，所以神非喜歡不可？」蘇格拉底認為答案是後者，一件事若是因為神喜歡才被稱為善事，由於神明眾多，意見不一，所以無法確定其善惡。反之，一件事本身是善的，如果神不喜歡則違背了神的本性。

如此一來，一件事被稱為善事，因為這件事本身是善的，不用配合神的意願，回應神的要求。這意味著善行本身就有其內在的價值，善的判斷不以神的意志為轉移。

蘇格拉底的這個說法是善惡判斷的重要轉捩點，時至今日，仍有許多人自己無法判斷事情的是非善惡，一定要去求神拜佛。是非善惡的判斷應做到自己心中有數，只要出於誠心，按照規則，對別人有益，就可以判定為善行。

在蘇格拉底的一再追問下，尤西弗羅難以招架，於是乾脆說：「敬就是對神很好。」蘇格拉底繼續問：「一般人為什麼要對神好，事事考慮神的要求？是不是像照顧馬一樣，每天讓馬吃飽喝足，替牠刷背洗澡，目的是讓馬替你拉車。那麼，對神好也是想利用神嗎？」

蘇格拉底話鋒犀利，如果對神好是為了利用神以達成自己的目的，豈不是大不敬？

可見，蘇格拉底對許多問題早有定見，他心中清楚知道敬神是怎麼回事，神與人的關係如何。但有些人自以為知識豐富，見解高明，蘇格拉底便施展他特有的反詰法，一面耐心傾聽別人的問題，一面不斷詰問：「你說的是這個意思嗎？」打破砂鍋問到底。這後來演變成一種教學方法，幫助別人澄清模糊的概念，最後達到對話雙方的相互理解。

尤西弗羅最後啞口無言，發現自己原來根本不知道什麼是敬，又怎能以此為由狀告自己的父親？於是他藉口家中有事，告辭離去。這篇對話十分有趣，蘇格拉底以其特有的反詰法讓尤西弗羅覺悟到自己的問題，從而化解了一場家庭糾紛。蘇格拉底明知自己將要受審，卻好似沒什麼事情要發生一樣，與人從容交談。他只有一個目標，就是追求真理。

聽到精靈說「不」

蘇格拉底受審的罪狀之一是不信奉雅典的神祇而自立新神。為何會有如此說法呢？

柏拉圖《對話錄》中有一篇著名的〈饗宴篇〉（*The Symposium*，或譯做〈會飲篇〉），描寫悲劇作家阿伽通（Agathon）為了慶祝自己的劇本獲獎，邀請蘇格拉底等朋友到家中吃飯慶祝。席間深刻地討論了愛與美的主題，大家喝到拂曉才散場回家。

蘇格拉底的行為有時也非常古怪，他與朋友走在路上，忽然止步不前，陷入深思，他能這樣兩眼凝視空中站一整夜。到了第二天清晨，「他向太陽禱告之後，這才舉步離開」。當時人們都知道蘇格拉底有這個習慣，好像心神不在當下。蘇格拉底的身體和精神正常，為何有這麼古怪的行為？

蘇格拉底為自己辯護時說：「大家怎麼能說我不信神明。」雅典人最喜愛和崇拜的神是太陽神阿波羅和他的孿生妹妹月亮女神阿特米斯，而自然學派哲學家認為：「太陽就是一塊熾熱的石頭，月亮則是一堆土。」這讓雅典人覺得神明受到褻瀆，令人難以接受。

蘇格拉底首先分辨，這是自然學派阿那克薩哥拉的觀點，年輕人可以從社會上輕鬆得到這些觀點，這並非蘇氏的原創。

希臘人所謂的「神」除了神祇之外，還可指介於神、人之間的代蒙[137]（Daimon，可譯為精靈），或者指神的子女，如特洛伊戰爭中的英雄阿基里斯的母親就是海洋女神忒提斯。希臘人所謂的「神」包含上述三種含義，涵蓋範圍較為寬泛。

蘇格拉底說自己能聽到精靈的聲音，如果不相信神的存在，怎會聽到神的聲音？他進一步解釋什麼是精靈之聲：「我心中有一種神聖的與超自然的感應，這種感應從我童年時代已經開始，像是一個聲音，每次聽到時，它總是阻攔我去做我準備要做的事，而從來沒有一次慫恿我去做任何事。無論是年輕時堅守陣地，面對死亡，還是擔任法官，堅持正義的審判，精靈從未發出過阻止的聲音。今早來法庭為自己辯護，精靈也未加阻止。這意味著來法庭接受審判不是壞事，對於任何可怕的刑罰，精靈並未叫我逃避，可見這也許就是我的宿命，我可能得到意想不到的好結果。」

蘇格拉底的精靈之聲聽上去很神祕，其實就是中國儒家所謂的「良知」的聲音。

《論語．陽貨篇》中，當宰我問孔子為何要行「三年之喪」，孔子說：「守喪未滿三年，就吃白米飯，穿錦緞衣，你心裡安不安呢？」[138]如果正常孝順父母，結交朋友，則內心平靜，不會不安；如果對父母不孝，欺騙別人，以強凌弱，則心裡就會不安。

孟子更直接指出「人皆有不忍之心」(《孟子．公孫丑上》)，當別人需要幫助而自己不伸出援手，內心就會不忍。儒家用「不安」、「不忍」說明人在真誠時，內心會要求自己做該做之事，不做不義之事。

可見，古今中外的人都同樣具有良知。那為何只有蘇格拉底能夠聽到內心的精靈之聲呢？那是因為他特別真誠。

蘇格拉底年輕時僅擔任過一次公職，在民主政治（democracy）時期做過輪值審判員。法庭要審判在一次海戰中放棄死難者屍體的十位將軍，只有蘇格拉底投反對票，因而險些被捕。後來寡頭政體（oligarchy）時期[139]，三十人執政團要求蘇格拉底與另外四人去追捕作戰指揮官列昂（Leon）以將其處死。蘇格拉底認為此事不義，離開市政廳後就獨自一人回家了。這等於臨陣脫逃，會因此而喪命，幸好寡頭政權不久便倒臺，才使他倖免於難。

蘇格拉底絕不做任何不義之事。人人都有良心，良心自發的要求會勝過外在的一切考慮。當然人不能太過主觀，如果每個人都認為自己是在憑良心做事而隨心所欲，肯定天下大亂。

為何蘇格拉底聽從良心的呼喚會有正面的效果？這是因為他真誠到了極點。看到別人有難，內心不安而出手救援；看到別人蒙冤，內心不忍而打抱不平。蘇格拉底內心真誠，就會聽到精靈之聲（即良心）的呼喚，這就是對精靈之聲的合理解釋。

---

137 希臘民間宗教認為有一種超自然的精靈存在，人出生時，就有精靈附在身上，決定他一生命運的好壞。希臘文「幸福」（eudaimonia）一詞，字源上即是「得到一位好的精靈」。這樣看蘇格拉底的精靈之聲，則不會覺得他故弄玄虛。參見《四大聖哲》。

138 原文：宰我問：「三年之喪，期已久矣。君子三年不為禮，禮必壞；三年不為樂，樂必崩。舊穀既沒，新穀既升，鑽燧改火，期可已矣。」子曰：「食夫稻，衣夫錦，於女安乎？」曰：「安。」

139 伯羅奔尼撒戰後，雅典內部隨即出現動亂，民主政體被廢，開始了「三十僭主」的專政時期，只維持了八個月便垮臺。

人死之後呢？

蘇格拉底終於走上法庭為自己展開辯護。希臘的法院是露天廣場，可容納五百人的陪審團。蘇格拉底已經七十歲了，放眼四顧，法官中有不少是他的後生晚輩。柏拉圖《對話錄》第一篇為〈自訴篇〉（*The Apology*），詳細記錄了蘇格拉底為自己申辯及審判的全部過程。

蘇格拉底被控告的罪名有二：一是腐化雅典青年；二是不信奉城邦的神而自立新神。這兩個指控實屬冤枉。蘇格拉底有一段關於腐化雅典青年的申辯十分精采。

蘇格拉底問原告之一的美勒托：「請問，誰可以促成青年進步？」在蘇氏引導下，美勒托回答：「在座的陪審團成員，一旁的聽審者，所有的議員們，以及參加市民大會的群眾。」蘇氏接著說：「你是說任何一個雅典人都會促成青年進步，只有我蘇格拉底一個人腐化青年？」美勒托回答：「正是如此。」蘇格拉底說：「如果雅典人都會促成青年進步，我蘇格拉底一個人何德何能，哪有力量使雅典青年腐化呢？」雅典全盛時期人口有四十多萬，成年人有十多萬，如果大家都教導青年人走向人生正路，又何必擔心蘇格拉底一個人腐化青年呢？這是審判過程中一段精采的插曲。

蘇格拉底身為被告，在法庭上展開如此犀利的辯論，不難想像會觸怒陪審團法官。他們感到像被蘇格拉底教訓了一通。古希臘的審判分為兩個階段，現在美國法院仍效法這種形式。美國法院審判的第一階段，由十二人組成的陪審團必須取得一致意見，判定被告是否有罪（guilty or not guilty），陪審團由來自各行各業的普通百姓組成，達成一致意見並非易事；第二階段則由專業法官對罪犯予以量刑，最高可判死刑。

蘇格拉底進行了自我辯護和慷慨陳詞後，開始第一階段投票，結果是兩百八十票比兩百二十票，以六十票之差判他有罪。當時雅典較為民主，蘇氏仍可提議一種懲罰做為代替方案，蘇格拉底真可謂語不驚人死不休，他說：「你們一定以為我會提議驅逐出境，但我這麼大年紀被流放異鄉，活著又有什麼意思？我不會離開自己的城邦。你們給我最公正的懲罰是把我送到英雄館（Prytaneum），讓我不能與別人交談。」雅典的英雄館是由政府出資專門供養奧林匹克金牌得主的場館。這個提議進一步激怒了陪審團，從而以更大的票數之差判處蘇格拉底死刑。

為何蘇格拉底完全漠視死亡？死亡究竟是什麼？人死後究竟是怎麼回事？當得知自己被判死刑，蘇格拉底在結案陳詞中說：「一個人若為了活命不惜做任何事情，總會想到辦法。但困難的不是逃避死亡，而是逃避邪惡，邪惡比死亡跑得更快。我已老邁，動作遲緩，所以死亡追上了我。但是邪惡追上了你們。」誠然，相較於邪惡，死亡更像是好事，人一生光明磊落，死亡對他而言可謂善終。相反，活著卻成為邪惡之人更為可怕。

蘇格拉底進一步說，死亡只有兩種可能的情況，一是死後沒有知覺，好似無夢的安眠，永恆不過有如一個夜晚，連波斯王都羨慕這樣的幸福；二是死後人的靈魂終於擺脫身體這個監獄，自由飛去另一個世界，如果真是這樣，他將要見到歷史上的英雄、正義的法官和含冤而死的人們，和他們共同探討何為智慧、公平和正義。這將是一件十分幸福快樂的事。

蘇格拉底的話自有其道理。人生在世受到身體的諸多限制，難以心想事成；即使事事如意，欲望也不會滿足。如果活著追求什麼，死後可以償得夙願，死後靈魂會去哪裡？生前追求財富，死後將會發現，古往今來有錢之人不可勝數。生前追求榮耀，死後將會發現，歷史上享有尊榮之人比比皆是。蘇格拉底一輩子愛好智慧，重視德行，死後能與往聖先賢相互切磋，那種快樂難以想像。

審判之後，恰逢雅典一年一度的「聖船節」[140]，一個月期間不准殺人。蘇格拉底在獄中度過了生命中最後的時光，每天都有朋友和包括柏拉圖在內的學生前來探望。蘇格拉底非但沒有傷心沮喪，反而安慰朋友和學生，展現了視死如歸的精神風貌。

德行可以教嗎？

蘇格拉底最關心的是有關德行的問題。人活在世上，有理性可以思考，有自由可以選擇，為什麼一定要選擇行善避惡？德行可以教導嗎？

希臘當時的辯士學派專門教人言語技巧，使人在辯論中獲勝，達成世俗的目的，但他們並不教人為何要有德行。一般人從小聽從父母、老師的教導，遵從社會行為規範，行善的壓力從外而來，能否禁得起檢驗是個大問題。

柏拉圖《對話錄》談到著名的蓋吉斯戒指（Ring of Gyges）的故事（《理想國》第二卷，359d）。蓋吉斯是個牧羊人，無意中發現一枚戒指，當戒面轉向自己就可以隱身。於是他謀殺了國王，將王位據為己有。當一個人無論做什麼都不會被人發現時，人還需要守規矩嗎？當沒有外在的約束力量時，人還需要行善避惡嗎？

行善通常需要損己利人，可謂「行善如登」。為惡一般損人利己，可謂「從惡如崩」。是否可以透過教導使人們具有德行？答案是沒那麼容易。如果教育就能讓人有德行，那麼學校認真教導孩子，早就天下太平了；反之，如果認為教育沒用，停止一切教育學措，後果恐怕更是不堪設想。

蘇格拉底的一個基本觀念是：「知識就是德行」。這與「德行不能教」的觀點是否矛盾？

假如有兩個人，一個人對德行一無所知，既不知何謂好事，也不知為何要做好事，他也會偶然應別人的要求做好事；另一人則清楚知道什麼是德行而去做。同樣是做好事，兩人的差別在於，第一個人禁不起檢驗。

譬如，有人不知道為什麼要孝順，在別人鼓勵或要求下也可孝順父母，但當某天孝順需要做出犧牲，要放棄休閒娛樂、耗費精力錢財時，這個人很難堅持下去。另一個人清楚知道孝順的本質和意義，遇到考驗時，可以一如既往地堅持。人生就是充滿各種考驗的過程，孝順父母，誠實守信，做事負責，良好的德行無不需要經過漫長人生的重重考驗。

蘇格拉底的「知識就是德行」意味著：人只有真正了解德行對人生的重要意義，才有可能具有真正的德行；當面臨各種考驗時，才能一如既往地堅持走在人生的正路上。有真知，才有禁得起檢驗的德行。

「知識就是德行」的說法，使人容易聯想到我國明代學者王陽明（1472 – 1529）「知行合一」的思想。王陽明「知行合一」的「知」並非指專業知識或日常生活中諸如開車、游泳之類的技能，而是指孝順父母、遵守信用等「道德的知」。王陽明說「知是行之始，行是知之成」，即知識是行動的開始，行動才是知識的完成。

140 相傳阿波羅神曾説明雅典王子特修斯（Theseus）殺死牛神（Minotauros），救回雅典奉獻為犧牲品的七童男七童女。因此，每年五月雅典人派船在海上祭祀阿波羅神。在聖船來回的三十天期間，城中保持絕對潔淨，不許有刑殺之事發生。

知與行融為一體，不可分割。配合行動實踐的知識才是真知，具備真知的行動才不會成為無源之水。蘇格拉底「知識就是德行」之說的目的也是讓人覺悟：能夠實踐的知識才算真正的知識。

蘇格拉底進而提出「無知是最大的罪過」。一個人不孝順要怪他對孝順完全無知，不知道孝順是一個人真正的快樂所在。孟子說人生有三件事的快樂勝過當帝王[141]，第一就是「父母俱存，兄弟無故」(《孟子．盡心上》)。父母健在，兄弟平安，我們就可以孝順父母，友愛兄弟。這種快樂由內而發，不受外在條件限制，可由自己掌控。這是真正的快樂，遠勝於外在的成就。

由此可見，蘇格拉底的觀點相當精準，德行不能靠一般教書的方式傳授，而要設法使人了解為何一定要有德行，並在實踐中使認識不斷深化，達到知識與德行的合一。

靈魂存在嗎？

蘇格拉底「知識就是德行」的思想，一方面體現了「知德合一」，類似於中國明朝王陽明的「知行合一」；另一方面，這一思想的背後有一個重要的觀念做為基礎，即人的靈魂存在，且不斷輪迴，因而知識就是回憶。

靈魂存在且不斷輪迴的觀念來自古希臘數學家、宗教家畢達哥拉斯，他的思想或許受到古代奧菲斯教派的啟發。他曾制止一人鞭打小狗，因為他從小狗的嗷叫聲中聽到已故朋友的聲音，他相信過世的朋友輪迴變成了這隻小狗。靈魂輪迴不只會轉生為動物，甚至變成植物（如桂冠葉、豆子）。輪迴的想法有些神祕，也很難檢驗。

蘇格拉底和柏拉圖做為哲學家，為何要談靈魂輪迴的問題？因為他們有一種基本的思想：知識就是回憶。

人的知識難道不是透過後天學習得到的嗎？人們對世界的認識往往透過歸納法，即由後天經驗積累形成知識。歸納法的問題在於缺乏普遍性，只對目前的經驗有效，不能涵蓋可能的將來和個人認識範圍之外。譬如，一個人見過一百隻北極熊，可歸納出北極熊是白色的，但並不能保證明天不會發現黑色的北極熊。我們小時候也曾認為天鵝是白色的，但長大後發現黑天鵝其實也不少。

人的知識需要普遍性，譬如，關於圓形的數學定理，一定要適用於所有場合才有普遍的指導意義。事實上，世界上沒有嚴格意義上的圓形存在，存在的只是圓形的東西，經過數學抽象才能形成具有普遍性的數學定理，哲學上的知識更需要具備普遍性。

比如我們要判定張三是否勇敢，首先要知道勇敢的定義是什麼，張三的行為符合勇敢的標準才能判定張三是勇敢的。如果沒有普遍的標準，則無法判斷個別事件。人要想得到有效的知識，使用的概念必須具備普遍性。

然而人生經驗都有其局限性，如何能認識到普遍性的知識？為解決這一難題，蘇格拉底提出普遍性不能來自此世，人的靈魂必須存在，而且不斷輪迴，靈魂在前世已經見過有普遍性的原版的東西（柏拉圖稱之為「理型」，eidos, idea）。今生見到的東西都是原版的模仿，可能與原版有差距，有缺陷，會消失，但原版是完美的，恆存的。

靈魂既然在出生前就已經存在於理型界，並且認識具有普遍性的理型，為什麼人出生後仍一無所知？西方也有與中國類似的神

141 原文：孟子曰：「君子有三樂，而王天下不與存焉。父母俱存，兄弟無故，一樂也；仰不愧於天，俯不怍於人，二樂也；得天下英才而教育之，三樂也。君子有三樂，而王天下不與存焉。」

話故事，認為靈魂轉世投胎前先喝了孟婆湯，從而忘記了前世。因而知識就是回憶。在這個世界上，當機緣成熟，靈魂可「回憶」起前世見過的原版，得到具有普遍性的知識。正因為靈魂在前世見過「勇敢」的普遍原型，所以才能評價某人勇敢。

「靈魂」希臘文為psyche，代表生命原理。一樣東西只要存在生命表現，內在就有生命原理，可稱為魂。如樹有樹魂，使其自動朝向陽光；動物有動物魂，會主動覓食、活動；人的魂層次最高，最為神祕，稱為靈魂。

柏拉圖發現人的內在靈魂常處於掙扎衝突中，很多事明知該做卻不去做，明知不該做卻偏偏去做。柏拉圖哲學的特別之處是將靈魂分為三部分：一為理性，二為意氣（或感受），三為激情（情感和欲望）。

蘇格拉底和柏拉圖如何證明靈魂不死而一直存在？蘇氏提出三個靈魂不死的論證，其中之一是：身體是個別的組合物，有生有滅，一直變化；而靈魂可領悟純然永恆而不變的理型，因而靈魂肖似理型，接近神性，必須是單純的而非組合的，不可分解，不會消亡（《對話錄．斐多篇》，*Phaedo*）。柏拉圖在《理想國》第十卷談到另一個靈魂不死的論證：疾病是身體的惡，可使身體死亡；靈魂的惡是不義，但做壞事的人照樣活著，因而靈魂不死。

人身為萬物之靈，能夠思考、選擇，有情感表現。人與萬物的不同之處究竟在哪裡？應該在於人有靈魂，如此解釋較為單純。既然人具有如此特別的靈魂，靈魂會不會要求一個人向某一特定方向發展？

一心追求真理

蘇格拉底的生命有何特質和內涵？最明顯的一點就是以純真的心追求真理。

為什麼需要純真的心？人活在世界上，並不清楚自己為何生而為人，每一個人都在懵懂中長大，接受父母、老師的教導。人有理性可以思考，為何應該行善避惡、見義勇為？人有自由可以選擇，究竟應該何去何從？這些問題都需要以純真的心態來探討。

純真的心從哪裡出發？首先應回歸自己本身，把自己視做單純的人，撇開時代、地域和特定文化的限制。

每個人都被要求行善避惡，但問題是不同時代、不同社會對善惡的看法不盡相同，一味按當時的要求為準，會使自身陷入狹隘的格局。比如，古希臘時代，各城邦經常結盟，結盟後就要承擔同盟的義務，為抵抗外來侵略或侵略別的城邦而發動戰爭，戰爭雙方都會認定對方是敵人，是邪惡的。因此，必須跳開相對的立場，超越時代的限制，不可盲目接受城邦的善惡判斷標準。

進一步要避開特定文化的局限。蘇格拉底反對只站在雅典文化的視角上故步自封，他曾說：「我是雅典人，也是希臘人，也是世界人。」這類似於今天「地球村」的說法。雅典人在文化上有相當的自信，認為自己的文明最為先進，理性最為清明，堪為希臘各城邦的老師。雅典誕生了三大悲劇家和一大批文學家、歷史學家，哲學在其他城邦只是曇花一現，到雅典卻開花結果。對此，雅典人深以為傲，並把周圍的城邦視為野蠻人。如此一來，則難以回歸純真的心態。

純真的心，不但要去除上述限制，還應向內進行理性的反省。人有理性可以質疑一切，但質疑時還應相信，任何質疑都預設了一定會有答案。雖然我們暫時未必可以得到答案，但只要誠心以求，將來就可能以某種方式尋獲真理。人不可能提出理論上完全無法解答的問題。

自古以來，人們不斷追問宇宙和人類的來源，不斷討論人生是否有其歸宿，死後世界究竟如何？世界各大宗教為這些問題提供了不同的答案。我們可能認為宗教教義並非理性解答，而僅屬於信仰範疇。然而，信仰正是在理性還無法回答之際，為人們提供了答案。

我們個人也許覺得將信將疑，但怎麼知道別人不會有更高的境界呢？也許今天我們覺得疑惑，但經過十年、二十年後也可能會有全新的感悟和發現，從而認定事實真是如此。人生在世，端看自己是否有顆純真的心，願意開放自己的心胸而不斷探索真理。

蘇格拉底在獄中等待接受死刑之際，學生悲傷地問：「老師，您如果走了，我們就成了無父的孤兒，有問題該向誰請教呢？」與之類似，孔子的學生也常請教老師：如何走上人生的正路，從政該如何去做，怎樣才算守信？釋迦牟尼的弟子經常問老師：怎樣修行才能成佛？老師好似指路的明燈，沒有老師的指點，學生不免覺得世界一片黑暗。

蘇格拉底的回答十分精采：「今後你們仍要一如往昔，按照你們所知最善的方式去生活。」人在生命的不同階段，會對最善的生活方式有不同的體認，如果現在認為「應該真誠待人，只求付出不求回報」，就應該按照現在的認識去勇敢實踐。將來發現更好的、更善的方式，再勇於改進。如果一味等待，寄希望於發現最善的方式再去行動，那麼永遠也不會邁開腳步。

柏拉圖《對話錄》提到交朋友時，有一則生動的譬喻。一個人走過麥田想選擇一株最大的麥子，開始總認為後面會有更大的，後來發現後面的麥子還沒有前面的大，結果空手而歸。人只能對自己的當下負責，當下只要覺得該做就勇敢去做。

我們要堅信精誠所至，金石為開，只要保持真誠的心，不斷追求真理，人生不同階段一定會得到不同的啟發。追求真理之路永無止境，這就是蘇格拉底的生命特質。

傳統是立足點

蘇格拉底思想中有個常被忽略的立足點，即肯定傳統，這一點似乎與蘇格拉底喜歡質疑的形象相矛盾。然而事實上，蘇格拉底對傳統中的兩件事給予了充分的肯定：一是信仰，二是法律。

蘇格拉底被告的罪名之一是不信奉城邦之神而自立新神，即相信內心的精靈之聲。但蘇格拉底相信，仁慈而公正的神明是存在的，神會賞善罰惡，不讓好人受委屈，也不讓壞人太囂張。

雅典習俗宗教中神明眾多，祂們不但與人相似，還會做出各種不道德的行為。埃利亞學派的創始人色諾芬尼（Xenophanes，約580 – 485 B.C.）曾批判說：「荷馬與赫西俄德（Hesiod）筆下的神明，會偷竊、通姦和相互欺騙，這些是在人間都被視為恥辱及應該譴責的行為。」

在第四章「神話與悲劇」中曾指出，神話的作用之一是用來說明人的欲望。人生在世，為了滿足欲望，有時會做出可怕的事，甚至讓人無法面對自己，失去活下去的勇氣。閱讀神話時會發現，神明也會做出可怕的事，人就可以原諒自己，讓自己有勇氣改過遷善。但如果將這些描寫與真誠的信仰相混淆，則會出現諸多問題。

色諾芬尼精準描述了人們的普遍心理：「衣索比亞人說他們的

神是鼻似獅鼻，皮膚黝黑；色雷斯人說他們的神是眼珠深藍，頭髮火紅。」每個民族心中的神明都肖似本民族，這種現象直至今日仍然存在。

釋迦牟尼是印度人，印度人經過苦修後一般都會顯得瘦弱，但佛教傳入中國後，釋迦牟尼的畫像變成像唐朝人一般，具有豐盈的外表。基督宗教傳入非洲後，十字架上的耶穌也變成了黑人。其實耶穌既不是白人，也不是黑人，而是猶太人，類似亞洲人的黃皮膚、黑頭髮。如果一定要還原宗教創始人出生時的真實情況，會給眾多信徒帶來很大的壓力。

可見，色諾芬尼對宗教信仰的見解十分精準。「如果牛、馬、獅子有手，則馬將繪其神如馬狀，牛將繪其神如牛狀，並各自使神的身軀肖似自己的身軀。」因此，設立宗教，信仰神明，神可能被擬人化。一方面神話故事成為人間故事的翻版；另一方面，把人的複雜欲望投射到神的身上，則信仰不夠純粹，禁不起挑戰。

蘇格拉底接受傳統的信仰，他相信公正的神明存在，一定會有善惡報應，因而死亡並不意味著災難，死後應有另外的世界。蘇氏的信仰使他一直保持著虔誠、開放的心態。

蘇格拉底肯定傳統的第二點是法律。蘇氏被判死刑，在獄中等待服刑的這段時間裡，有許多次機會可由朋友湊錢買通獄卒而越獄出逃，對於蘇格拉底這樣已經七十歲的老翁，雅典人也不會非要將他繩之以法，但蘇氏絕不越獄。

在《對話錄．克里托篇》（*Crito*）中顯示了蘇氏對法律的態度：是法律使他誕生在一個合法組成的家庭，使他成為雅典公民，也使他被父親撫養長大。現在他雖不曾犯罪，但經過合法程式被公開審判而判處死刑，法律使他遭受不義的迫害。然而他堅持的原則是寧願受苦也不違背正義，這正是蘇氏的智慧所在。

世上沒有完美的法律，人間沒有完美的判決。人生自古誰無死，接受符合「程式正義」的判決，即使遭受不義也不反抗法律，可謂「求仁而得仁，又何怨」？

如果蘇氏怕死，誠如他在〈自訴篇〉所說，他可以像很多人曾經做過的那樣，帶上太太和三個孩子到法庭上哭哭啼啼，博取陪審團法官的同情，只要當庭承認自己有錯，大家一定會放他一馬。之後當他提議對自己的處罰方式時，也仍有許多方式可以避開死刑，他的行為使許多西方學者認為，蘇氏是自己尋求死亡。

蘇格拉底在法庭上以被告的身分慷慨陳詞，使法官覺得受到侮辱，但蘇格拉底的教訓絕不是僅僅為了當時的雅典人，他是為了西方人，甚至是為了全人類。他使人們認識到：沒有完美的法律審判，每個人都有可能受到委屈，但絕不要為了避開災難而做出可恥的行為。一個人可能受到不公正的對待，受盡委屈，但不要擔心，神明一定會還你公道。

我們如果在世界上追求絕對正義，恐怕難以找到讓所有人都接受的標準答案。蘇格拉底上有信仰，下有法律，中間則是自己負責的人生發展空間，他以真誠之心坦然面對不幸的遭遇，即使遭受不義的迫害，也絕不以不義之舉來還擊。這就是蘇格拉底為世人做出的偉大示範。

人格的魅力

關於蘇格拉底的人格表現，可分三點加以說明：1. 理性與自由；2. 信念與尊嚴；3. 生死與超越。

蘇格拉底在與人對話的過程中，逐漸形成了「歸納法」和「辯證法」。歸納法是由個別事例推廣到普遍定義，譬如由某些正義的行為可以推知正義的本質。

辯證法（dialectics）則是由對話（dialogue）發展而來，兩字字首相同。對話雙方具有不同觀點，有如正方與反方，正反雙方觀點未必針鋒相對，有時各自看到問題的不同面，經過相互補充、修正而向上提升，獲得更完美的綜合看法，亦即合方。一旦形成綜合，馬上又變成正方，相對地又有反方。通過對話可以不斷提升認識的高度。

蘇格拉底最常見的教學方法是「反詰法」，請談話對方界定他使用的「概念」究竟是什麼意思。蘇氏使人意識到，只用約定俗成的方式使用常見概念是不夠的。探討過程中，先不要急於找到答案，應保持開放的心態，不斷推敲，以便更透澈地了解「德行」相關概念，唯有如此，才可能真的去實踐。

理性對人來說十分重要，希臘三大悲劇家之一的歐里庇得斯曾說：「一個人如果無法說出自己的思想，他就是奴隸。」因此我們絕不能人云亦云，直接轉述每天手機、新聞中的觀點來取代自己的思想。但一個人怎麼可能每天想出許多與眾不同的觀點呢？因此，我們可以與別人有類似的觀點，但要運用自己的理性，找到自己的理由。

理性並不排斥信仰，在理性發展到完美之前，人需要信念做為行動的基礎和根據。我們也許並不清楚自己的信念來自何處，有時來自家庭的潛移默化，有時也會受到名人傳記的影響，但只有以信念做為生命的基礎，才能顯示自己的尊嚴。一個有尊嚴的人會堅持立場，前後一致，不會輕易為外界所改變。

信念不可能像知識一樣擁有確證，堅持信念有時意味著要付出代價，甚至像蘇氏一樣要以死亡為代價。蘇格拉底堅信城邦有其存在的基礎和價值，法律對於維繫城邦有重要意義。因此，當城邦以合法程式審判並判處他死刑時，儘管對他個人是莫大的冤枉和不義，但他仍甘心接受，蘇格拉底為了自己的信念，不惜用死亡來驗證。

對哲學家而言，死亡從不是讓人深陷恐懼的題材，反而是實踐上要嚴肅以對的問題。柏拉圖說：「哲學就是練習死亡。」這傳承了蘇氏的思想。身體是靈魂的監獄，死亡意味著靈魂逃脫了身體這座監獄的束縛，得以自在解脫。哲學是愛好智慧，智慧是屬靈的，阻止我們得到智慧的是身體，因為身體產生的感覺會妨礙我們接觸到真正的智慧。

從一個人面對死亡的態度能夠看出其生命的真正特色。終於到了蘇氏被執刑的日子，獄卒拿來毒酒讓蘇氏服用，蘇氏仍是一貫的輕鬆態度，向獄卒詢問喝下毒酒的反應。服下毒酒後，蘇氏說；「我感到腳麻了，這反應正常嗎？」獄卒回答說：「是的。」然後漸漸地大腿麻了，肚子麻了。在毒酒就要侵入心臟之際，蘇氏對好友克里托說：「別忘了，我還欠醫神一隻雞。」說完閉上雙目，與世長辭。

醫神阿斯克勒庇俄斯是太陽神阿波羅的兒子，掌管醫藥和健康。按雅典當時的習俗，人生病時會到醫神廟中祈禱獻祭，病痊癒後獻一隻雞做為還願。蘇氏的說法表示，人活在世界上都是在病中，死亡就是病的痊癒。蘇格拉底的觀念讓人倍感震撼，他以實際行動來驗證死亡是靈魂的解脫。

蘇格拉底相信：正義之人雖受苦難，但終將得福，不在生前，就在死後。一個人一生全力實踐德行，努力肖似神明，神明絕對不會對他置之不理。人生自古誰無死，只要生前全力行善，死後不必擔心。柏拉圖《對話錄》中多次記載了蘇氏類似的觀點。

柏拉圖這樣的學生

蘇格拉底對柏拉圖的思想產生了深遠的影響。柏拉圖比蘇格拉底小四十二歲，家世良好。他的母親有貴族派的血緣關係，他的繼父有民主派的優越人脈，他自幼接受雅典最完備的教育，熟悉各類文化知識，諸如悲劇、喜劇、詩歌、科學知識、社會思潮等。這為他日後撰寫《對話錄》奠定了堅實的基礎。

柏拉圖年輕時曾希望從政，報效城邦，為民服務。直到二十歲某天，他上街聽到蘇格拉底與人談話，內心受到震撼，回家一把火燒掉自己的文學作品，從此每天只有一件事，即上街找蘇格拉底聽他與人聊天談話。

如此八年後，蘇格拉底受審被判死刑，柏拉圖與幾個好友怕受牽連，為避風頭而離開雅典。柏拉圖到義大利、埃及等地周遊十二年，在他四十歲時重回雅典，在雅典近郊紀念英雄阿卡得摩斯的神殿附近建立了「學院」，這是歐洲第一所大學。

蘇氏之死對柏拉圖影響至深。我們一般認為民主政治較為開明，柏拉圖則深受其害，稱民主政治就是暴民政治，不講道理，憑人多勢眾而胡作非為。他一生始終對民主政治抱持懷疑態度。

蘇格拉底死後，柏拉圖說：「蘇格拉底是我們所知同時代的一切人之中最善良、最明智、最正直的人。」又說：「老師死了，我們成了無父的孤兒。」柏拉圖如此描述自己的幸運：「生為雅典人而非蠻族人，生為公民而非奴隸，生為男人而非女人；以及最重要的，生於蘇格拉底同一時代，能夠與他相識。」

蘇格拉底的方法啟發柏拉圖建構了「理型論」（the theory of Ideas）。「理型」就是人的理性所能了解的不變的原型，特別是「真善美」的原始典型。感官所見的世界萬物皆在變化之中，缺乏真實性；只有理性所了解的理型是真實的存在。

柏拉圖在《理想國》第七卷用生動的洞穴比喻[142]闡釋了理型論的觀點，並表明自己如何看待蘇格拉底的傑出貢獻和不幸遭遇，蘇氏發現「使人眼瞎的光明」，並透過他的方法，希望雅典人能夠了解真相；但人最怕作夢時被喚醒，人們生氣地把吵醒他們的蘇格拉底殺掉，繼續過以前的生活。

柏拉圖的理型論認為：人只能「發現」理型，而不能「發明」理型。「發明」意味著無中生有的創造，「發現」則代表一樣東西本來存在，人們只是發現它而已。世界上所謂的「發明」只代表人的創意，並非真的創造。

很多人誤以為柏拉圖思想是唯心論，這種觀點有失偏頗。「唯心論」一般用於近代康德以後的哲學思想，涉及到人的認知能力的分析。柏拉圖的「發現理型」的說法代表「理型」客觀存在。人的身體製造了障礙，遮蔽了理型；人要設法去掉遮蔽，使用理性，才可發現早已存在的理型。

柏拉圖認為理型是各種價值的原型，由一個最高理型來統合。最高的理型是絕對的真實，同時也是絕對的美與絕對的善，是真、善、美三者的合體。人在世界上追求各種價值，要設法從有限的生命中走出，從感覺、認識逐步向上跳躍提升，最後達到「光天化日」的世界，那就是真、善、美合體的世界。人在短暫的生命中應不斷求知和修練，知德配合，以實現人生最高的目標，達成人生最高的幸福。

西方學者對柏拉圖推崇備至，論及西方文化有一句名言：「談

142 參見本書第二章「洞穴假象」的相關描述。

起希臘文化，轉頭必見柏拉圖。」可見其影響既深且廣。至於西方哲學，則如英美哲學家懷德海所云：「西方兩千多年的哲學，只不過是柏拉圖思想的一系列注解而已。」兩千多年來，西方哲學所探討的各類問題都曾在柏拉圖《對話錄》中出現過，並做了適當的探討。

不能沒有蘇格拉底

蘇格拉底所樹立的典範和傳統，對後代產生了深遠的影響。

蘇氏去世之後，他的學生分為幾派，除了最有影響力的柏拉圖之外，有一派學者由蘇氏對話的示範，發展出邏輯、辯論術和辯證方法，屬於治學方法的研究。

第二派為犬儒學派（Cynicism），代表人物是安提斯泰尼（Antisthenes, 445 － 365 B.C.），該派學者秉承了蘇氏超然獨立的內在精神，將人世間的榮華富貴視為浮雲。他的學生是著名的迪奧真尼斯（Diogenes, 約412 － 324 B.C.），他住在木桶中，亞歷山大大帝聽聞他富有智慧，專程拜訪他，請教治國方法，他只說：「請你走開，不要擋住我的陽光」。他在河邊看到狗在喝水，於是乾脆丟掉唯一的木碗，學狗的樣子直接喝水，因而被人稱為「犬儒」。

另有施勒尼學派（The Cyrenaic School）從本性與快樂的觀念出發，強調人無待於外，要追求自己希望的快樂生活，該派也被稱為「享樂主義」。

中世紀是宗教主導的時代，早期基督徒希望將希臘哲學與基督宗教相結合，聯合蘇格拉底與基督，共同對抗希臘宗教和希臘化宗教。由古希臘進入羅馬帝國時代，希臘文化憑藉其較高的文明程度，被羅馬帝國直接繼承並普遍傳播，產生了「希臘化的宗教」。蘇氏坦承自己的無知，基督宗教充分肯定這一點，並宣稱只有信仰宗教才能獲致真理，《聖經》中包含著真正的智慧。

文藝復興時期的基本思潮是希望文化重返古希臘、羅馬的本源。一千三百多年的中世紀是神本時代，人的理性僅限於證明宗教的價值，如此難免陷入狹隘的格局。文藝復興希望反本溯源，重新找回希臘、羅馬初期的人文精神，獨立的哲學得以重見天日。

這期間荷蘭學者伊拉斯莫斯（Erasmus, 1466 － 1536）寫下了「聖蘇格拉底，請為我們祈禱」，有如「聖母瑪利亞，請為我們禱告」。「聖」即Saint（拉丁文為Sanctus），天主教對於殉道的信徒，或德高望重、一生功德圓滿的信徒，在其死後封為聖人，並在他們的名字前加「St.」。

法國著名學者蒙田在其代表作《隨筆集》中對當時社會的思想和制度進行了廣泛的批判，書中經常提及蘇格拉底質疑的精神，認為蘇氏追求倫理自由，道德高尚，蘇氏的言行充分顯示出，人不一定非要信仰宗教才能成就高尚的道德。以上兩人的看法反映出西方人文主義學者對蘇氏的特別推崇。

蘇格拉底使我們認識到：人天生具有理性，生命中應充分發揮理性的思考和懷疑能力，對無法確信的事情應予以質疑，不斷追求真理；然而，質疑應有終點，一旦發現不能再懷疑的事實就要勇敢接受，不能一輩子懷疑而陷入「懷疑主義」的困境。

古希臘懷疑主義的代表人物是皮羅（Pyrrho, 約360 － 270 B.C.），他能活到九十歲高齡，全賴幾個機警弟子的及時相救，因為他看到馬車迎面衝來時，總是懷疑所見是否真實。由此可見他的弟子並未得到「真傳」。蘇格拉底不是懷疑主義者，而是具有懷疑的精神，一旦確定自己的發現是真實的則不再懷疑，而是虛心接受，並以之做為個人的生命信念。

近代西方哲學界同樣深受蘇格拉底的啟發。被稱為「存在主義之父」的丹麥哲學家齊克果（Kierkegaard, 1813 – 1855），希望每個人自己去追尋真理，他認為「主體性才是真理的判斷標準」，這一說法讓人聯想到「實踐是檢驗真理的標準」的觀點。真理具有主體性而非主觀性，否則大家各說各話，難免淪為「辯士學派」。「如果某一真理不觸及或不改變人的存在狀態，則它是否為真理並無意義」，可見，真正的真理可以提升個人的生命品質。

德國著名哲學家尼采則苛責蘇格拉底是希臘悲劇精神的大對頭，他認為蘇氏偏重理性思考，對希臘悲劇精神造成大的破壞。尼采早期代表作《悲劇的誕生》（*Die Geburt der Tragödie aus dem Geiste der Musik*），推崇希臘神話中的酒神戴奧尼索斯，他認為太陽神阿波羅代表理性、形式與限制，而酒神突破一切形式規範的束縛，象徵無限奔放的生命力，兩者搭配才形成希臘悲劇。尼采也承認「蘇格拉底與我的關係太密切了」，他的一生都在與蘇格拉底搏鬥。

如今人們普遍承認，沒有蘇格拉底就沒有今日西方哲學的發展。一個人對待蘇格拉底的態度，反映出他思想的基調。真正的真理只能孕生於自己思想的內在覺悟。一個人一旦認識了蘇格拉底，就會立刻展現出理性與自由的精神，因為「未經反省的人生是不值得活的」。

另一方面，蘇格拉底為世人保留了神祕的探索空間，「知識就是回憶」，人的生命到最後仍要回溯最高的來源，這就是後起哲學家們一再探討的「存在本身」[143]（Being），宇宙萬物的來源和歸宿都可以在「存在本身」之中找到答案。

143「存在本身」一詞代表哲學家所探究的核心概念。宇宙萬物皆為存在之物（beings），恆在變化生滅之中。哲學即是探尋存在之物的來源與基礎，探尋在「有形可見、充滿變化」的宇宙萬物背後的「無形可見、永不變化」的本體。「存在本身」並無名稱，後人稱之為神、上帝、道、天等。

第六章

西方倫理學

為什麼要談價值

西方哲學分為三個主要部分：

1. 邏輯與知識論，探討如何透過理性方法來認識世界，及認識可以達到何種程度。

2. 宇宙論和形上學，其中形上學主要探討「本體」的學問。

3. 倫理學與美學。

其中，與人生密切相關的是倫理學，主要探討善惡相關的問題。本章將對西方倫理學的三大派別加以說明。

「倫理」一詞在中文裡側重人與人之間的適當規範，即我與別人來往過程中，應該做什麼事才能盡到我的責任；「道德」一詞在中文裡側重於個人修養，「內在有德，外在有行」就是修養上取得的成果。「倫理」與「道德」緊密相連，無法分開。

西方倫理學為Ethics，其字根為Ethos，原意為風俗習慣。任何社會在遠古階段都有特定的風俗和禁忌，規定了應做之事與禁忌之事，個人如若違背，則受到大家的排斥。後來就演變成人與人之間的適當規範，這當然也需要個人具有道德修養。

倫理學主要研究：為什麼人要有道德？什麼是善，什麼是惡？為什麼人要行善避惡？

為了清楚回答上述問題，首先應區分「事實」與「價值」的不同。

什麼是「事實」？人活在世界上，可觀察到四季流轉、晝夜更迭、花開花落，自然界的變化符合規律，可以預測，屬於「事實」範疇。廣泛深入地了解其規律，可以更好地安排人類的生活。

什麼是「價值」？在事實之外有所謂「價值的世界」，其核心問題是：做為一個人，應該做什麼？每個人根據身分、角色的不同，在人生的不同階段都有應做之事，這是每個人都要面對的挑戰。

宇宙萬物之中，只有人類才有「應該」的問題，應該做的事稱為「善」，反之則稱為「惡」。動物屬於「事實」的範疇，沒有「應不應該」的問題。我們不能說狗「應該」看門，狗看門是人為訓練的結果，狗在自然界裡完全可以正常生存發展。

一般社會把「善」定義為「大家所欲望的」，但在不同時空條件下，善惡的界定不會恆久不變，「善」的定義永遠是個開放的問題。

我們年輕的時候可能認為賺錢是「善」，因為大家都希望賺錢。後來逐漸發現賺錢並不重要，真正重要的可能是朋友間的道義。孔子的學生子路說：「我希望做到把自己的車子、馬匹、衣服、棉袍與朋友共用，即使用壞了也沒有一點遺憾。」[144]（《論語．公冶長篇》）表明子路對朋友的重視遠遠超過財物，這是一種選擇，而所有「價值」均來自人的選擇。

是否存在能被社會所有成員普遍接受的選擇？答案是肯定的。從古至今，任何社會都會區分善惡，不同民族、不同時代對善惡的具體界定則不盡相同。我們進一步要問：有沒有什麼行為始終被認為是善的？「善惡」是純粹的外在規定，還是與人的本性有關？

「事實」與「價值」有何關係？所有價值判斷（即人應該做什麼）能否從事實中直接派生出來？

譬如，「張三是兒子，所以張三應該孝順」，該推論中，「張三是兒子」為客觀事實，「張三應該孝順」是價值選擇，推論成立需

144 原文：子路曰：「願車馬衣裘，與朋友共敝之而無憾。」

要一個前提 ——「凡是兒子皆應孝順」。

「凡是兒子皆應孝順」能否成立？它究竟來自於外在的規定抑或人性內在的要求？從古至今，許多子女未必孝順，很多時候不孝順也沒有什麼後果。「善有善報，惡有惡報」永遠屬於宗教信仰或個人信念的範疇，不可能得到驗證。「善惡如何精準判斷」本身就是個大問題。

因此，不能由「事實」直接推論到「價值」，因為我們永遠無法找到聯繫兩者的前提。由單純的「事實」直接推論到「價值」，犯了「自然主義者的謬誤」[145]。比如由「人都有人性」這一事實，無法推出「人性本善」這一價值判斷，「人性本善」無法解釋許多人不做善事、甚至為惡的社會現象。

我們一開始學習西方倫理學，就應當把「事實」與「價值」的區別放在心中，這是個嚴肅的問題。如果未經深入辨析，我們可能一輩子按照社會規範和他人要求去生活，卻從未認真思考過，真正的價值應該由內而發，是真誠的內心對自我的期許和要求。

什麼是道德判斷

人有倫理道德的要求，是因為人有自由，可以自由選擇做任何事。然而自由有無限制？自由是否意味著可以為所欲為？

有些人為所欲為似乎也沒有什麼後果，比如中國歷代皇帝每每恣意妄為，別人也無可奈何，一般人為所欲為則可能受到法律的制裁或道德的指摘。

任何社會都會對人的行為做出三種判斷。

1. 違反法律。

上章談到蘇格拉底肯定傳統中的兩點：上有信仰，下有法律。法律是行為的最低標準，違法行為會對社會和諧造成危害，將受到法律的制裁。

2. 不合禮儀。

禮儀是社會中約定俗成的標準規範，規定了人們在特定場合的著裝要求及言談舉止的標準，未達到標準會被認為舉止粗魯。

3. 道德用於人格評價。

一個鄉下人進城，由於缺乏教育，不明禮儀，我們會認為他舉止粗魯，但不會因此認為他的人格有缺陷。只有在道德問題上犯錯，才會牽涉到人格評價。

為什麼要有道德？道德需要一個人自由、主動地遵守某些規範，使得人與人、人與社會之間保持和諧狀態。因此，社會中的每個成員都應該有道德。

道德要求（善惡判斷）具有以下四點特色：

1. 道德要求一定以命令的方式對人提出要求（或禁止），而非商量的口吻。

如，要孝順父母，不可說謊。

2. 道德要求具有優先性，先於法律、政治、宗教的要求。

即不論有何法律背景、參加何種黨派、信仰何種宗教，道德要求始終應被優先考慮。

3. 道德要求具有普遍性。

古往今來，人們都會對道德高尚的人給予肯定，反之則加以批評。謙虛、善良、公正、尊重他人是道德對人的普遍要求。

145 Naturalistic fallacy，一九〇三年由英國哲學家喬治．愛德華．摩爾（G. E. Moore，1873 – 1958）提出。

4. 道德涉及人類整體的安全與發展。

如果整個社會的道德水準較高，每個人都會顧及他人的福利，而不單純考慮自己的利害，那麼社會衝突將大為緩和，社會將向更安全的方向良性發展。

一個社會如果沒有道德，每個人只肯定自我的欲望，則極易瓦解。人都會考慮怎樣做對自己有利，對自己有利並不等於自私自利。一個人的時間、力量、金錢都是有限的，面對需要幫助的人，我們只能由近及遠，從照顧家人到照顧親戚朋友，卻無法兼顧到更廣的範圍。因此，利己如何不損人，利己如何兼顧利他？這些問題顯然需要社會形成共識，並透過教育讓人們能夠理解和實踐。

如何進行道德判斷？哪些行為可被認為是善行（道德行為）？西方倫理學對此有不同的說法，主要分為三大派別。有些非主流的派別認為道德只是情緒表現，只表現自己對某人、某行為的態度，行為本身並無對錯之分。譬如張三做的是壞事，只表明我不喜歡那些事情，只屬於個人的情緒反應。這種學說的價值不高，本章不予討論。

我們也會發現，即使壞人也有道德反省的可能。《世說新語》[146]中有這樣一個故事，荀巨伯去看望城中一位生病的朋友，恰逢一夥強盜打家劫舍，全城人都跑光了。強盜問荀巨伯：「你怎麼敢留下來？」荀說：「我的朋友生病，我不忍心把他拋下，獨自活命。如果要殺就殺我好了，我代朋友受死。」強盜深為感動，說：「我輩無義之人，而入有義之國。」於是慚愧地走了，從而保全了全城的生命財產。

強盜殺人越貨，無惡不作，遇見道義之人竟被其義行感動，可見每個人的內心都有「良心」這樣的力量。之所以隱而不發，是因為人在利害得失面前，往往會把良心放在一旁。

道德的問題相當複雜，我們不能未加深思就簡單斷定「人都應該行善避惡」，這樣的說法沒有太大意義，因為很多人反其道而行，也照樣活得逍遙自在。下面將介紹西方倫理學的具體內容，我們將會從中得到更多啟發。

怎麼做道德判斷

人生在世，不可能隨心所欲，自行其是。每個人都有自己的人生理想，追求不同的人生幸福，由此形成錯綜複雜的人際互動。人應該如何做出選擇？我們的選擇會不會損人利己，抑或損己利人？

為什麼需要做道德判斷呢？這是因為：1. 人的理性有限；2. 人的同情心有限。

1. 人的理性有限

我們清楚知道，如果整個社會和睦融洽，大家都會過得輕鬆愉快。但知易行難，明知善意待人，別人也會感恩圖報，然而實際卻未必做得到。人的自然傾向是，希望滿足眼前的需求，使欲望在當下得到滿足。

譬如，人們都知道年輕時應節儉，以備老後不時之需，但年輕人很少考慮得如此長遠。《易經．坤卦．文言傳》中說：「積善之家，必有餘慶。」因此應該多積德行善，但問題是需要幾代人積德

146 出自《世說新語．德行》。原文：荀巨伯遠看友人疾，值胡賊攻郡，友人語巨伯曰：「吾今死矣，子可去！」巨伯曰：「遠來相視，子令吾去，敗義以求生，豈荀巨伯所行邪！」賊既至，謂巨伯曰：「大軍至，一郡盡空，汝何男子，而敢獨止？」巨伯曰：「友人有疾，不忍委之，寧以吾身代友人命。」賊相謂曰：「我輩無義之人，而入有義之國。」遂班軍而還，一郡並獲全。

行善，才會澤及子孫？一般人很難考慮如此長遠。

2. 人的同情心有限

個人生活實現溫飽之後，我們會關心別人，但人的同情心有限，最多關心到親朋好友和身邊之人，怎能顧及遙遠的國度，甚至貧苦的非洲大陸呢？

由於人的理性和同情心有限，因此我們需要做道德判斷，使善行得到及時肯定，罪惡受到嚴厲批判。人有幸災樂禍的自然傾向，看到別人受苦受難，自己相對覺得幸福，這出於人的本能。道德判斷可以約束人自私自利的行為，使每個人考慮自身的有限條件，勇於走上人生的正路。

道德判斷有四點應予注意：

1. 道德判斷不可心存偏見。

不能因為性別、種族、語言、宗教背景的不同，對他人有道德偏見。比如，不能因為自己沒有黑人朋友，就認為黑人的道德水準一定有問題。古人認為女性在獲得智慧方面存在障礙，這亦屬於明顯的偏見。

2. 道德判斷不可摻雜個人情緒。

道德判斷中不能摻入個人喜怒哀樂的情緒。比如，小時候被身形瘦高的學長欺負後，長大後看到瘦高之人就覺得不是好人，不能因為童年的情感創傷影響成年後對他人的道德判斷。

3. 道德判斷不可採用實用的觀點。

譬如，關於同性戀的議題，不能因為同性戀無法生育子女，沒有實用效果，就斷定其道德低下。現代醫學發現同性戀有遺傳基因方面的因素[147]，不可做普遍的道德判斷。

4. 道德判斷不可依靠宗教權威。

不能因為一個人不信仰任何宗教，就判斷其道德有問題。

俄國著名作家杜斯妥也夫斯基[148]（Fyodor Dostoevsky，1821－1881）書中有兩個觀點一再被人提及：一是，如果上帝不存在，人為何不能為所欲為？ 二是，如果靈魂在死後不能繼續存在，人為何要有道德？

經過一千三百多年基督宗教的薰陶，西方人普遍認為，人之所以守規矩是因為相信上帝存在。如果有人不信上帝，就會認為他的道德恐有瑕疵。

這兩個說法與康德的倫理學有直接關聯。假如人死如燈滅，那麼一生行善積德與作惡多端究竟有何差別？如果只是死後名聲有差別，對死者而言也無所謂。

世界上不同的人群有不同的道德規範，我們應尊重不同文化的各自特色。有的文化認為尊重老人有道德，有的文化則不然。比如，美國印第安原住民的某部落，相信人死後會不斷輪迴，輪迴轉世的身體狀態與死亡時的狀態密切相關。因此該部落的習俗是，人到老年，在身體仍然健康之際，希望有人幫他結束生命，否則帶病而死會影響轉世再生時的身體狀態。可見，不能只從表面判斷善惡。

與道德相關的問題很多，且存在各種爭議，倫理學的問題確實值得我們多加費心。

---

147 美國遺傳學家迪恩．哈默（Dean Hamer, 1951-）在一九九三年七月發表的研究報告中首次提出人類性取向受基因影響，他認為該基因位於X染色體上，由母親遺傳。二〇一四年六月五日，《華盛頓郵報》報導的一項新研究發現確實存在同性戀基因，而且這樣的基因有兩個，甚至更多。

148 代表作《卡拉馬助夫兄弟們》、《白癡》等。

人是利己的嗎？

西方倫理學以「利己主義」做為倫理學的出發點，「利己」就是「對自己有利」。每個人都從自己的角度觀察世界，面臨選擇時都會以改善自我處境為目的。譬如，我之所以選擇這家餐廳，是因為菜餚味道鮮美，使我身體健康、心情愉悅。

利己主義有兩種：一是心理上的利己主義，認為人總是去做令自己快樂的事；二是倫理上的利己主義，認為一個人的道德有義務促使自己的福祉超過別人的福祉，道德行為的目的是為了自己的福利。

關於利己主義有一則有趣的故事。一位美國教授上課時一再強調，人都是利己的，沒有利他的。有一天，這位教授掏了五塊美金送給路邊的乞丐，恰好被學生看到，學生趕忙上前請教：「老師上課講利己，為什麼給乞丐錢呢？」教授說：「我還是利己啊，我走在街上，本來心情愉快，乞丐拚命喊『可憐我吧，幫幫我吧』，讓我心情變糟。為了恢復愉快的心情，設法讓他閉嘴，我才給他五塊錢。」可見，教授並沒有違背自己的立場。

由此可見，利己與利他未必矛盾。我們都希望自己每天快樂，但鄰居或路人每天哭泣，我們也快樂不起來，最好全鄉、全國、全世界都快樂，我們的快樂才有保障。

利己主義最有名的故事，當數柏拉圖《對話錄》提到的呂底亞（Lydia）城邦國王的故事（《理想國》第二卷，359d）。這個國王曾經是牧羊人，有一天在郊外牧羊時發生地震，大地開裂，露出一具塵封已久的豪華棺材，牧羊人下去撬開棺材，發現裡面有一具骷髏，身高超過常人，手上戴有一枚戒指，可見墓主人曾經身分不凡。牧羊人取下戒指戴在自己手上，繼續牧羊。

後來，國王召開牧羊人大會，這個牧羊人在台下閒極無聊，玩起了戒指。當他將戒面轉向自己時，忽然發現大家對他視而不見，向好友揮手也無人應答。他想：難道我隱身了嗎？他又跑到廣場中間跳舞，居然無人阻止。他回到座位，將戒面朝外，一切又恢復了正常。他知道如何隱身的祕密後，不再甘心做一個牧羊人，於是設法謀殺了國王，自己取而代之。

這個例子引發我們思考，如果一個人做事不會被發現或被懲罰，人會不會為所欲為？利己如果朝這個方向發展，人要怎樣生活？人性到底是什麼？

美國倫理學教科書中有一則「利他」的案例。一九七〇年十一月十一日，《華盛頓郵報》刊載了一個故事，美國五月花旅館有一名服務生麥克曼（Mickelman），他在該旅館工作了四十二年，去世時留下十萬美金，分別捐給了十個慈善機構。這個人沒有結婚，沒有子女繼承問題，與親戚朋友也很少聯絡，一個人省吃儉用，卻把攢下的錢捐給慈善團體。他不信仰任何宗教，沒有「不修今生修來世」的想法，對身後名聲似乎也並不在意。這個故事引起了廣泛的討論，他究竟為了什麼？人難道可以完全利他？如果他能夠做到，表明其他人也有可能做到，只是程度上有差別而已。

利己並非壞事。如果人不替自己考慮（self-regarding），又該以誰做為考慮的出發點？每個人謹守規矩，把自己的生活安頓好，對整個社會來說也有正面意義。

利己主義一般有下面六種考慮：

1. 自我保全。保存自己，讓自己安全地活在世上。

2. 讓自己快樂。

3. 讓自己成為某種人。如年輕人常希望自己成為科學家、飛行員、工程師或員警等。

4. 自我尊重。

5. 獲得並維持某些資源。如擁有財產會讓人覺得生活較有保障。

6. 滿足自己情感方面的欲望。如與親人、朋友情感互動，抒發感情。

每個人都會考慮上面的六點，讓情況變得對自己有利，這沒有人反對。但如果為了自己的利益而傷害別人，則會出現問題。

談到西方倫理學中的利己主義，英國哲學家霍布斯（Thomas Hobbes，1588 － 1679）強調，一個人快樂就是善，痛苦就是惡。因而，欲望得以實現代表善，反之欲望受到阻礙代表惡。如果每個人都追求個人利益，社會也會變得更好，比如每個人都希望賺錢，社會也會因此愈來愈富裕。這樣看來，人應該有道德，因為道德不僅符合個人的長遠利益，也符合社會的長遠利益。

前面討論了：

1.「事實」與「價值」的分辨。

2. 在道德問題上，有哪些問題應予以優先考慮。

3. 每個人為自己考慮，以利己主義做為倫理學的出發點是合理的。

以此為基礎，接下來將進一步討論西方倫理學三大派別各自的主張，分析三派之間存在哪些不同。

使德行成為習慣

西方倫理學有三大派別，其中「效益論」與「義務論」針鋒相對，另一派「德行論」則與前兩派視角不同。

效益論（Utilitarianism）曾被譯為「功利主義」，中文裡「功利」用於形容某人僅關注個人利益而不注意他人需求，有批評之意。「效」為「效果」，「益」為「利益」，該派學說中判斷一事該做，是因為這件事對大家有正面的效果和利益，因而譯為「效益論」較妥當。

與效益論針鋒相對的是康德的「義務論」（Deontology），即判斷一事是否該做，不能考慮效果，而僅考慮動機是否純正。

一個完整的行動，必定先有動機，然後希望未來取得良好效果，兩派對此各有主張，下面舉例說明兩派的不同。

兩人做生意同樣在門上貼「童叟無欺」，第一個人遵循「效益論」，認為誠實是最好的經營策略，童叟無欺的目的是希望口碑漸好，生意日漸興隆；第二個人服膺「義務論」，認為做生意本該誠實守信，誠實不是策略，而是應盡的義務。

兩人「童叟無欺」，平日難分伯仲，但遇到經濟蕭條、生意凋敝，遵循效益論的人會認為「童叟無欺」使效益下滑，於是調整策略為「專欺童叟」，以牟取利益；而認可義務論的人，則無論生意如何，仍保持童叟無欺，不考慮效果如何。

請大家先不要忙著下判斷，認為第一派現實，第二派高尚，哲學的理論探討要先將道理說清楚，盡量不牽涉對具體行為的評價。

在此首先介紹「德行論」（Virtue Theory）。德行論源遠流長，最早由古希臘哲學家亞里斯多德提出。效益論與義務論的焦點是我們應該「做」什麼，德行論將焦點轉向我們應該「成為」什麼樣的人，即關注焦點由行為之結果（效益論）或動機（義務論）轉向行為者（人）。

「應該『做』什麼事」是行動，「應該」意味著道德要求；「德行論」則認為更重要的是我們應該「成為」什麼樣的人。一個人可以做很多有德之事，但並不保證下次行動一定滿足道德的要求；而一旦成為「有德之人」，所做的每件事都將符合道德的要求，不必每次都去計算效益或規定義務。

亞氏在德行論中有兩點基本的考慮：

1. 沒有任何道德是由我們的本性而在我們身上產生，即人絕不會生下來就具有道德。

中國《三字經》第一句「人之初，性本善」的觀點即與之相悖。人生而為人是「事實」，「人生下來是善的」是「價值」判斷，「人性本善」的說法混淆了事實與價值。如果主張人性本善，天下每個人生下來都是善的，無人是惡，則無法對「善」下定義，「善」也就失去了評價作用。「每個人都善」與「每個人都有頭、有眼、有耳」一樣，成為事實描述，說了等於沒說。亞氏在這麼早的年代就有如此清晰的判斷，值得我們詳加參考。

2. 凡是具有某種自然性質之物，都不能經由訓練而得到不同性質。

我們不能訓練石頭違反自然性質而往上掉，不能訓練火往下燒。人之所以可以經由訓練而行善避惡，是因為人的自然性質具有道德傾向，人的本性中存在行善避惡的根源。

由此得出結論：

1. 人的道德並非天生固有。

2. 人的道德亦非違反本性。

道德之所以可以逐漸形成，在於我們的本性適宜接受道德，但只有經由訓練而形成習慣，才可使它完善。

亞氏的德行論聞之有理：有德之人可以為了朋友與城邦的利益而行動；可以為了自身的高貴氣質而放棄金錢、榮譽等各種利益，甚至可為之犧牲；他們踐行高貴之事，恥為卑劣之行。亞氏的觀點顯示出古希臘時代雅典人的高貴人格特性。

由此定義「德行」(arete，傑出品行）是個人固有的氣質，經由培養訓練，使德行的活動成為習慣。因而德行是長期培養訓練形成的一種習慣，這樣的說法令我們倍感親切，它與中國儒家提倡的「修德行善」的觀點不謀而合。談論儒家思想要注意避免「人性本善」的謬誤。

如何培養德行

時至今日，亞里斯多德的「德行論」仍受到廣泛肯定，「德行論」關注的焦點由「我們應該做什麼事」轉向「我們應該成為什麼樣的人」。生而為人並不代表完成，還需長期修練才能日臻完美。人生下來具有固有的氣質，在人的稟賦中具有德行的種子，這種氣質或稟賦可以經由培養訓練，使德行活動成為習慣。

這種說法類似於中國人常說的「陶冶氣質」，使人看起來「文質彬彬」[149]。一個人經常做好事，不斷實踐有德行的活動，久而久之，德行成為一種習慣，潛移默化成為第二天性。「習慣是第二天性」的說法即發端於此。

亞氏認為應考慮兩點德行實踐的智慧：應該選擇什麼目的，以及如何達成這個目的。

149 出自《論語．雍也篇》：子曰：「質勝文則野，文勝質則史。文質彬彬，然後君子」。意為：質樸多於文飾，就會顯得粗野；文飾多於質樸，就會流於虛浮。文飾與質樸搭配得宜，才是君子的修養。參考《人能弘道：傅佩榮談論語》，天下文化出版。

（一）應該選擇什麼目的

人生下來有固定的氣質，有七情六欲，我們應該選擇的目的是：調節自己的氣質，使之符合中庸之道，養成行善的習慣，讓自己具有德行。

既然選擇行善為目的，「善」應如何界定？任何社會對「善」均有規定，重點應考慮兩個界限：上為信仰，下為法律，中間是修養德行的廣大天地。

（二）如何達成這個目的

亞氏認為要使自己成為城邦的好公民，養成行善的氣質和習慣。

我們進一步分析「聖人」與「英雄」有何差別。

英雄是在關鍵時刻做了一件正確的事；聖人則具有高貴的品質，終身奉行高尚之事。

古往今來，英雄輩出：國家興亡之際，他們挺身而出；社會危急關頭，他們起身示範；朋友有難之時，他們鼎力相助。英雄敢於在非常之時，行非常之事，為了大家不惜犧牲自我。

然而，英雄在關鍵時刻做了一件正確的事，並不能保證在每件事上都能做出正確的選擇。只有把德行「內化」到自己的天性中，才有可能成為聖人。一旦超凡入聖，所行之事都有極高品質，無論何時何地，都會展現英雄的光彩。

人可能永遠行善嗎？恐怕不太可能。即使是聖人與英雄，也偶爾會做錯事，無法達到習慣所立之標準。人生在世，不能唱高調，不能好高騖遠。

以孔子為例，司馬遷奉孔子為「至聖」，後人尊奉其為「至聖先師」，成為德行完美的典型。孔子則自述生平：「我十五歲時，立志求學；三十歲時，可以立身處世；四十歲時，可以免於迷惑；

五十歲時，可以領悟天命；六十歲時，可以順從天命；七十歲時，可以隨心所欲都不越出規矩。」[150]（《論語．為政篇》）

孔子坦誠講述了自己的心路歷程，從中可見：在孔子四十歲之前，他對人間問題仍會偶有迷惑；五十歲之前，他亦不知自己的天命何在；五十五至六十八歲，他領悟天命後要順從天命，於是周遊列國；直到七十歲時，才可以隨心所欲，不會違背規矩。這證明孔子經過長期修練，德行臻於化境，抵達聖人境界。

孔子自然去做的事都是應該的，應該做的事都做得很自然。反省我們自身，自然去做的事都不太應該，一旦從心所欲，往往違背規矩；反之，應該做的事都做得不太自然，如應該孝敬父母，善盡責任，但往往勉強為之，不夠自然。

孔子的生平用「德行論」解釋甚為吻合。孔子並非天生聖人，而是一輩子努力奮鬥，不斷超越。他年幼時家境貧寒，通過勤奮學習、刻苦訓練，不斷拓展知識、提升人格。孔子曾說：「讓我多活幾年，到五十歲時專心研究《易經》，以後就不會有大的過錯了。」[151]（《論語．述而篇》）可見他念茲在茲，經長期修練，養成行善的習慣，最終抵達生命的至高境界。

孔子很少談及人性，他僅說：「性相近也，習相遠也。」（《論語．陽貨篇》）即人與人的本性是相近的，使人與人變得差別很大的是「習」，即後天養成的習慣，也稱為「習性」。

我們可能不會欣賞一個人「出於義務」而寬容別人，按康德「義務論」的說法，寬以待人是我尊重義務的要求，不得已而為

150 原文：吾十有五而志於學，三十而立，四十而不惑，五十而知天命，六十而（耳）順，七十而從心所欲不踰矩。其中「耳」字為衍文，詳見《人能弘道：傅佩榮談論語》，天下文化出版。

151 原文：加我數年，五十以學《易》，可以無大過矣。

之。我們可能更欣賞一個人具有高尚的德行修養，將善行變成自身的習慣，發自內心地寬容別人，自己收穫快樂的同時也會幫助別人快樂。

亞氏建議，培養善良氣質應做到仁慈與公正。要做到仁慈，則不要心存惡意；要做到公正，則不能自欺欺人。仁慈與公正是普遍的行善要求，我們可將亞氏的德行論與儒家思想進行對照理解。

大多數人的利益

談到效益論（舊譯為「功利主義」）會有的問題是：是否有一種最高的道德原則，可以規定我們的全部義務，並延伸出所有的道德標準？以一個行為的目的和效果來衡量行為的價值就是效益論，即判斷一個行為是否為「善」，要以行為的效果來衡量。

譬如，為什麼應該排隊上車（「應該」代表道德要求），因為排隊上車對大家都有利，否則擠成一團，沒人上得了車。

效益論在社會生活中被廣泛應用。民主社會中的投票選舉都遵循效益論原則，競選中只要比對手多一票就意味著大多數，即可當選。

效益論考慮一個行為對社會大眾的影響，行為的對錯不在其本身，而在於行為產生的總體的善（或惡）。譬如有人要在公寓一樓開餐館，對高層居民的影響有限，但對二樓的居民來說，煙熏火燎，氣味刺鼻，令人難以忍受。如果一樓的商戶願意承擔更多的公共清潔費用，高層居民可因少攤費用而同意，底層居民則寧可多攤費用也堅決反對。此時採用「效益論」召集全部居民投票，一人一票，提案很可能通過。然而，對二樓居民來說，這樣公平嗎？

從上述案例中可看到效益論的優點與缺點。

效益論的優點在於可反映大多數人的要求。比如，每個人都希望新建的高速公路能繞開自家菜園，大家都可以表達自己的訴求。但如此一來，高速公路則難以興建，社會生活無法發展。

效益論的缺點是：在確保大多數人的最大幸福時，少數人可能會被犧牲。我們當然可以調整計算方法，在上述開餐館的案例中，可調整不同樓層的權重，如規定二樓的一票相當於十票，三樓的一票相當於三票，但如此一來，結果往往在規則中就被決定了，將使事情變得更加複雜而難以計算。

效益論需要精密的計算。「多數人」如何定義？今天「多數人」的需求，也可能隨著時空條件的改變而不斷變化。

效益論的基本原則是合理的，因而得以廣泛應用，通常也易為大眾所接受。但需要考慮的是：對於少數受到損失的人們，如何採取必要的補救措施。

效益論的三位代表人物均為英國人，分別是「經驗論」的代表休謨（Hume，1711 － 1776）、邊沁（Bentham，1748 － 1832）以及「效益論」最重要的代表彌爾（John Stuart Mill，1806 － 1873）。

彌爾是一位天才人物，三歲學習希臘文，十二歲具備了豐富的古典知識，十三歲開始研究政治經濟學，十五歲研究羅馬法律，閱讀了亞當．斯密（Adam Smith，1723 － 1790）的《國富論》和邊沁的全部著作。

彌爾特別關注人類社會的結構和發展，認為社會中每個人都有獲得效益的基本欲望，同時每個人也都希望與他人和諧相處。這種情況下，到底需要什麼樣的社會規範，人們應該如何做？

他的學說可歸結為：你對現在的生活滿意嗎？能接受目前的情況嗎？是否需要不斷改善現狀？他留下一句有趣的名言：寧願做一

個不滿足的人，也不願做一隻滿足的豬；寧願做一個不滿足的蘇格拉底，也不願做一個滿足的傻子。

正因為人永不滿足，所以才會不斷改善現狀，追求更大的效益。蘇格拉底永不滿足，然而他不斷追尋的是事物的真相，以及變化現象背後不變的本體。

效益論在實際社會生活中受到普遍肯定，其基本原則是：一個行為本身無所謂對錯，行為的價值與它所增進的幸福成正比。判斷行為對錯，要看它對所有相關人員的普遍福利。

效益論的問題在於，不同時空條件下，同一行動可能具有相反的效果，使人不知何去何從。效益論忽略了行為本身應該有其價值，如果行為的好壞全看結果，全憑精確計算，顯然與個人的道德水準關係不大。

如何計算利益

如何將「效益論」應用在社會生活中？

首先，人只需對自願採取（或自願避免）的行為負責，而不必對被迫的行為負責。

其次，每個人都有追求幸福的平等權利，先進國家的憲法中均會確立一條主要原則：人人生而平等，都可以追求幸福，都有權利為了實現自身幸福而付諸行動。[152]

效益論認為，每個人都設法趨樂避苦，苦樂是從行為中得到的結果，可以精準計算。

將效益論應用到社會生活中，需要兩方面的配合。

（一）法律與社會結構，應盡可能把每個人的幸福與整體利益相協調

法律應該公平公正，一視同仁，不能偏向某些特殊階層、種族或宗教信仰，不能僅對一部分人有利而犧牲其他人的利益。比如建設水庫溝渠，不能只造福一部分人，而應使大家普遍受益。

（二）教育與輿論應該努力使每個人把自己的幸福與整體利益相協調

我們應該教育孩子在追求自己利益的同時，不能罔顧社會整體利益，不能損人利己。

效益論可分為兩派：1. 規則效益論；2. 行為效益論。兩派立場不同，不易協調。

從「規則效益論」的觀點來看，人應該說真話是普遍的規則，沒有任何商量的餘地，接近康德「義務論」的說法。而「行為效益論」則充滿彈性，認為人是否應該說真話要視情況而定。

譬如，孩子生病，如果父母要他吃藥，孩子一定不肯吃，因而可能耽誤病情；如果告訴孩子「這是糖」，孩子可能吃下而得以康復。當一個人被確診為癌症時，家屬通常希望醫生不要告知病人實情，醫生往往也會配合。這些都屬於「行為效益論」的表現，判斷一個行為的好壞，只考慮其對相關人員的最大利益，針對不同情況，行為可能有各種變通。

然而問題是，為了對方好而不說真話，可以在多大程度上被允許？如果社會中人人如此，將使我們真假難辨，誤會百出，難有真誠互信。每一次行動，每一份感情，每一次講話都是權宜之計，這

152 一七七六年，美國發表《獨立宣言》，其中提出：人人生而平等，造物者賦予他們若干不可剝奪的權利，其中包括生命權、自由權和追求幸福的權利。

樣的人生也著實辛苦。

與人交往中，如果每說一句話都要考慮對方的接受程度，我們不是心理師，如何準確判斷對方的心理狀態和可能反應？如果為了對方好而不說實情，對方發現後會認為我是為他好嗎？多少誤會由此而來。我們無法精準計算每一句話對別人的影響，僅僅關注結果好壞無法使我們的言行恰到好處。行為效益論可能帶來嚴重的信任危機。

比較而言，我們可以接受「規則效益論」的說法，認為「說真話對大家都好」是普遍的規則。我們應該說真話，不能因為有些人無法接受現實而放棄這一普遍的規則。

效益論的困難在於過分依賴對結果的精準計算。開始認為「童叟無欺」是最佳策略，後面由於達不到預期效果而放棄誠信，這樣的思考模式讓人無法接受。但在商業領域，有多少企業秉持此道，為達目的不擇手段？出發點是為了大家普遍的利益，但那些莫名其妙做出犧牲的人們又當何去何從？

效益論是西方社會普遍採用的倫理學原理，優點是把每個人都視為獨立個體而加以尊重，希望達到人人幸福的結果，大多數人可以有機會表達自己的意見，在法律、社會結構、教育和輿論的配合下，個人利益與整體利益可以相互協調。

效益論的主要問題是，對提升個人道德的作用有限。如果一個人行動時只計算結果，而不出於善良的動機，我們如何教育下一代？難道只是培養他們成為精明的精算師嗎？

任何一種學說能被普遍接受，一定有其特定的時代背景和社會需求。然而，我們亦不能忽略該學說可能帶來的後遺症。

康德迎向挑戰

西方倫理學第三派為「義務論」，其代表人物為德國哲學家康德。歷數西方兩千六百多年的哲學史中最具影響力的人物，可謂前有柏拉圖，後有康德。兩人的共同點是：都享年八十歲，且終身未婚。康德的思想為何如此重要？我們需要先了解其時代背景。

笛卡兒被譽為「近代哲學之父」，他的出現標誌著西方進入近代哲學的歷史階段。近代哲學分為兩大派別：一派是以法國、德國為代表的歐陸理性論（又稱理性主義，Rationalism），一派是以英倫三島為代表的經驗論（又稱經驗主義，Empiricism）。

兩派的主要分歧在於「知識的來源是什麼？」人類如何認識世界，怎樣建構普遍有效的知識？簡單來說，知識的基礎是概念。我們如何獲得概念？比如關於自然界的「天」、「宇宙」、「行星」等概念，或者關於人類的「喜怒哀樂」等概念。

理性論認為，人的知識來自於天生，每個人生下來就有「天生本具」的觀念；經驗論則認為，人生下來心靈像一張白紙，所有知識均來自於後天的經驗和學習。兩派說法各有道理，因為任何人類知識均應具備兩個基本條件：1. 普遍性；2. 擴展性。

按照理性論的觀點，知識只能來自於天生；然而不可否認的是，後天經驗有利於擴展我們的知識。譬如，「美國人是具有美國身分證的人」一定成立，因為它通過分析主詞（美國人）得到述詞（具有美國身分證的人），但該判斷對我們了解美國人的特性則沒有實質的幫助。如果加上後天經驗，如「美國人在二十世紀打過越戰」，則可加深我們對美國人的了解。

按照經驗論的觀點，知識只能來自於後天經驗，因而只能採用歸納法來建構知識。歸納法缺乏普遍性，我們只能就經驗事實歸納其共同特性，知識的有效性只能到此為止，對未來並無把握。譬如，我們見過一百隻北極熊都是白色的，由此歸納出「北極熊是白色的」的知識，但並不能保證將來發現的北極熊一定是白色的。

理性論的三位代表人物分別是法國的笛卡兒、荷蘭籍猶太人斯賓諾莎（Spinoza，1632 － 1677）和德國的萊布尼茲。

笛卡兒認為，我思故我在，即「我＝思」，「我」的本質即是思想。我的思想中有與生俱來的「先天觀念」，這些觀念清晰而明白，可以讓人以邏輯的方式建構有效的知識體系。心智的主要屬性是思想，而身體則屬於物質，具有長、寬、高的廣延性。自笛卡兒開始，鮮明的身心二元論上場了，身體與心智有明顯的區分，將兩者整合為一個整體變得相當困難。

笛卡兒開啟了西方唯心論的傳統，此後不斷發展，至康德建構了完整的唯心論（Idealism）系統，認為人無法認識世界本身，我所認識的世界僅是「能夠」被我認識的世界。

斯賓諾莎將宇宙視為一個整體，提出「神即實體，即自然界」的觀點。他揚棄了笛卡兒「心智與身體為兩種實體」的看法，主張這兩者是一物的兩面，人是一個整體。萊布尼茨提出「單子」是構成萬物的基本單位，宇宙具有「預定的和諧」。理性論描繪的世界和諧有序，但秩序從何而來卻缺乏明確的事實依據，最終容易流於獨斷論（Dogmatism）[153]。

經驗論的三位代表人物分別是英國的洛克（Locke，1632 － 1704）、柏克萊（Berkeley，1685 － 1753）和休謨。

洛克認為，人沒有「先天本具觀念」，經驗是一切觀念的來源，人的心智只是一塊「白板」（tabula rasa）。人只能看到事物的表象，只能通過眼、耳、鼻、舌等感官掌握外界事物的次級性質，而非其本性。

柏克萊提出「存在就是被知覺」，物體如果不能被感知，則不能說它存在。深山裡有一朵百合花，如果沒有被任何人看到過，感知過，它存在嗎？柏克萊認為它存在，因為它被上帝感知。世界不能獨立自存，必須依賴精神體（人或上帝）的感知才能存在。

休謨更為極端，他認為「自我只是一束知覺」，如果將自我的知覺統統去掉，則沒有純粹的自我存在。經驗論發展到最後變成懷疑論（Scepticism）。

理性論肯定人具有天生本具的觀念，由此建構出完美的理論系統，但常由於缺乏充分論證而演變為獨斷論。經驗論認為人生下來心靈像一張白紙，透過後天經驗不斷累積印象，再由印象抽象形成觀念，從而建構出有效的知識；問題是每個人經驗各不相同，這樣得到的知識缺乏普遍性，最後連自我是否存在都要懷疑，從而演變為懷疑論。

康德面對理性論與經驗論的困境，提出「先天綜合判斷」以保障人類知識的有效性。知識由判斷構成，先天判斷（或稱分析判斷）由分析主詞得到述詞，如「人是有理性的動物」，是普遍的與必然的，卻無法擴展我們的知識；綜合判斷（或稱後天判斷）是綜合後天經驗所得到的結果，雖缺乏普遍性，卻可使我們知道得更多。康德設法將兩者結合，為人類的知識找到穩定的基礎，從而化解了哲學界的重大危機。

153 Dogma為宗教教義，Dogmatism為獨斷論，兩者共同的特點是只給出結論，不講理由。

人生四大問題

康德一生始終關心四個問題：

1. 我能夠知道什麼？（Was kann Ich wissen?）
2. 我應該做什麼？（Was soll Ich tun?）
3. 我可以希望什麼？（Was darf Ich hoffen?）
4. 人是什麼？（Was ist der Mensch?）

康德認為自己的探討是哲學上的「哥白尼革命」。哥白尼革命是指從「地心說」到「日心說」的觀念飛躍。傳統哲學均以人的理性為工具，「向外」去認識外在世界；康德反其道而行，「向內」回到自身，對人的「理性」加以考察，探討人的理性具有怎樣的結構，進而了解人究竟「能夠」知道什麼。研究方向從「向外」認識世界轉變為「向內」認識自身，正好比哥白尼革命造成主客易位的效果。

康德的哲學之所以重要，是因為他提出了「先驗」的方法。「先驗」就是先於經驗並做為經驗的基礎者。針對我們的經驗，要問為什麼會有這樣的經驗，即找出使一切經驗成立的先決條件。當我們看到一張桌子為長方形，這是一種經驗，但是一隻狗看這一張桌子是否也是長方形呢？恐怕不一定。由此要問：

1. 外在事物的真相到底是什麼？我們不能主觀地以人類的感官為標準。

2. 人類真能認識外在事物嗎？能認識到什麼程度？

我們應先回頭認識自己的理性認知能力。康德在此顯示出高明的看法，將人類的認知問題思考得非常深刻。

康德認為，人在認識外在世界時，首先通過「感性」與外界接觸。「感性」是指人具有的視覺、聽覺、嗅覺等感官能力。感性有直觀能力，可以直接掌握外在物件。感性之所以具有直觀能力，是因為它具有兩個先天形式：時間與空間。

我們會產生疑問，時間、空間難道不是外在的嗎？怎麼會成為人先天具有的呢？

以空間為例，假設你面前有一張桌子，把桌子搬開就出現了空間，請問：是先有空間才可放置桌子，還是先有桌子才能在搬開後出現空間？答案是前者，先有空間。不但如此，空間（前後左右、上下四方）其實是人的感性所提供的一種框架，外在事物只是在那兒，本身沒有空間的問題。

時間是指一樣東西具有延續性，剛才桌子在，現在桌子在，等一下還在嗎？物體的存在和延續，也是人的感性提供的先天形式。

時間、空間都是人的感性所具有的先天形式（框架），外界事物本身無所謂時間與空間，而只是一片混沌。人在認識外在事物時，使用自身的感性能力，把時間與空間這兩個先天形式「加在」混沌之上，才使它成為某一「對象」，有前後左右的方位區分，並能夠延續存在。

因此，人所能夠認識的永遠是「現象」（phenomenon）而不是本體（或物自體，noumenon）。由此推出三大本體不可知：1. 自我不可知；2. 世界不可知；3. 上帝不可知。

針對第二個問題「我應該做什麼？」康德認為雖然「自我」這一本體不可知，但人活在世界上仍要做出選擇，「應該」一詞指向道德領域。在此處，康德發揮了他的天才，他摒棄了西方傳統的形上學的研究路線（即試圖透過研究自然界找到背後永不變化的本體），開拓了「道德形上學」的新領域，這就是我們後面要詳細介紹的康德「義務論」倫理學。

第三個問題是「我可以希望什麼？」前三個問題剛好配合人的

心靈在「知、情、意」三方面的要求。人有理性，因而要問「我能夠知道什麼」；人有意志，因而要問「我應該做什麼」，康德認為應該追求善；人有情感，因而要問「我可以希望什麼」，康德由此探討了美學，也頗具特色。

最後的問題是「人是什麼？」經過前面的細緻探討，最終仍要回歸人的完整生命，問人性究竟是什麼。康德是基督（新）教敬虔派（Pietism）信徒，該派以信仰虔誠著稱。康德認為人有原罪，具有「根本惡」，人不是完美的。他的貢獻是將西方傳統的「以宗教做為道德的基礎」轉變為「以道德做為宗教的基礎」。

康德哲學的重點是第二個問題「我應該做什麼？」人活在世界上，以理性追求知識，到最後會發現我們只能認識現象，物自體不可知，自我不可知。但我們在生活中仍要與他人互動，在意志上做道德行為的抉擇時，人必須如此行動，「宛如」（as if，德文als ob）自我存在一般。如果否認這一點，則究竟是誰在行動？道德也就無從談起了。「宛如」的說法體現了康德的智慧，他以此為出發點建構了獨具特色的「義務論」倫理學。

嚴謹的生活態度

針對理性論與經驗論陷入的困境，康德設法建構一種既有先天形式又有後天材料（質料）的知識，使知識兼具普遍性與擴展性。

康德有如此深邃的思想，歸功於他超強的自制力，他生活極有規律，言行一絲不苟。他一生未曾離開過家鄉柯尼斯堡[154]（Koenigsburg）。他在柯尼斯堡大學教書，每天清晨五點起床，晚上十點就寢，上午授課、寫作，下午到好朋友格林家，約兩三好友聊天、沉思或者打瞌睡，晚上七點準時循原路回家。街上居民常說：「現在應該不到七點吧，因為康德教授還沒經過這裡。」他經過時，如果家裡的時鐘不到七點，就應該校準時鐘。他每天走過的路被命名為「哲學家之路」，至今仍然保留著。

康德家中的物品擺放有精確的秩序，如果剪刀移動了位置，椅子移到了其他角落，都會令他焦慮不安，甚至陷入絕望。康德傳記的作者說：「這個世界上似乎沒有任何東西可以讓他偏離自己的準則。」一般人恐怕難以忍受如此單調乏味的生活，但康德就是如此，將所有的時間和力量都用在了哲學思考上。

有一次鄰居家的公雞不時發出噪音，使康德無法集中精神，他向鄰居提議購買這隻公雞卻遭到拒絕，於是只好搬家到市立監獄附近。恰逢監獄為感化囚犯而組織大家高唱聖歌，康德為此一再向市長抱怨，這令他無法清靜思考。

康德的飲食極有節制，生病靠意念克服，不管醫生如何囑咐，他同一天絕不會服用兩顆以上的藥丸。當他獲得教授職位、生活穩定之後，也曾考慮結婚，但第一次在他開口之前，心儀的女生就已搬走，第二次又是開口太晚，與意中人失之交臂。

康德是虔誠的基督徒，他生平只有一次沒有準時在下午三點去朋友家聚會，那天他收到了盧梭（Jean-Jacques Rousseau，1712－1778）的著作《愛彌兒》（*Émile: ou De l'éducation*），他熱切地希望了解盧梭做為一個無神論者如何談論「愛」這個主題。盧梭是著名學者，有豐沛的創作能量，但他患有憂鬱症，覺得無法照顧自己的孩子，於是將孩子們全部送入孤兒院，這樣的作者能夠寫出《愛

154 即今俄羅斯加里寧格勒。

彌兒》這樣以愛為主題的書，令康德倍感驚訝。

盧梭對康德產生了重大影響。康德說：「我天生就是一個追求真理的人，對知識感到熱切渴望。曾一度認為只有這種知識與渴望才是人的榮耀所在，我鄙視一般無知的人。但是盧梭更正了我的盲目偏見，使我懂得了尊重人性。人性足以使所有人具有生命價值，足以確立他們做為人的權利。如果我不能抱持這種觀點，就連一般工人也不如。」

康德分析了盧梭的性格，稱其為「憂鬱型」，「盧梭很少在意別人的評論，他尊敬自己並認為人是值得敬重的生物。他不肯卑躬屈膝，而要呼吸自由的高貴空氣⋯⋯他對自己是嚴厲的裁判者，對世界亦然。」康德認為盧梭與自己的性格截然不同，但可相反相成，相互彌補。盧梭的生命特質給予康德很大啟發。

康德也承認，經驗論的代表休謨使他從獨斷論的迷夢中驚醒。康德是西方唯心論的代表，認同笛卡兒以來「人有天生本具觀念」的立場。休謨認為「自我只是一束知覺」，如果把人的所有知覺去掉，無法想像有一個「純粹自我」的存在。康德願意接受不同學派的觀點，用以擴充自己學問的深度和廣度。

康德的著作以晦澀難懂著稱。我在大學時曾讀過康德著作的英譯本，一個學期也讀不了十頁，能否看懂差別不大，即使看懂字面意思也不理解他為何要這樣說。

為什麼康德的倫理學會對我們有重要啟發？因為他徹底改變了西方形上學的傳統研究路線。

形上學（Metaphysics）是由古希臘亞里斯多德建構的學問，「Meta」表示「在某物之後」，「physics」即自然學（今天稱為物理學）。亞氏後代弟子在整理亞氏遺著時，在《自然學》一書之後發現一本沒有名字的書，於是為其命名Metaphysics，中文譯為「形上學」[155]。

康德認為，西方傳統上透過研究自然界找尋背後本體的路線走不通。人受到感官的限制，永遠只能看到「現象」，而無法看到「物自體」，因此自我、世界與上帝三大本體不可知。康德轉向另一條路，提出「道德形上學」，他認為當一個人決定行善避惡、從事道德行動時，人的意志發揮了重大作用，康德稱之為「實踐理性」，即理性在實踐上（亦即道德上）的功能。

康德希望藉由人類普遍的道德經驗，說明其所以可能的條件，再肯定某種本體的存在。由此與西方哲學的傳統路線分道揚鑣，另闢蹊徑。

善意超過一切

康德倫理學又被稱為「義務論」。「效益論」倫理學認為，一個行為只要能產生最大的正面效果則是善的，以效益（結果）決定行為的善惡。康德的「義務論」恰恰與之相反，認為判斷一個行為的善惡完全不應考慮其結果，如果行為完全出於我的義務就是善的，行為的價值在於動機而不在於結果。

譬如，三個人同樣把糧食送到發生災荒的國家，動機各不相同：第一個人是政府官員，動機是獲得良好政績，以期日後升官；第二個人是商人，動機是獲取經濟利益；第三個人是出於義務，不是為了升官發財等自身利益，而只是為了這件事是我應該做的。我

155 出自《易經．繫辭上傳》。原文：形而上者謂之道，形而下者謂之器。

們會認為第三個人更為高尚。如果為了自身利益，當遇到阻礙時，很可能半途而廢；如果完全出於義務，為兌現承諾，往往會堅持到底。

義務論有三派：第一派以神的意志為最終標準，基督徒通常有這樣的觀點，認為人之所以行善是要服從神的意志，奉行神的命令是我的義務；第二派認為人有理性，人的理性要求自己應該行善，康德即屬於此派；第三派以在絕對公平條件下達成的社會契約為基礎，為了大家的義務，去做該做之事。

人有理性，可以透過理性來思考應該做什麼事。理性人人都有，沒有任何一個有理性的人能夠拒絕「道德的規則」。

康德認為，世間所謂的善皆為相對而有條件的。有些人具有良好的天賦，聰明過人，睿智果敢，堅韌不拔；有些人擁有豐富的後天資源，擁有權力、財富、榮譽和健康，但這些都可用於惡的目的，而不是本身即為善的。

世界上唯一的、無條件的、在其自身可以稱為善的，只有「善的意志」（即善意，good will）；每個人都有理性，當理性讓自己完全出於義務（for the sake of duty）而採取行動時，該行為就是善的。

善的意志之所以為善，並不是因為它可實現某些外在目的。行為的道德價值不在於行為的目的能否實現，而在於行為的動機是否出於我們的善意。

譬如，當我看到一個人走得太過接近公路，此時有車開過來使他面臨危險時，我完全出於善意去救他，結果不小心摔了一跤，反而把他推向公路而釀成車禍。表面看來，我的行為產生了惡果，但我內心純粹出於善意。以康德的眼光來看，我非但沒有任何過失，反而實踐了道德行為。

這個例子凸顯了康德哲學的特色，判斷行為之善惡完全不看結果，而只看其動機。如果關注行為的結果，會有各種變數，需要精準計算，使人斤斤計較。善的行為應完全出於義務，僅僅關注我是否有義務而應該去做。

「最高的、絕對的善只能在有理性的人的意志中被發現，道德的至善只在法則本身的概念中。」換句話說，有理性的人都會清醒地意識到，自己的行為是否出於善良動機，如有善良的動機，不論結果如何，都合乎道德的要求。

康德「出於義務而行動」的觀點極為高尚，一個人如果根據「善的意志」來行動，就有了「自律」的意志。

義務論也可分為兩種：1. 規則義務論；2. 行為義務論。

規則義務論認為規則不能改變，不去考慮行動時的特定情況和條件，譬如「應該說真話」是普遍的規則。行為義務論則在每一次行動時，直接訴諸良心進行善惡判斷，只要當下出於善意，則不問結果如何。

人有理性，可用於反思和思考，善意就是一個人的動機，動機完全由自己負責，不必考慮外在情況，只就自己本身做真誠的反省與抉擇，甚至連情緒反應都不予考慮。比如朋友生病我之所以去看他，因為他是我的朋友，我出於義務去看他，而不是基於交情。康德認為基於交情去探望朋友會使自己快樂，這樣將來就有可能為了快樂而行善，就變成效益論了。因此，義務論對人的要求相當苛刻，甚至讓人覺得不近人情。

目的與手段

康德「義務論」有兩個基本公式。

公式一：我應該永遠如此行動，使我的行為準則（maxim）成為一個普遍的法則（principle）。

這個公式中，行為準則是個人的，普遍的法則是大家的、普遍的。這句話的含義是：如果我要做一件事，就要允許任何人在同樣情況下都可以這樣做；否則，如果一件事只許我自己做，而別人不許做，表明這件事只符合我個人的行為準則，卻不能成為普遍的法則，那麼我就不應該做這件事。

譬如，我在情況危急之際能否說謊？按照康德的公式，我要問自己是否願意把我個人的行為準則變成普遍的法則，允許任何人在類似情況下都可以說謊，並承受別人的謊言帶給自己的傷害？

又比如一個學生認為自己處於危急時刻而作弊，如果我做為老師可以接受他的行為，那麼意味著這將成為一個普遍的法則，我要接受所有學生在危急時刻的作弊行為。這樣一來，將來我要如何公平地給學生評分呢？

康德的說法讓人感到心胸坦蕩，他認為所有道德的核心概念與起源完全在於「先驗理性」。「先驗」是先於經驗並做為經驗的基礎者，即人的理性不是由後天經驗歸納而來，而是根據人類普遍的道德經驗，提出道德經驗之所以可能的預設條件。康德的公式可換一種方式來表達：除非我願意我的行為準則成為普遍的法則，否則我絕不做這件事。

康德的觀點與基督宗教的「黃金律」類似：己之所欲，施之於人。耶穌說：「無論何事，你們願意別人怎麼待你們，你們也要怎樣待人，因為這就是律法和先知的道理。」（馬太福音，7：12）這句話中含有對人性的普遍肯定，只有從「每個人都具有理性」出發，才能肯定人與人是平等的。

每個人都具有理性，連小孩也會有樣學樣，效法大人的行為，更何況大人會質問：為什麼這件事只允許你做，而不允許我做？只許州官放火，不許百姓點燈，這不公平。因此，任何人在決定做一件事的時候，他的理性都應設想：是否允許別人在同樣的情況下也可以這樣做？假如我在危難關頭出賣朋友，我就應該同意朋友可以在危難關頭出賣我。但如果允許出賣朋友，社會將無法維持而分崩離析。

康德認為公式一是「道德無上命令」（categorical imperative），即：1. 它有絕對的約束力，不允許例外；2. 它是命令，命令人們應該如此行動。

公式二：你應該如此行動，把每一個人當做目的，而絕不僅僅把他當做手段來使用。

譬如，我坐計程車，司機是使我到達目的地的手段（工具），但我絕不能只把他當做工具來使用，而應尊重他是個完整的人。當看到他眉頭緊鎖、表情難過時，我應關切地問：「你是否感冒了？是否不太舒服？」

同樣的，對計程車司機而言，我是他賺錢的手段（工具），但他亦應尊重我是一個完整的生命，他的耐心等候、安全確認和嘘寒問暖會使我感到人性的關懷。如此一來，人與人之間均以平等、尊重的方式相互對待，這正是康德哲學的亮點。

問題是，當面對兩種或多種應盡義務時，我們該如何排定先後順序？

在社會中，我們應盡以下義務：

1. 對自己的行為應堅持誠信原則，敢做敢當，對不良後果承擔賠償責任。

2. 如果受到別人的幫助，應當感恩圖報。

3. 如果得到一直嚮往的幸福，應當與人分享，分配中要合乎正義。

4. 要積極行善，盡自己的力量讓別人過得更好。

5. 要追求自我改善，同時不要傷害他人。

以上是一些明顯的義務，既然是義務，就不能打折扣，不能談條件。

康德的觀點蘊含了人文精神。「人文主義」可以借用康德的話而表述為「尊重每一個人都是目的，而絕不把別人只當做手段來利用」。

從這個角度看，儒家思想也屬於「義務論」，是典型的人文主義。儒家絕不會為達目的，不擇手段，把別人當成自己向上爬的階梯。儒家認為每個人都與「我」一樣，是值得尊重的目的。孔子說：「己所不欲，勿施於人。」同樣表達了「尊重別人如同尊重自己」的道理。

康德的「義務論」公式體現了人與人之間互相尊重、彼此平等、相互關懷的心態。在實際社會生活中，由於社會分工的普遍存在，每個人都需要借助別人的力量，才能形成分工合作的局面；但利用別人的專長時，我們要始終保持「尊重每一個人都是目的」的心態，因為別人也是有理性的生命，人與人之間是平等的。

人與人互相尊重

康德「義務論」中，關於人與人之間為何應該互相尊重的闡釋頗具說服力。一般的觀點認為，人與人之間互相尊重可促進社會的和諧安定，這樣的解釋難免流於空泛。

康德「義務論」的基本觀念如下：

康德認為，人間唯一的、無條件的、在其自身可以稱為善的是「善的意志」(即善意)。「善的意志」是出於義務而行動的意志，我做一件事只考慮我的動機是否出於義務，出於義務就是我應該做的，則我的動機是善的，而絕不考慮這件事的結果如何。

我們在第三章討論過古希臘時代《荷馬史詩》中反映的「能夠=應該=必然」的邏輯，由此衍生出「強權就是公理」的思想，這給世人留下諸多後遺症，造成惡劣的影響。

康德的「義務論」將其完全翻轉，變成「我應該，所以我能夠」。「應該」代表義務，我的能力伴隨著「應該」而呈現，展現了全新的人生格局。我應該孝順，所以我能夠孝順；我是公務員，應該盡職盡責，所以我能夠善盡我的責任。我的身分、角色、位置決定了我應盡的義務，我因而具備相應的行動能力。

康德的觀點肯定了人所具有的特殊價值，只有人具有「無條件」的價值。每一個人都有理性的意志，如果只把別人當成工具或手段，等於忽略了他人具有的理性意志，抹煞了他人的人格價值。人是具有絕對價值的行動者，具有獨立判斷、選擇行動的自由。

我有理性，可以自主選擇我要的東西，也許別人認為我要的東西不對或不好，但是我自己選擇的，我自己負責。這種自己負責的意願，肯定了自我在道德上的尊嚴。我做任何事，經過理性思考和自由選擇，其結果無論好壞都是我的命運。如此一來，我就是自己命運的主宰者。

理性的意志有兩點特徵：

1. 自我決定。人永遠採用可以萌生積極的同情的行動原則。

人在行動時會萌生積極的同情心，使得我們可以理解和幫助他人，與苦難進行鬥爭，這些行動都可由我自己決定。

2. 尊重原則。我們把人當做本質上的規則遵循者，設想他人是有理性的行為者，我們能夠明白他的理由。當自己與他人對同一行為的看法不同時，只要說明道理，別人應該會理解，因為人的理性是相同的。從「人人具有相同的理性」這一點來看，我們應該尊重每一個人。

我們在語言上應強調合理性，行為上應強調正當性，合理性與正當性是每個有理性的人的共同要求。孟子說：「理義之悅我心，猶芻豢之悅我口。」（《孟子．告子上》）意為：道理與義行使我的心覺得愉悅，正如牛羊豬狗的肉使我的口覺得愉悅一樣。當我們遇到別人言之有理、行為正當時，都會心生喜悅。

當一個人的言論前有前提，後有結論，中間推論合乎邏輯時，意味著他的言論合乎人的理性，雖然其中難免會結合個人的生活經驗，但聽後會令人覺得客觀而不帶偏見。當一個人的行為準則具有普遍性，可以成為所有人的行動法則時，會被認為是正當行為。正因為人皆有理性，才可形成普遍共識。

康德思想對人的尊重達到前所未有的高度，他的說法也易於為大家所接受。

康德強調「自律」的概念，即理性可以為自己立法，使個人的行為準則可以變成普遍的法則。如果我的理性告訴自己應該做什麼，並能自我約束，則屬於自律；如果我做一件善事是應別人的要求才做的，則我只是他人實踐道德的工具而已，屬於他律。

如果我們告誡年輕人「你應該有自律的道德行為」，他如果照做則代表他聽從了我的建議，因而屬於他律而非自律。這是康德「自律說」中隱含的矛盾之處。

一個人可以自我支配就是自律的，自律者往往有內在的信仰、價值觀或信念。自律者具有以下特徵：

1. 我是自我道德原則的創立者。
2. 我自主選擇了我的道德原則。
3. 我的意志是我的道德原則最終的根據。
4. 我的意志自己決定要做什麼事，我願接受自己的道德原則並以之約束自己。
5. 我能夠為自己的道德原則負責。
6. 我拒絕承認別人做為道德權威。

道德自律的要求是理性為自己立法，這聽起來很理想，但在現實生活中不切實際。沒有一個人是完全自律的。從小到大，我們受到許多人的教育和影響，很多觀念已經內化到我們心靈深處，我們做一件事以為是自己決定的，其實早就受到了別人或深或淺的影響，接受了別人的明示或暗示。康德忽略了這些實際情況，對於人的後天經驗可能造成的影響都加以忽略或排斥。因此「義務論」雖有其優點，但推到極端，難免會產生理論上的困難。

對行善的省思

現在對亞里斯多德的「德行論」、彌爾的「效益論」與康德的「義務論」這三派思想做一總結。

（一）德行論

德行論關注的不是我們應該「做」什麼，而是我們應該「成為」什麼樣的人，通過修養品德，使德行的活動成為習慣，從而不斷行善避惡，做該做之事。

德行論存在的問題是：修養的品德與標準由誰來定？修養可能倒退嗎？在古希臘城邦時代，個人德行應與城邦的要求相配合。很多人德行修養不錯卻晚節不保，因此修養也有可能倒退。

德行論的優點在於強調人生是不斷發展的過程，希望我們能變成孝順的、謙虛的、有愛心的、善良的人，而不僅僅是做出一些有道德的事。一旦成為有德之人，做事自然合乎規矩；如果僅僅做幾件有德之事，有朝一日我們也可能反其道而行之。

德行論的目標和立意符合人們的實際生活狀況。在現實生活中，大家眼中公認的「好人」也會偶爾做「壞」事，這啟發我們，成為有德之人需要一輩子不斷修練。

（二）效益論

效益論存在的問題是：計算效益太困難。以修建高速公路為例，也許對大多數人有利而獲得支持，但可能給少數人造成相當大的困擾和利益損失。且時空條件改變後，是否仍對大多數人有利也不好確定，需要精準的計算。

美國當代哲學家約翰．羅爾斯（John Rawls，1921 – 2002）提出「無知之幕」（the veil of ignorance），當我們要制定法律時，必須對所有與法律相關的人完全「無知」。譬如，規劃高速公路的路線時，設計者不能考慮自己親朋好友的損失，必須對相關資訊完全「無知」，就像被帷幕遮蔽一樣，如此才能消除自然的偶然賜予與社會環境的機遇。

「自然的偶然賜予」如人出生具有不同的性別；「社會環境的機遇」如人有窮困、顯達之分。因此，立法中應對男性、女性、富人、窮人一視同仁，不能有偏私之心。

「無知之幕」是一種理想，現實社會中，很多少數民族具有獨特的傳統，不可能無視其種族、語言、信仰和生活習慣而為其規劃，否則會忽略少數民族的特殊要求。

（三）義務論

義務論存在四個問題：

1. 若道德自律的要求是「為自己立法」，則在經驗上與理論上皆不可能。

在實際生活中，人不可能完全自行其是，不考慮社會上大多數人的意見。同時，理性為自己立法，完全不承認其他任何權威，這在理論上也做不到。

2.「道德行動者為自律的」，如接受此說，已非自律；不接受此說，方為自律；其中有矛盾。

3. 人生充滿矛盾、掙扎，並非僅靠善良意志可以一言而決。

我們不可能拋開人生的一切現實條件，僅憑自己具有善意就認為自己完全正確。這使我們聯想到明朝學者王陽明的「致良知」之說，「致良知」更清楚的說法為「完全憑善良的動機」，但這樣能保證做出的行為一定全對嗎？如果兩人都出於善良的動機，當兩人有矛盾和衝突時，究竟誰的行為是正確的而具有道德意義呢？

將善良意志做為唯一的善，很可能流入主觀唯心論。一個人會自以為是，認為自己做事純粹出於善良動機，絕不考慮利害關係，這樣的想法未免太過冒險。

4. 一個人因義務而行善，可以完全不考慮效果嗎？

討論倫理學的問題，如行為善惡的判定、行善避惡的理由、道德問題的來源等，不宜採用排除法，在德行論、效益論、義務論中只選一種，而應綜合三派之優點，合理運用。譬如，在自我要求方面採用德行論，不斷修養自己，孔子亦如此主張；與人來往時，因為自身的時間與資源有限，不能不考慮行為的效益；同時要注意自身的義務，使行動出於善良的動機。

十三世紀蘇格蘭經院哲學家司各脫（John Duns Scotus，1265 – 1308）對「善」的定義頗具參考價值，他認為一個行為是善的，必須具備以下四個條件：

1. 行為是自由的，而非被迫的。
2. 在客觀上是善的，即合乎禮儀與法律，為眾人所認可。
3. 出於正當的意圖，即出於真誠之心。
4. 以正當的方法來做，不可不擇手段。

該定義顯示出人間問題的複雜性，判斷一個行為的善惡絕不是那麼簡單的。行動必須出於善良的動機（真誠由內而發），必須採取正當的手段，兼顧社會的通行規範，最後還應設法追求對大家都有利的結果。司各特對「善」的定義是對本章討論的補充，可以使我們對道德問題的認識更加完整。

第七章

存在主義的形成

浪漫主義之後

存在主義（Existentialism）是二十世紀西方風起雲湧的哲學思潮，對人類社會產生了重大影響，反映了人類在這一歷史階段的特有心態。

在西方哲學的發展史中，一般以黑格爾去世的一八三一年做為近代哲學結束的標誌。西方文化有明確的發展階段：十五世紀文藝復興，十六世紀宗教改革，十七世紀科學革命，十八世紀啟蒙運動，十九世紀浪漫主義運動。

浪漫主義運動的出現有三個背景：

1. 唯物論浪潮席捲整個歐洲，從費爾巴哈（L. A. Feuerbach，1804 – 1872）到馬克思（Karl Marx，1818 – 1883）主義，造成物質化觀念。

2. 科技發展造成整齊化結果。

3. 宗教信仰依然存在，但影響外在化。

十八世紀的啟蒙運動以理性至上，十九世紀的浪漫主義運動是針對啟蒙運動而發起的反動思潮，有三點特色：

1. 以豐富的生命整體取代單調的理性分析與概念架構。

2. 要重視人的整體生命。人有理性與意志，但也有感受力與想像力，詩歌與藝術更能表達人的生命特質。

3. 個人的獨特性脫穎而出。開始注意到出類拔萃的「天才」人物，進而探索人類的內心世界。浪漫主義代表人物歌德說：「即使科學家所構想的實在界，也是出於他的心靈，歸根結底也是象徵性的。」科學研究雖以物質為基礎，但對宇宙或人生的認識，仍是透過人的理性思考配合人的情感表現而得來的。

黑格爾之後，思想界形成左右兩派：左派將黑格爾的「絕對唯心論」完全翻轉為「辯證唯物論」，不再以「絕對精神」解釋宇宙萬物的發展，而是倒過來以物質基礎、經濟條件做為人類思想發展的基礎；右派則繼續追求精神層次的表現。

與黑格爾同時代卻與其針鋒相對的，是比他年輕的德國哲學家叔本華，他的思想受到印度宗教的影響，有創意地提出「求生存的意志」(the will to live) 做為本體。傳統的西方哲學講究理性，至叔本華開始強調「意志」(Will)。

「意志」代表生命力，「我要什麼，我要做什麼」都屬於意志的表現。「求生存的意志」是生命的本質，無論動物、植物還是人類，都要設法生存，都有求生本能。萬物為了自身生存而不惜犧牲其他事物，不同生命之間將一直存在緊張、衝突、矛盾和競爭的關係。這種思想與達爾文的演化論不謀而合，極大地改變了當時思想界的觀念。

叔本華被稱為「悲觀哲學家」，他認為人的本質是「意志」，是無盡的欲望和追求，欲望得不到滿足令人痛苦，一旦滿足又倍感無聊。人生如鐘擺，來回擺盪於痛苦和無聊之間。

叔本華為人生解脫提出兩個方案：一是美感默觀，二是禁欲苦修。

第一種方法是發展審美的直觀。康德之後，審美中強調不應帶有個人利益，而要保持「無私趣」(disinterested) 的態度。當欣賞風景、繪畫時，只有排除想要了解的求知欲和想要得到的占有欲，化解生命意志，才會展現審美情操。第二種方法是宗教信仰，自我收斂、克制欲望，進而修德行善。

叔本華的思想對後代學者，特別是尼采產生了重大影響。

與浪漫主義思潮同時出現的還有心理學革命，以佛洛伊德的深度心理學為標誌。從前的心理學，透過觀察人的外在行為來認識人的內心狀態，把人視為平面，僅有內外之分，而無深淺之分。在美國發展的「行為科學心理學」，則藉由研究動物（如鴿子、白鼠）對刺激的固定反應，試圖了解人類的內心狀況，難免淺顯而粗糙。

佛洛伊德在《夢的解析》一書中，由人的夢境探知潛意識、無意識的存在。人的正常意識僅如冰山一角，讓我們清醒地意識到自己的身分、角色，以及與人相處時如何善盡責任。然而，在冰山的水面以下還有六分之五的體積是我們看不到的潛意識。對於該理論，我們將在審美相關的章節做進一步說明。

進入二十世紀，人類遭遇了空前慘烈的兩次世界大戰，人的生命岌岌可危。在群體性殺戮面前，人只剩下一個作戰編號，死亡僅被統計成一個數字，個人被群體所埋沒，個人生命不知所歸。「存在主義」風潮在此時出現，契合了社會的需要。

談到存在主義的起源，首先要介紹的是被稱為「存在主義之父」的丹麥哲學家齊克果。丹麥的安徒生童話家喻戶曉，丹麥的哲學家則很少見，齊氏的著作在他死後半個多世紀才在西方引起重視。另一位是德國哲學家尼采，他凸顯出人的生命精神。以他們兩人為源頭，西方開展出蔚為壯觀的「存在主義」思潮。

丹麥一哲人

齊克果是丹麥人，只活了四十二歲，他是存在主義的首位代表。齊氏的父親患有憂鬱症，年輕時非常窮困，十一歲起就靠替人牧羊為生，曾在冰天雪地中詛咒上帝的不公，不久卻意外得到遠房姑母的遺產贈予，一下子成了有錢人。這使他的內心常感到惴惴不安，懷疑上帝是否在跟他開玩笑。他結婚後所生的七個孩子都夭折了，只有齊克果活了下來。

齊克果從小受到特別的栽培，接受了最好的古典教育，精通神學、哲學、文學與歷史等人文學科。他的思想早熟而深刻，年輕時熱衷社交活動，由於天資聰穎、口才出眾而廣受歡迎。但他卻經歷了心靈的掙扎與衝突，愈是受到歡迎，他心中愈是焦慮不安，感覺背離了生命的本質，覺得自己十分可恥，二十三歲時曾出現自殺念頭，後來經歷道德及宗教的覺醒。

當時最熱門的思想是德國唯心論，以費希特（J. G. Fichte，1762 － 1814）、謝林（F. W. J. von Schelling，1775 － 1854）和黑格爾三人為代表。齊克果聽過謝林和黑格爾的課，對唯心論哲學非常不滿，認為其儘管建構了系統完整的理論體系，卻忽略了人存在的特殊價值，無法引發生活的熱情。

齊氏還大力抨擊丹麥的基督教（新教）。十六世紀歐洲宗教改革後，基督教（新教）教派林立，丹麥的基督教屬於新教中的一派，成為丹麥國教，與國家政治密切結合。齊氏的父親當過牧師，齊氏對宗教非常熟悉，他認為丹麥的基督教已失去了宗教精神，淪為高雅的人文主義。信仰宗教使人談吐優雅，舉止高貴，但與真誠的人生毫不相干。

齊氏從小患憂鬱症，「從小蚊子到耶穌的誕生都讓我害怕，對我而言，一切都是無法解釋的，而最無法解釋的是我自己。」人活在世上常常會問，這一切究竟是怎麼回事？我現在真的活著嗎？或者人生如夢，醒來發現一切皆空。很多敏感的心靈都有類似體驗。

齊氏說：「我的生命不能離開神，我就像是為神服務的特務，我必須調查存在與認識是否一致，基督王國與基督宗教是否一致。」人用理性認識的人生與實際的存在狀況未必一致。譬如，有人將「人生以服務為目的」做為自己的口號與理想，但實際生活中卻不一定做得到，對人生的認識與實際生活脫節，說一套做一套。

「基督王國」指丹麥將基督教定為國教，成為信仰基督教的國家，但其是否為真正意義上的基督宗教，是否具備宗教應有的超越世俗的表現？如果兩者不一致，將產生宗教世俗化的問題。

譬如，天主教總部設在梵蒂岡，位於義大利首都羅馬西北角高地，千餘年來，義大利一直以天主教為國教。二十世紀後期[156]，時任教宗宣布天主教不再做為義大利國教，理由是以天主教為國教並未使義大利人的道德明顯高於他國、犯罪率明顯低於他國。因此，宗教應與政治分開。

基督宗教創始人耶穌曾說：「凱撒的物當歸給凱撒；神的物當歸還給神。」[157]（馬太福音，22：21）「凱撒」指國家的政治活動，應依照法律維持社會秩序，使百姓安居樂業，國泰民安。但除了世俗世界之外，人還有精神世界，宗教信仰使人對自己的生命負責，刻苦修行，朝向生命的完美境界發展。人生本來就由兩部分組成：一方面是在世界上與他人共同生活，盡自己的力量為社會服務；另一方面還要照顧自己的靈魂。

齊克果希望重返宗教的原始狀態。天主教創立伊始並未與社會政治產生衝突，做為國家公民，人應善盡義務；做為宗教信徒，人應好好修行。兩者並行不悖。

齊氏強調在面對上帝時，每一個人都是個人，人們可以一起上教堂，卻不能一起得救。若要得救，每個人必須為自己的行為負責，與神明建立直接的親密關係。否則，宗教就成為一種社會活動，與組織俱樂部、合唱團無甚分別。

齊克果的說法凸顯出生命的個體性，真正存在的是每一個人。他開啟了存在主義思潮，「存在」一詞從此成為特殊的哲學術語，「存在」不是名詞，而是動詞。每個人必須藉一連串的抉擇來塑造自己，選擇有自我特色的生活方式，否則等於「存而不在」，等於放棄了自我存在的價值。這種觀念對後繼學者產生了深遠的影響。

西方哲學中固然有學院派，自康德之後，不少學者在大學任教，他們高談闊論，建立了偉大的理論架構，卻脫離了真實的人生處境，對現實人生幫助有限。然而，存在主義特別關注人的存在處境，可以給人生以深刻啟發，特別值得我們加以重視。

絕望是致死之疾

齊克果的思想對現代人深富啟發性，他非常清醒地意識到，人生在各種世俗價值的衝擊下會產生「絕望」的心態。

十三世紀義大利作家但丁的代表作《神曲》分為三個部分：天堂、地獄和煉獄。其中地獄的門上寫著「進入此門者，當放棄一切希望」，地獄就是沒有希望的地方。

人活著應該抱有希望，但如果一個人聰穎敏感，目光長遠，將會發現人生豈止缺少希望，簡直是令人絕望。齊氏認為「絕望是致死之疾」，絕望有三種：

---

156 一九七八年，義大利政府取消天主教做為國教的地位。一九八四年，義大利政府與梵蒂岡教廷又簽署新協定：天主教不再做為義大利國教，相關規定（如教育、婚姻）也做了相應修改。但絕大多數義大利人仍信仰天主教。

157 法利賽人設計陷害耶穌，問他：「可否給凱撒納稅？」若耶穌說不可以，他們就要在羅馬人前控告他；若說可以，必得罪百姓和法利賽人。耶穌識破他們的惡意，讓他們拿一個銀錢，問：「這肖像和這名是誰的？」他們回答是凱撒的。於是耶穌說出：「凱撒的，就應歸還凱撒；上帝的，就應歸還上帝。」

（一）不知道有自我

即隨俗浮沉，從小到大完全聽從他人安排，從未想過自己是什麼樣的人，容易羨慕或崇拜他人。人在年輕階段極易崇拜偶像，看著偶像在舞臺上光彩奪目，夢想自己也能如此成功。這在心理學上稱為「心理投射作用」，即把偶像做為自己的依靠，把自己的生命投向他。

不久之後就會發現，再怎麼羨慕別人，自己都不可能變成所羨慕之人。人的生命最可貴之處是我與別人不同，要找尋自己的人生之路，勇敢活出自我。

（二）不願意有自我

人由於內在自我反省，發現了自我與別人不同。然而在找尋自我之路上，因為人的軟弱，努力半天也無法取得成功，於是選擇逃避。

人生最簡單的願望是永恆，我現在存在，就希望一直存在；目前擁有，就希望一直擁有。得而復失會讓人心生彷徨，無所適從。人生好像飛速旋轉的陀螺，我們終生忙碌，飛快旋轉，最後發現仍然停在原地。如果無法掌握永恆與普遍，則自我的真正價值亦無法把握。

（三）不能夠有自我

生命中的成就終將瓦解，過去的一切終將消散。我們在小學階段拿了許多獎狀，每一次領獎都很得意，上了中學就會發現，這一切如過眼雲煙。長大後幾次搬家，什麼都找不到了。這些榮譽都是別人給的，是外在的，可有可無，與我的本質沒有直接關聯。要想真正成為自我，避免絕望，必須為自己的生命找到可靠基礎。

第一種可能的基礎是德行。然而修德行善，幫助他人，成為好人，這一切的基礎何在？如何保證自己能夠堅持到底？儒家強調

「擇善固執」，當「固執」需要用生命來交換，還能堅持下去嗎？付出高昂代價後，如何保證能獲得更有價值的東西？

另一種基礎是對人生的信念。我是否相信有永恆的力量做為一切的基礎？人活在變化生滅之中，很容易發現所有的東西都靠不住，一切東西逝去就不再回來，沒有什麼可以把握。

齊氏說：「所有的絕望都有一個公式，即對自己絕望，並在絕望中想要擺脫自己。」為何會對自己絕望？我們不論取得多大成就，只要對比就會發現，歷史上成就超過自己的人何止千百。曾經沾沾自喜的成功，很快就會在時間中褪色，化成一場春夢。人生的一切好似奠基於流沙之上，極易被外來的浪潮席捲吞沒。

想在絕望中擺脫自己，又能去哪裡？應設法找到穩固的基礎。齊氏說：「要取消絕望，要設法連繫真正的自我，同時使自己得以立足於信仰之上。」由此，信仰成為了重要題材。對於齊氏來說，宗教信仰，特別是他認為最純正的基督宗教，永遠是他的最後一線希望。

人生自古誰無死，面對死亡這一關，人生所有的勇氣和熱情都要放下。奮鬥究竟是為了什麼？人只能把握可能性，而可能性一旦實現，又出現了無限的可能性。因此，人生有無可靠基礎就成為關鍵所在。

齊氏形容自己常有眩暈之感，好比面臨無盡的深淵，心中不知何去何從？是向前跳躍，還是站在懸崖邊慢慢等待？等待固然也是一種選擇，卻不會有結果。齊氏身處劇變的時代，反映了那個時代的普遍心態。

在齊克果的觀察中，人有如住在「地下室」中，不見天日，只能在身體與心智的有限範圍內打轉，想往上走，卻不能肯定上面是否另有一個世界。人並未察覺在地下室之上，還有一間完整的房子，那是精神提升後的世界，因而難免陷於憂鬱和絕望：不知有自我、不願有自我、不能有自我。接下來，齊氏將進一步描述人生三種不同的層次。

勇敢地躍過去

齊克果所有著作背後的基本預設是，人生有三個層次：1. 感性層次；2. 道德層次；3. 宗教層次。

（一）感性層次

感性層次常被誤譯為「審美層次」，希臘文中「感受」與「審美」（aesthetics）的字根相同，任何審美感受都不能脫離人的感性能力，人如果沒有視覺、聽覺、觸覺等感性能力，則不可能有藝術上美的創作。

齊氏真正的意思是指「感性層次」，即「今朝有酒今朝醉」的生活態度，只求當下滿足，不談道德要求與宗教信仰。此階段的特色是「外馳」，即：

1. 沒有責任感。只活在當下，無法連接過去、現在和未來。

2. 沒有反省性。反省必須向內，以自我為基礎，感性層次則消解自我，不做內向反省。

3. 只有瞬間存在。不做任何選擇，現在有什麼就是什麼。

感性階段的人生態度以享樂為主，當下開心快樂最為重要，只有「量」而沒有「質」的問題。在飽嘗一切又厭倦一切之後，依然覺得饑餓，最後難免陷入莫名其妙的不安和憂鬱。

人在年輕階段常活在感性層次，無法建立人與人之間的責任，只要快樂就去做，想要什麼立刻就要得到，最後難免覺得憂鬱和絕望。此刻面臨絕望，好比在瀰天大霧中站在懸崖邊上，猶豫是否要跳過去。也許前面就是萬丈深淵，跳下去會粉身碎骨。

（二）道德層次

一旦進入道德層次，將突破個人的封閉世界，進入與他人互動的世界。人可以接受責任與義務，昨天的承諾今天要兑現，今天的行動明天要負責。人不再活在當下，而是在過去、現在、未來的時間之流中連續發展。

此階段的特點為「內求」，「自我」開始出現，生命變得完整而有目的性。人要設法超越「自我」的執著，懂得別人與我一樣也是值得尊敬的主體。此階段不再以感受來決定好惡，而是以理性來判斷道德責任，這顯然是更深刻的存在領域。

道德階段的主要問題是「自以為義」，即相信自己是正義的，肯定道德的無上價值，但忽略了人的根本軟弱，沒有能力達到完全的道德要求。我們不應嘲笑別人失足犯錯，因為我們可能沒有受到真正的誘惑。當別人擁有相同的教育資源和生存環境時，可能表現得更加優異。

進入道德階段，一方面我們可以與他人合作建構有道德的社會生活；另一方面我們雖沒有犯法，卻無法自覺無罪。在社會上看到有人犯罪，總感覺與自己有關，我們在社會上占據了好的位置和生存環境，別人則失去了相應機會，此刻又面臨「跳躍」的關頭。

（三）宗教層次

齊氏將宗教層次分為宗教A和宗教B，此階段的特點是「依他」。

1. 宗教A為內在的宗教。

人自覺生命有限，需要尋找無限的基礎，於是設法與神明建立關係，但神明的基礎是人的內在性。代表人物是蘇格拉底，他透過思考發現了自己的無知，於是從自我主體出發，設法尋找永恆，但問題是沒有問永恆是什麼。

很多人不信仰宗教，卻有類似情懷，當發覺自己的生命並非永恆時，會以宇宙的力量或意識為基礎。然而，對齊氏來說，這仍不夠理想。

2. 宗教B指基督宗教。

兩種宗教的差別是：內在宗教的重點在人，由人界定人神關係；基督宗教的重點是永恆的神，核心在於弔詭（paradox），即自相矛盾的人或事，似是而非，似非而是。譬如，耶穌是人還是神？基督宗教中將人與神這一矛盾概念置於耶穌一個主體身上。又如，耶穌死而復活，又將死與活放在一起。

信仰是違背理性的，是接受荒謬的行動。任何一種信仰中總有冒險成分，要接受與理性相悖的成分。然而，弔詭使不可能變為可能，能夠協調矛盾，屬於信仰中最深刻的部分。

齊氏將人的生命分為三個層次：處於感性層次的人順著自然生命的要求，只求耳目的愉悅，滿足當下的快樂，沒有過去與未來；處於道德層次的人可以連繫過去、現在和未來，經營人類共同的生活，具有道德意識，但容易「自以為義」，且這種正義缺乏最後的基礎；處於宗教A，即內在宗教層次，從自我的需求出發，去尋找外在的力量；而最高層次為宗教B，即基督宗教層次。

齊氏認為，一個人如果不信仰宗教，則與死亡無甚分別，做為一個人，就要做一個宗教的信徒。我們可以將「宗教」做更廣義的理解，宗教是與人的力量不同的層次，是人類生命的來源與歸宿，由此可獲得更為開闊的視野。

選擇做自己

齊克果十分強調「主體性真理」。

「真理」一詞在古希臘文中的意思為「揭開來」，好比真相被蓋子蓋住，只有揭開蓋子才能發現真相。我們從小接受了很多先入為主的觀念，好比蓋子遮蔽了我們，只有揭開蓋子，才能發現真理。

後來「真理」（truth）一詞也用於客觀事物的真假判斷上。如「外面正在下雨」是真是假，只要到屋外看一下，很容易得到驗證。又如，究竟是太陽繞地球轉還是地球繞太陽轉，哥白尼和牛頓改變了人類的觀點並得到了驗證。這種真理被稱為「客觀真理」，與人的實際生活關係不大。

與「客觀真理」相對的是「主觀真理」，譯為「主體性真理」則不易引起誤解。主體性真理與個人生命直接相關，它的力量可以改變人的整個生命型態。齊氏認為「真理是一個人願意為它而活、為它而死的理念」。

人最容易忘記自己，我們按照廣告宣傳和時尚風潮，選擇吃什麼、去哪裡玩、看什麼電影、關注哪些新聞，從早到晚有多少時間能夠注意自己真正需要的是什麼？如果不知道自己在追求什麼，有什麼東西值得付出代價、值得犧牲，怎可聲稱自己發現了真理？

對齊氏來說，真理無異於信仰，「你怎樣信仰，就怎樣生活」。齊氏反對當時的丹麥基督教，他看到基督教牧師、信徒的外在表現與世俗之人並無二致，一樣勾心鬥角、貪贓枉法，差別只是每週日到教堂懺悔，離開教堂則依然故我。他認為，一個教徒不能靠言語，而應靠行動表現內心的虔誠，展現宗教的力量，否則信與不信無甚分別。

信什麼並不重要，如何信才真正重要。一個人是相信上帝，還是相信宇宙的力量、涅槃的境界，這是個人的選擇，擁有信仰後可以真正改變個人的生命才是關鍵。

齊氏對「存在」一詞重新加以界定。太陽、月亮、桌椅等外在事物只是在那兒，它們沒有選擇的可能性，因而是「存而不在」的。齊氏所謂的「存在」是個動詞，只針對個人而言，「存在」是選擇成為自己的可能性。

如果一個人自己不做選擇，只按照別人的要求生活，等於存而不在，多一個我，少一個我沒有差別。「我」有三種選擇：設法選擇成為自己，選擇不成為自己，或不選擇成為自己。只有選擇成為自己才是真正的「存在」。

如果明知非己所願，按老闆、老師、父母的要求，心不甘、情不願地做事，就是「選擇不成為自己」，自己只是別人的工具而已，本身沒有存在的價值；或者發現選擇成為自己要負責任，讓人膽顫心驚、身心疲憊，於是「不選擇成為自己」，即齊氏所述三種絕望中的「不願意有自我」。這些都屬於「存而不在」。

選擇成為自己會令人感到憂懼，憂懼並非害怕，因為它沒有明確對象，而是面對可能性的憂懼。選擇成為自己意味著多種可能性，人生不能重來，一旦選錯，又該如何是好？

齊氏說：「個人向著一個無法完全理解，也不能一勞永逸實現的目標前進，因而一直處於變化之中，必須藉一連串的抉擇來塑造自己。」因此，選擇成為自己不是一次性、一勞永逸的，必須持續選擇，堅持下去，任何一個選擇均會有連帶的後續選擇出現。

如此等於把自己「投入」到我的選擇中，讓我對某一目標託付自己（self-commitment），即獻身於某一目標，而目標能否達成則不得而知。這樣的目標不是外在的，世界一向如此，太陽東升西落，但當我做出每一個選擇時，真正改變的是內在的自我。

當選擇成為自己，會發覺自己面對無限的可能性，可能性愈多，愈讓人感到憂懼。存在永遠是個挑戰，我們必須一直保持高度警覺，隨時注意自己是否受到別人的影響，是否忽略了自我的責任，是否向現實妥協而放棄了原則。這一系列問題始終會令一個真誠的人感到困擾。

齊氏用畢生的著作希望讓人知道，人的生命與萬物不同，個人的生命是獨特的，個人生命的價值在於可以選擇成為自己，可以「存在」，只有主體性真理才會改變人的存在狀態。

「存在」、「真理」、「信念」、「憂懼」等詞語逐漸連成一套思想架構，後繼學者由此出發，發展出各具特色的思想，稱為「存在主義」。

小牧師不信神

尼采是一位極具個性的哲學家，他面對生命的態度對後代「存在主義」啟發甚大。

尼采是一位著名的無神論者，曾宣稱「上帝已死」，但對照他的生平會發現巨大反差。他出生於德國新教（路德教派）的牧師家庭，其曾祖父、祖父、外祖父、父親皆為牧師。他從小非常虔誠，綽號是「小牧師」，可以用讓人感動落淚的表達方式背誦《聖經·箴言》與《聖詠》。

尼采念中學時，希臘文極佳，但數學不及格。在他二十五歲尚未取得博士學位時，他的希臘文學老師就推薦他到瑞士巴塞爾（Basel）大學擔任古典語言學教授。歐洲大學教授職位設置極少，一個系只設兩、三位教授，尼采的希臘文功底可見一斑。然而他的教學並不成功，三十五歲就因病辭職，四十五歲精神失常，五十六歲去世，生命的最後十年都在精神病的折磨中度過。

尼采對人類思想的影響之大，跨越百餘年而未曾褪色，至今仍被廣泛討論和研究。尼采的第一部作品為《悲劇的誕生》（*The Birth of Tragedy*），原名為《從音樂精神誕生的悲劇》。

影響尼采思想的背景因素有：

1. 希臘悲劇：希臘悲劇啟發尼采：要對生命說「是」，肯定生命的一切能量，「要對大地忠誠」。希臘悲劇中，當人的生命面對命運的挑戰時，不管世俗的規範如何，人都要採取對自己負責的態度。尼采深入發掘希臘悲劇精神，並以其做為出發點，著實令人讚嘆。

2. 達爾文的進化論：尼采批判「物競天擇，適者生存」之說，他認為在現實中，低劣平庸者為多數，會團結起來淘汰優秀者，這在人類社會中表現得尤為明顯，多數的平凡人用各種規定約束傑出之人，讓他們無法成為真正的強者。達爾文的進化論啟發尼采提出其標誌性的「超人」[158]觀念。

3. 叔本華「求生存的意志」：叔本華肯定「世界的本體是求生存的意志」，萬物都在努力設法活下去，人可以用審美的無私趣態度和宗教的禁欲苦修做為補救。尼采認為這樣做是對生命說「不」，生物往往冒著生命危險而採取行動，因此更根本的東西是「求力量的意志」（the will to power）。「力量」（power）並非指政治權力，而是指人的生命力在努力擴張自己的影響力。

4. 尼采對基督宗教的強烈批判：他認為基督宗教推廣的是「奴隸道德」，讓人謙卑順從、等待恩賜。他要弘揚的是古希臘時代的「主人道德」，由肯定自己開始，以高貴為善，以卑鄙為惡，別人對我好，我對別人更好，絕不占人便宜。別人送我鐵製的生日禮物，我一定回送銅製的；別人送我銀製禮物，我一定回送金製的。

尼采的思想與時代格格不入，他教學亦不順利，在希臘文和哲學兩個領域都備受打擊，上課時班上的學生跑光了，他生氣地說：「聽眾是到教室中來吃糖的，真正的哲學家只有在死後才會誕生。」對於柏拉圖、康德等生前即聲名鵲起的哲學家來說，這句話也許並不適用，但對於尼采本人倒很適合，他的思想在其死後才產生了廣泛的影響。

尼采年輕時崇拜戲劇作曲家華格納（W. R. Wagner，1813－1883），視其為德國的埃斯庫羅斯[159]，是振興文藝的希望所在。尼采曾在其第一部著作《悲劇的誕生》的序言中特別向華格納致敬，但最終兩人徹底決裂。尼采發現，華格納晚年時漸趨保守，與王權妥協，與宗教妥協，成為虔誠的基督徒和禁欲主義者，後來還走譁眾取寵路線，使一八七六年的音樂節變質為嘉年華會。他認為，真正的悲劇精神應引發個人內心對生命影響力的強烈追求，為生命打上個人的烙印，與世俗的風氣徹底決裂。

尼采四歲喪父，家中全為女性，包括祖母、母親、兩位姑母和妹妹。他的妹妹對他幫助很大，曾幫助編輯出版他的作品，但也有人批評她改變了不少原始材料。

尼采由於情感受挫，所以對於女性的許多言論令人無法忍受，但我們更應關注尼采提出了哪些值得我們深思的精采觀點。

158 超人，德文Übermensch，英文Overman。
159 埃斯庫羅斯，希臘悲劇的第一位代表。

上帝死了

尼采宣稱「上帝已死」，從表面看來像是在開玩笑，他真正想要表達的是：歐洲人的道德已腐化而趨於瓦解。歐洲人的道德原本奠基於宗教信仰之上，而此時宗教已名存實亡。

西方經歷一千三百餘年的中世紀，一向以基督宗教做為道德的基礎。一個人之所以行善避惡，是因為信仰基督宗教，相信人死後會受到上帝的公平審判，善惡有報。

著名的天主教傳教士利瑪竇在四百多年前來中國傳教，曾寫信給羅馬教宗：「中國許多讀書人不信仰我們的上帝，但有很高的道德水準。」西方人如果不信仰上帝則談不上道德問題，西方社會至今仍面臨一項重大挑戰：如果不信仰上帝，死後一片虛無，人為何不可為所欲為？

中國人不信仰全知、全能、全善的上帝而有道德，是因為中國有儒家思想。但是，儒家思想也可能變成一種教條，人們遵守一套固定的行為規範，彼此禮尚往來，內心卻缺乏真誠的情感，從而演變成一種高雅的人文主義。

尼采生活的十九世紀後期，西方世界一片漆黑。一般認為中世紀是西方的「黑暗時代」，但如果從人的生命是否展現精神層次的光輝、人是否擁有靈性探索來看，中世紀有明確的宗教信仰，人們可從事靈修活動，並非一般人想像的一片黑暗。

近代歐洲經歷了十八世紀的啟蒙運動、十九世紀的浪漫主義運動，至二十世紀上半葉，兩次世界大戰均發源於歐洲，整個歐洲陷入了虛無主義的困境。尼采早在十九世紀後半葉已經預感到歐洲的虛無主義危機，他說「哲學家是文化的醫生」，哲學家可像醫生一樣提早診斷文化的病症，否則一旦發作則回天乏術。

「上帝已死」，因此需要「重新估定一切價值」(Transvaluation)，人類社會生活所依賴的真、善、美等價值，都需要重新予以估定。

從前的價值建立在宗教信仰的基礎上，現在價值瓦解，上帝只是一個虛構的名稱而已。尼采在《快樂的科學》(The Gay Science，或譯做《歡愉的智慧》)[160]一書中寫道：有一個人大清早提著燈籠到市場上，別人笑他：「怎麼大白天提著燈籠？」他說：「怎麼是白天呢？上帝死了，你不覺得一片漆黑嗎？」

上帝死了，整個地球失去了重心，人類無法了解生而為人有何意義。從前人們靠信仰《聖經》上的真理來理解人生的意義，如今人們失去了信仰，眼睛雖看到陽光，心靈則一片黑暗，一切都飄忽不定。

尼采的話讓人震撼，上帝究竟是怎麼死的？他說：「是我們把上帝殺死的。」人們信仰上帝後，卻把上帝關在教堂裡，依舊過著世俗的生活，甚至比沒有信仰的人表現得更壞，因為信徒可以利用懺悔為自己的惡行留下後路。

西方以黑手黨為題材的電影（如《教父》）常會提及義大利西西里島，島上居民全部信仰天主教，但黑手黨實施有組織的犯罪，殺人越貨而毫不在意，因為宗教給人們懺悔的機會，做壞事後只要及時懺悔就可高枕無憂。宗教懺悔的本意是給人們改過遷善的機會，結果反被壞人所利用，令人性的弱點肆無忌憚地表現出來。

尼采的話很刺耳：「教堂難道不是上帝的墓碑嗎？我們聽到的不是上帝的安息曲嗎？」世上多是虛偽的信徒，真正背叛基督宗教的就是基督徒，真正背叛佛教的就是佛教徒。

160《快樂的科學》卷三第125節，一八八二年出版。

「真正的基督徒只有一個，就是死在十字架上的。」尼采所指的就是耶穌，他認為歐洲其他的基督徒都是假的信徒、虛偽的信徒。尼采以一己之力向整個時代和整個社會宣戰，我們難以想像這需要多麼大的勇氣。他清楚地看到：人性的弱點扭曲了信仰宗教的正確態度。

成為真正的信徒絕非易事，真正的佛教徒若效法釋迦牟尼，則應拋棄世間的榮華富貴，沿門托缽，乞討為生。力有未逮至少也應保持原則：要有施捨的精神，在世而不屬於世。

耶穌曾對門徒說：「駱駝穿過針的眼，比財主進神的國還容易呢。」（馬太福音，19：24）他的說法未免過於誇張，如果說「駱駝毛穿過針眼」，至少還有可能，否則財主根本不可能進天國，這樣的宗教就只有窮人相信了。

「上帝死了」並非尼采的特別發現，這句話說明歐洲的價值觀瓦解了，需要重估一切價值。人們誠然可以有這樣的覺悟，但之後也不知道該怎樣做才能符合尼采的要求。

哲學史上有一個笑話：「尼采說上帝死了，上帝說尼采瘋了。」尼采確實瘋了，他的生命最後十年都在精神病院度過。時至今日，尼采的思想依舊充滿了震撼人心的力量，其中更值得我們注意的是他的「超人思想」。

超人是大地的意義

尼采所謂的「超人」[161]，並非美國電影中的Superman。「超人」的德文為Übermensch，英文譯為Overman，意為「走過去的人」，這是一種象徵的說法。

尼采受到達爾文進化論的啟發。進化論認為「物競天擇，適者生存」，宇宙萬物都在緩慢演化中，所有生物之間都有關聯性，生物由簡單趨於複雜，以「機體突變」的方式演化。

真正具有目前人類理智表現的人種，有據可考的歷史僅兩萬年左右，兩萬年前的人類遠祖能否被稱為「人」仍是個問題。然而，宇宙已存在了一百多億年，兩萬年前出現的人類絕不是演化的終點，現有人類可能進一步演化而出現「超人」，這是合理的思維。

從實際演化過程來看，從前稱霸地球的恐龍現今早已滅絕，同屬靈長類的猩猩被人類關在動物園裏，或被限制在野生動物保護區中。幾萬年後，現有人類也有可能被更高級的物種所超越，可能也會像猩猩一樣被關在某個地方。

尼采的「超人」不是一個進化論概念，他受進化論的啟發，強調人類是尚未完成的生命。「人是懸掛在深淵之上的繩索，是介於動物與超人之間的一條繩索」，必須從繩索這頭走到另一頭。人已經走過了動物階段，未來要靠不斷修練，走過繩索而成為超人。前進的過程充滿危險，可能中途墜入深淵而粉身碎骨，能否走過去也不得而知；然而，止步不前同樣是一種危險。

我們每天都要做出選擇，我們應該問自己：今天是否比昨天增加了一點屬於自己的生命特色？如果每天都在循環往復，都在按他人的指示生活，我們何時能夠決定前行？

「超人」的概念有些抽象，尼采舉例，超人就是「帶著基督心靈的羅馬凱撒」（凱撒的世間成就加上耶穌的精神境界），或者歌德與拿破崙的合體。

161「超人」一詞出自古希臘諷刺作家路西安（Lucian，約120－180）的《超級人種》（*Hyperanthropos*），以及歌德的《浮士德》卷一。

拿破崙（Napoléon Bonaparte，1769 － 1821）在一八一〇年前後征服德國，引發了德國人對法國文化的崇拜，不少德國人都想學習法語。德國哲學家費希特（Fichte，1762 － 1814）發表了十四篇《告德意志國民書》，提醒德國民眾：如果法國人有什麼榮耀，我們德國人一樣也有，德國人的祖先日爾曼人與法蘭克人一樣偉大；法語的高明處，德語一樣也有。他鼓勵德國人要有自我革新的精神，充分展示內在的自我，從而提振了德國人的精神。

歌德的智慧和才華在當時的歐洲是無與倫比的，是德國人的光榮和驕傲。拿破崙武功蓋世，歌德文采斐然，世界上怎會出現完美結合兩人優點的人物？可見尼采心目中的「超人」是個極高的目標。

「超人是大地的意義」是尼采的標誌性格言。「大地」指「地球」，「意義」指「理解的可能性」，大地上的萬物與人類為何存在？當超人誕生之際，我們才會理解，原來地球上芸芸眾生的存在只是為了讓超人能夠出現。

今日社會中，世界級影星、歌星、運動員或諾貝爾獎得主常被喻為「X國之光」云云。光代表光明，可以照亮黑暗，如果沒有他們的傑出表現，眾人好似生活在黑暗之中；當他們表現出世界級的水準時，我們才能理解：原來我們平凡人幾十年沒沒無聞，辛勤耕耘，讓社會正常運轉、教育不斷發展，目的就是為了這些傑出人物的出現。他們的出現，就像光明照亮了我們。

這種想法不免可怕而殘忍，難道一般人的生活沒有意義嗎？難道我們不能照亮自己的內心和生活嗎？難道平凡人只能做為陪襯和背景而已嗎？我們將目光聚焦在少數傑出人物身上，難道他們真的值得做為光明嗎？以運動員為例，運動生涯充其量不過十至二十年，巔峰過後，他們終會回歸平凡人生，晚年生活還可能極為不堪，明星、歌星更是如此。現代社會推崇的人物，顯然不是尼采所謂的「超人」，但尼采的「超人」思想很容易被人如此誤解。

尼采認為「每個人都可以成為超人」，一個人應該充分發揮身體和心智兩方面的潛能：身體方面，體能卓越，要對生命說「是」，展現強者姿態，有本事盡力爭取，手段如何是次要的；心智方面，要有高貴的道德，真正的「超人」是自己的主宰，自己給自己下命令。

「超人」思想是相當複雜的觀念，尼采的真正用意是：鼓勵每一個人不要虛度此生，要展現生命的特色，發揮身心的潛能，最終脫胎換骨，成就超凡自我。這給「存在主義」哲學家以極大啟發。

求力量的意志

尼采思想中的一個重要觀念是「求力量的意志」（the will to power），常被譯為「權力意志」，使人誤以為「在政治上謀求權力」。Power指的是「力量」、「影響力」，「意志」一詞來自於叔本華「求生存的意志」（the will to live）。

人行道上種植的樹木，樹根會慢慢突破磚塊的壓力而隆起；平日弱不禁風的小草，常常頑強地從牆壁的石縫中長出，讓人不禁感慨生命力的頑強。宇宙萬物無時無刻不在表現其生命力，擴充其影響力。

叔本華認為世界的本體即是「求生存的意志」，尼采則以為不然。很多生物為繁衍下一代可能犧牲自己，它們並非求生存，而是求力量的延伸，表現其生命力的延續，因而「求力量的意志」更為合理。

宇宙萬物，特別是人的生命，普遍表現出追求力量的現象，很多人依附強者，目的正是對弱者顯示力量。「求力量的意志」可用於說明許多人生經驗。

然而人也極易忽略「求力量的意志」，造成個人生命的萎縮，表現為以下幾種現象：

1. 語言：在語言中喜歡使用普遍概念，如形容自己或別人「勇敢」，但沒有兩個人的「勇敢」是一樣的，抽象的概念無法精確表達個人生命的特色。當然，不使用語言，人與人之間亦無法溝通。

2. 規則：根據星座、屬相、生辰八字或血型等通用規則去界定自我，亦將流於空泛而忽略個人的獨特性。

3. 成功：由外在成就來肯定自我的內在價值，即「用價格決定價值」，僅關注外在的頭銜、身分、地位，而忘記內在自我的特色。

4. 回憶：回憶中通常會過濾不好的東西，好比捨棄不滿意的照片，只保留自己最光鮮亮麗的一面，其實真正的自己未必如此美好。每個人在回憶錄中都會描繪自己的豐功偉績，好像這個領域離開自己就不能獨自存在一般。

5. 認識自己的途徑：透過別人了解自己，常詢問別人對自己的看法，你覺得我外表美嗎？表現得謙虛嗎？念書夠用功嗎？別人出於禮貌而客套應答，未必是別人的真實想法。

尼采通過上述五點說明人的自欺是普遍現象，人們忘記自己，造成「個人的消解」，使原本「獨特的自我」成為某一類人、某一群體、某一種人。

也有人將「求力量的意志」理解為：一旦得到某種政治權力，就以為自己可以縱橫捭闔、得君行道。尼采認為這些都是偏差的想法。

真正的「求力量的意志」是要不斷超越自我，使「現在的我」與「過去的我」不同。尼采說：「我只喜歡用血來書寫的作品。」只有自己有深刻的體會，才會有用心良苦的作品問世。古人在艱難困苦中鑄成的作品與春風得意、一揮而就的作品，其分量截然不同。即使是天縱英才，亦需要不懈的努力。

真正的「求力量的意志」是要擴充自我的影響力。每個人在人際交往中都會有意無意地表現這樣的本性。這樣的意志是否有進一步的發展？尼采恐怕會給你澆一盆冷水。尼采做為無神論者，認為宇宙是封閉的系統，系統中能量不滅，由此提出「永恆復現」（Eternal Recurrence）的觀念，即現在所經歷的一切，每隔一段時間（可能上千年、上萬年之久）會重新出現。

這種觀點令人窒息，難道今生辛苦困頓，過幾萬年還要重來一次，面對一樣的人，做一樣的事，說一樣的話？你並不知道過去發生過同樣的事，也很難想像未來如何發展。尼采真正想要表達的是：在封閉的宇宙中，只能接受「永恆復現」之說。

尼采有一句話很生動：「愛你的命運。」我們一生都希望自由選擇，總以為自己是自由的，其實一切都是被決定的，一切皆在重現過程中，這就是人的命運。對於重複循環的命運，即使討厭它，它仍會發生；還不如肯定當下，接受命運，除了愛自己的命運，別無他法。

尼采思想中有內在的矛盾，他一方面鼓勵每個人發揮身心的一切潛能，讓自己告別過去，不斷創新，走過繩索，成為超人；另一方面他又指出，在封閉的世界中，你不可能有別的可能性。如此一來，人到底該何去何從？

面對虛無主義的浪潮，如果不甘心被吞沒，我們唯一能夠把握的只有熱情。我們必須始終保持警覺的態度，充分發揮自身的潛能，不斷探尋生命的可能性。這是尼采思想給我們的啟發。

精神有三變

尼采最廣為人知的作品是《查拉圖斯特拉如是說》[162]（*Also sprach Zarathustra*），該書為哲理散文。

查拉圖斯特拉三十歲時，覺得世界無聊而汙濁，便一個人上山修行。修行十年，得到很多啟發和覺悟，有一天他對太陽說：「你偉大的天體啊，如果沒有你所照耀的人們，你有何幸福可言？」說完他就下山了，要將他的心得與人類分享。

書中富有啟發性地提出「精神有三種變化」：第一變成為駱駝，第二變成為獅子，第三變成為嬰兒。

一變為駱駝，就是聽別人對你說：「你應該如何！」

駱駝是「沙漠之舟」，可以接受傳統的要求，忍辱負重，默默前行。駱駝的特點是聽別人對你說：「你應該如何，你應該如何！」這與年輕人的情況類似。我們從小接受父母和老師的教導，遵守家庭和社會的規範，不斷被人要求「你應該如何」：做人應該循規蹈矩、開車應該遵守規則、走路應該靠右、見到長輩應該鞠躬問候……我們只能接受才能融入社會。

二變為獅子，就是你對自己說：「我要如何！」

獅子是「萬獸之王」，顯示出大雄無畏的精神，成為獅子就是對自己說：「我要如何，我要如何！」年輕人到大學階段不再願意接受別人的單向灌輸，開始獨立思考自己的人生方向。「我要如何」代表自己負責，並願意承擔隨之而來的責任。

很多人不願負責，寧可放棄選擇的權利。譬如在填報大學志願時讓父母決定，父母出於好意和對社會的認識，往往願意代勞，孩子將來成績不好就會抱怨，「是你們非讓我念這個專業的」。

即便父母真的尊重孩子的個人意願，一個十八歲的高中畢業生並不一定知道自己的興趣所在。通常孩子只是偶遇一個出色的人，眼睛一亮便起而效法，真正就讀後才發現自己對這個領域並不感興趣，這無異於浪費生命。然而統計發現，大學科系合乎個人志願的很少超過一半，畢業後工作符合個人興趣和能力的也不到一半，人生往往就是陰錯陽差。

因此說「我要如何」之前，一定要先了解自己，即古希臘德爾斐神殿上的話——「認識你自己」。處於駱駝階段反而輕鬆，別人要求「你應該如何」，我們只需遵令行事，出了問題可以推卸責任。而成為獅子，說「我要如何」，則必須了解自我，謹慎選擇，自主負責，因為時間一去不復返，很多機會一旦錯失則不再重現，很多選擇一旦確定就無法回頭。

美國詩人羅伯特．佛洛斯特（Robert Frost，1874 – 1963）在其詩作《未選擇的路》[163]（*The Road Not Taken*）中，將人生的選擇比作進入森林的兩條路：一條路很多人走，看來安全可靠；另一條則少人問津。請問，你會選擇哪條路？

很多人會想，先選很多人走過的路，至少比較容易和安全，哪天發現不適合，再回頭也不遲。然而，一旦邁開腳步，會發現路前還有路，只能不斷選擇，一路前行，永遠無法回頭。人生很多時候沒有重來一次的機會，人生的抉擇對每個人來說都是很大的挑戰。

162　查拉圖斯特拉是古代波斯先知，拜火教創始人，他的名字也常被譯為蘇魯支或瑣羅亞斯德。

163　作於一九一五年，最初收錄於他的第三本詩集《山間》（一九一六）中。

三變為嬰兒，就是肯定：「我是！」

嬰兒對自己說：「我是！」（德文為Ich bin，英文為I am），英文、德文中用「現在式」表示「永恆的現在[164]」，表明嬰兒永遠是新的開始，永遠充滿希望，充分肯定當下的一剎那。

事實上，除了當下這一剎那，我們還能肯定什麼？過去的早已過去，回憶追思也於事無補；未來的還未到來，幻想憧憬也無濟於事。人所能掌握的只有現在，每一剎那都是全新的開始，這種想法給人以無窮的力量。

很多古聖先賢都對嬰兒加以肯定。孟子說：「大人者，不失其赤子之心者也。」[165]（《孟子．離婁下》）老子說：「為天下谿，常德不離，復歸於嬰兒。[166]」（《老子》．第二十八章）耶穌說：「讓小孩子到我這裡來！不要禁止他們，因為在天國的，正是這樣的人。」（馬太福音，19：14）

《查拉圖斯特拉如是說》中這篇簡短的寓言極富啟發性，人的精神可能有這樣三種變化。我們一生無法避免成為駱駝，總有人告訴你「你應該如何！」譬如，生病時就要聽醫生說「你應該如何」，而不能一意孤行。很多時候我們可以變成獅子，說：「我要如何！」自己選擇道路，人生亦將隨之改變。但記得最後要回歸嬰兒，每一剎那都是全新的開始，永遠都有希望和無限的可能性。

《莊子．逍遙遊》中描寫北冥之魚「鯤」如何化身為「鵬」，扶搖而上九萬里，於高空自在翱翔，所指正是人的精神可以提升轉變而臻於化境，這與尼采的說法有異曲同工之妙。

以下附錄佛洛斯特的詩，以供參考。

未選擇的路

羅伯特・佛洛斯特

黃色的樹林裡分出兩條路，
可惜我不能同時去涉足，
我在那路口久久佇立，
我向著一條路極目望去，
直到它消失在叢林深處。

但我卻選擇了另外一條路，
它荒草萋萋，十分幽寂，
顯得更誘人，更美麗；
雖然在這條小路上，
很少留下旅人的足跡。

那天清晨落葉滿地，
兩條路都未經腳印汙染。
啊，留下一條路等改日再見！
但我知道路徑延綿無盡頭，
恐怕我難以再回返。

164《聖經・舊約・出埃及記》第三章第14節中，摩西問上帝的名字，上帝回答：「I AM WHO I AM」，我是自有永有者，即用「現在式」表示「永恆的現在」。

165 譯文：孟子說：「德行完備的人，不會失去他嬰兒般純真的心思。」參見《人性向善：傅佩榮談孟子》，天下文化出版

166 譯文：做為天下的僕役，就不會離開恆久的德，再由此回歸嬰兒的狀態。參見《究竟真實：傅佩榮談老子》，天下文化出版。

也許多少年後在某個地方，
我將輕聲嘆息將往事回顧：
一片樹林裡分出兩條路，
而我選擇了人跡更少的一條，
從此決定了我一生的道路。

憂患生智慧

一九四六年法國哲學家沙特[167]（Jean-Paul Sartre，1905－1980）撰文《存在主義是一種人文主義》（*Existentialism Is a Humanism*），意在澄清大眾對存在主義的誤解，存在主義並非離經叛道，而是一種人文主義。

在西方語境中，「人文主義」一詞使人感覺溫暖而正派，基本立場是以人為中心思考萬物的價值，一般遵循康德設立的標準：不能只把別人當手段來利用，同時也要尊重別人是一個目的。

沙特將「存在主義」劃分為兩派：一派為有神論，以德國的雅士培[168]（Karl Jaspers，1883－1969）和法國的馬塞爾（Gabriel Marcel，1889－1973）為代表；另一派為無神論，以德國的海德格（Martin Heidegger，1889－1976）和沙特本人為代表。

文章甫一發表，另外三人立刻與沙特劃清界限，聲稱自己不是存在主義，至少不是沙特所謂的「存在主義」。因為「存在」是「選擇成為自己的可能性」，每個人要各說各話，絕不可能有共同立場而成為某種學派。將某人列入「存在主義」，正好否定了其做為存在主義哲學家的身分。

本節先介紹年代稍早的雅士培，他是德國人，一生中經歷過三大考驗：

（一）自幼即患「先天性心臟病」，一生都處在死亡的陰影下

雅士培身體孱弱，必須規律作息，極少出席社交場合。他在瑞士巴塞爾大學教書的二十年間，僅參加過一次課外活動，即觀看學生演出的一場話劇。然而他對教育的熱忱非比尋常，一有機會就演講教學，被尊稱為「日爾曼導師」。他一生處於死亡的陰影下，不知生命何時結束，這讓他體會到活著是一種機會。

（二）受哲學系同事排擠

雅士培在海德堡大學先學法律，後念醫學，也旁聽哲學課程，對大學的哲學教授心生反感，認為他們講的都是學院派的教條，知識建構、宇宙形成和形上學等學問與實際生命完全脫節。他在其代表作《大哲學家》（*Die grossen Philosophen*）中分別介紹了中國、印度和西方的多位哲學家，他非常重視哲學家如何把他的思想與實際生活相結合，進而產生特別的言行表現。

（三）受納粹迫害險些喪命

納粹統治期間（1933 － 1945）有計劃地迫害猶太人，第一批先抓捕殺害夫妻都是猶太人的家庭，第二批迫害丈夫是猶太人的家庭，第三批則是妻子是猶太人的家庭。雅士培因為妻子是猶太人而上了黑名單，所幸納粹敗亡，二戰結束，他才逃過一劫。

上述人生遭遇使雅士培體會到「界限狀況」，即人生中碰到某種臨界點，一旦越過這些臨界點，生命狀態將完全不同。

哲學家探討問題，一般注意三個方面：自我、世界以及做為兩者基礎的上帝。雅士培的哲學受到康德的啟發，他說：「我的生活

---

167 又譯為：薩特。

168 又譯為：雅斯貝爾斯。

受《聖經》與康德的指導，使我與超越界可以保持關係。」

《聖經》在西方家喻戶曉，是每個基督徒的必讀之書，它透過各種故事描繪的圖像畫面，使人受到薰陶和指導，了解為人處事的基本原則。

康德哲學通過四個問題步步深入。康德的第一個問題是「我能夠知道什麼」，他發現人的理性只能認識現象，不能認識本體，自我、世界和上帝不可知，但不可知不代表不存在。他通過第二個問題「我應該做什麼」，為本體問題的解決留下了後路。

「應該」與道德抉擇有關，當我從事道德行為時，必須肯定：1. 我是自由的；2. 靈魂不死；3. 上帝存在。

生前的善惡報應不可能圓滿完成，這是客觀事實，因此靈魂在死後必須繼續存在以接受適當的報應。同時，只有全知與全善的上帝才能做出公正的裁決，故上帝必須存在。

康德的思想使我們認識到：人無法從理性上了解上帝是否存在，然而一旦從事道德行為，則必須肯定上帝的存在，否則「德福一致」、善惡圓滿報應就不可能實現。人的生命之外有更高層次的存在。

雅士培生平遭遇非常獨特，同時他受到了正統哲學教育的影響，使得他的思想極具特色。有趣的是，雅士培與德國另一位著名的存在主義哲學家海德格都十分推崇中國的《老子》。雅士培從小身體柔弱，非常喜歡《老子》中「堅強者死之徒，柔弱者生之徒」[169]（第七十六章）這句話，認為像水一樣柔弱才能流動不已，符合生命的特色。他透過中國典籍的德文譯本，較好地理解了孔子和老子的思想，並將研究心得寫入《大哲學家》一書。

上述就是雅士培的生命和思想的背景。

向上提升之力

雅士培的思想除了受到康德的指導外，還受到齊克果和尼采的啟發，他宣稱自己的思想是「存在哲學」。雅士培認為：

1. 人若僅以理性尋找安身立命之道，最後難免陷入虛無主義的深淵。

人類使用理性思考，最終將會發現沒人可以回答「人從哪裡來，要到哪裡去」的問題。如果訴諸科學，人類至今仍無法確定宇宙起源究竟符合「黑洞說」還是「爆炸說」。即便發現了宇宙起源的祕密，也依然無法告訴人們，生命究竟該往哪裡去。

2. 人的生命特色決定了人不能只靠「理性」，還要注意到「存在」。

「理性」與「存在」是兩個對立的概念。一方面，人具有「純粹理性」，可透過抽象思辨獲得概念，從而建構知識；另一方面，人必須注意「存在」的特色，「存在」是個動詞，需要主體的投入，即選擇成為自己。今天如何生活、如何與他人互動就是存在的抉擇。

3. 齊克果與尼采體現出奮鬥不懈、追求最後真理的勇氣。

齊克果最後投入基督宗教的懷抱，這啟發雅士培：不管是否信仰宗教，宗教都明確指出了什麼是「超越界」。尼采肯定「永恆復現」，體現了生命面臨抉擇時所需要的勇氣。

雅士培的思想顯示出明確的形上學傾向，即探討所有問題時一定要問：最後的本體（根源）是什麼？人從哪裡來，要到哪裡去？

---

169 譯文：堅強的東西屬於死亡的一類，柔弱的東西屬於生存的一類。參見《究竟真實：傅佩榮談老子》，天下文化出版。

宇宙從哪裡來，要往哪裡去？這些問題的答案就是最後的本體。

雅士培建構的哲學有三重任務：世界定向、存在照明以及對超越界的追求，與康德的世界、自我和上帝這三大本體完全對應。

（一）世界定向

「世界定向」就是將世界定位，將世界和人連繫在一起，有人類存在的世界才是真正的世界。如果從純粹客觀的科學角度觀察世界，這個世界難以捉摸。科學家承認：我們能觀測到的物質僅占世界總體積的百分之四，暗物質和暗能量占世界的百分之九十六，人類迄今對世界的了解仍相當有限。然而，人是「在世存在者」，有人類存在的世界才有意義，這種想法並非主觀，因為在浩瀚宇宙中，沒有人類存在的星球，談不上意義的問題。

（二）存在照明

「存在照明」所針對的是人的自我，雅士培要用哲學照亮真實生命的特色。人的生命可分為三個層次，可以不斷自我提升。

1. 人的生命是可經驗之物。人與桌子、椅子、貓、狗沒有什麼差別，人也是宇宙萬物之一，有本能、衝動和欲望，可做為客觀研究的物件。

2. 人除了做為可經驗之物以外，還有意識本身。意識本身使我們從個人特色提升到人群、人類的特色。每個人有其個性，一個群體則有其共性。個性與共性有時混在一起，但至少表明人的存在兼具個性與群體共性兩部分。

3. 更高的層次是人的精神。精神的特色是每個人都追求與整個人類合為一個整體。

雅士培亦強調人的自由，並將自由分為以下四種：

1. 認知的自由：在自由選擇之前，必須先了解有哪些選項可供選擇。認識得愈多，自由的可能性愈廣泛。

2. 任意的自由：即隨心所欲，不可預測。如別人猜我吃麵，我偏要去吃水餃。

3. 自主性的自由：自由本身也等於法則，即康德強調的「自律」，理性為自己立法，行事有自己的原則，不受他人的控制和支配，只有「自主的法則」才具有道德意義。

4. 抉擇的自由：存在主義所強調的「自由」就是抉擇，並承擔隨之而來的責任。

雅士培說：「當我自由對一樣東西採取態度時，就是對自己採取同樣的態度。」譬如，對人友善就是對自己友善。這與康德的觀念一脈相承 ——「做任何事情，必須願意使我的個人行為準則成為一個普遍的法則時，我才去做。」如果侮辱別人的同時不准別人侮辱自己，就不合理。

這種觀念類似於中國儒家經典《大學》中的「絜（ㄒㄧㄝˊ）矩之道」[170]，我不喜歡我的老闆、長官如何待我，我就不用同樣的方式對待下屬；我不喜歡前面的人如何待我，我就不用同樣的方式對待後面的人。中國哲學雖然缺少康德般深入的探討，但很多觀點仍不謀而合。

（三）超越的追求

雅士培的思想中經常出現又很難翻譯的一個詞叫「統攝者」。在「現象學」[171]部分，我們談到了認識的「地平線」（horizon）。我們認識的世界有一定範圍，範圍之外的部分我們無從了解，但可通過學習不斷擴展認識的地平線。

---

170 原文：所惡於上，毋以使下；所惡於下，毋以事上；所惡於前，毋以先後；所惡於後，毋以從前；所惡於右，毋以交於左；所惡於左，毋以交於右；此之謂絜矩之道。

171 參見本書第二章「現象學」的相關部分。

人生在世，不管掌握多少知識，擁有多少生活體驗，自己的生命仍然局限在小小的地平線範圍之內，地平線之外一定有更為廣闊的世界。所謂「學然後知不足」，世界之外一定存在著超越一切、包圍一切的「統攝者」做為基礎，稱為「超越的境界」（簡稱「超越界」，Transcendence）。

雅士培的思想十分深刻，呈現出令人嚮往的境界。

人生的界限

我們在日常生活中，按部就班，規律作息，與人互動，一切事情好似平淡無奇。只有當遇到「界限狀況」時，我們才會注意到個人生命的存在問題。雅士培認為，人會面臨以下四種界限狀況。

（一）生理上的界限（老、病、死）

當一個人衰老、生病、性命垂危之際，便會明顯體驗到生理上的界限狀況。有一位同學在考試前發生車禍，在醫院的病榻前寫信給我說：「到了醫院我才開始思考人生意義的問題。」單憑這封信就可以給他打九十分。

對年輕人來說，活力充沛、生機無限、開心度日，何必去想痛苦、罪惡、死亡的問題，既提不起興趣，又缺乏經驗。一旦遇到生病、受傷等界限狀況，我們很容易感覺到生命的脆弱和有限，這時就會問自己：這一生到底是怎麼一回事？

有些人很了不起，生理上可以承受一般人難以忍受的痛苦。《三國演義》中，關公為毒箭所傷，刮骨療毒，面不改色，談笑風生，旁人為之驚駭不已。法國作家蒙田《隨筆集》中記載，羅馬時代兩軍交戰，一個士兵去刺殺敵軍將領，行動失敗而被捕。當被押至敵軍營帳刑訊逼供時，他二話不說，將手放到取暖的爐火中，直到別人求他，他才收回烤焦的手。敵軍被他的勇敢所折服，於是兩軍展開和談。

歷史上有諸多類似故事，都說明人的身體可忍受生理上的痛苦，但不能忽略的是：沒有人可以超越最後的死亡。死亡之後的問題則是宗教探討的範疇。

（二）心理上的界限（生離死別和罪惡）

我們常說：「黯然銷魂者，唯別而已矣。」[172] 風平浪靜的生活中，突然遭遇生離死別，往往讓人傷痛不已，這種痛苦甚至超過生理上的痛。

另一種心理界限則是面對罪惡時人性的軟弱。《聖經・新約》中，保羅（St. Paul）說：「我所願意的善，我反不做；我所不願意的惡，我倒去做。」（羅馬書，7：19）說明人是非常軟弱的，根本禁不起誘惑，極易陷於罪惡的淵藪。

譬如，很多學生平日表現得積極而陽光，考試時則鬼鬼祟祟，總想作弊多得幾分。我們時常會遭遇心理上的界限狀況，使自己的內心蒙上陰影：平日認定自己道德高尚，為什麼關鍵時刻每每心懷不軌？我們到底算不算正人君子？到底能承受多大誘惑？我們並非比別人意志更堅定，只是尚未面對難以抗拒的誘惑而已。我們不僅根本無法達到對自我的期許，而且還相距甚遠。

（三）倫理上的界限（善惡報應）

善惡有無報應是最基本的問題，如果沒有報應，人為何要行善避惡？人生在世，行善避惡是因為相信：善惡到頭終有報，不是不

172 出自南朝文學家江淹的《別賦》。譯文：最使人心神沮喪、失魂落魄的，莫過於別離啊。

報，時候未到。但何時會報、報應是否公平則不得而知。很多人信仰宗教就是希望得到圓滿的答案，獲得至高無上的正義。

在人間維持倫理價值實屬不易，「從善如登，從惡如崩」[173]，行善避惡等於選擇了一條艱難的道路，即便無人發現，仍要堅持前行。道德問題是對自我負責，是自我內在的期許，是自己必須面對的，不能考慮他人是否了解和關注。

（四）靈性上的界限（人生意義問題）

西班牙哲學家烏納穆諾（Miguel de Unamuno，1864 － 1936）說：「從小就有人嚇我，說死亡之後要接受審判，地獄多麼可怕，可聽久了就習慣了；真正令我感到害怕的是，死亡之後是完全的虛無。」

如果人死如燈滅，什麼都沒有，那麼一生拚搏奮鬥、犧牲各種享樂、努力實現價值就都是一場夢，是一場騙局。

在靈性層面上「這一切到底是有還是無？」一百年前沒有我，一百年後沒有我，一百年在宇宙的歷史長河中也只是彈指一瞬。那麼，我對個人的修養，對人生的理解，對未來的信念，這一切都是真的嗎？

這四種界限狀況，使人意識到界限之外「統攝者」的存在。雅士培說：「人體認到自己雖是有限的，但他的可能性卻似乎伸展到無限，這一點使他自己成為一切奧祕中最偉大的。」

人是一個極其特別的「奧祕」，古希臘三大悲劇家之一的索福克勒斯曾說：「宇宙萬物之中，沒有比人的存在更值得令人驚訝的。」

人是身體與心靈的複雜結合，宇宙萬物中只有人類具有這樣的條件。雅士培的「可能性」是指「選擇成為自己」，每一個人都可以選擇讓自己成為好人或是壞人，兩者之間的差距，不可以道里計。

解開密碼

如何理解雅士培所謂的「密碼」？密碼需要解碼，譬如一組數字我們無法理解，但以之為密碼則可打開保險櫃或大門。密碼是一種媒介，我們可將萬物做為媒介，領悟到自身之外的統攝者。

人活在世界上，成敗得失是相對的，得而復失，失而復得，恆處於變化之中。但刹那之間，可能因為某人、某事、某句話、某個畫面讓我深受感動，從而發現真正的自我，這意味著我連通了自身的根源 —— 統攝者。

「眾裡尋他千百度，驀然回首，那人卻在燈火闌珊處」[174]很貼切的表達了這種意境，不經意地回首，猛然發現自己一直向外追尋，卻忘記向內探尋自己的根源何在。

世界上所有的東西都可能成為密碼。譬如印度詩人泰戈爾[175]（Rabindranath Tagore，1861 － 1941）在詩中寫到：「上帝在哪裡？天空裡找不到，深海裡找不到，結果在路邊的小孩哭著呼喚母親時，找到了上帝。」上帝代表愛和盼望。

英國詩人威廉．布萊克（William Blake，1757 － 1827）在《天真的預言》中寫道：「一粒沙裡看世界，一朵花裡見天堂。」一粒沙和一朵花都是平凡之物，但都可以做為媒介與密碼，一旦解開密碼，就可領悟到其背後無限開闊的境界。

歷史上有許多類似的故事，透過密碼，人體驗到整個生命態度

173 出自《國語．周語下》。譯文：順從良善如登山一樣艱難，屈從邪惡如山崩一般迅速。

174 出自南宋詩人辛棄疾的《青玉案．元夕》。

175 泰戈爾於一九一三年憑藉宗教抒情詩《吉檀迦利》（英文版 *Gitanjali*，即《牲之頌》，一九一一年出版）獲得諾貝爾文學獎，是首位獲得諾貝爾文學獎的印度人（也是首位亞洲人）。

的轉變。

奧古斯丁（Augustinus，354 － 430）是中世紀拉丁教父的代表和最重要的哲學家。他年輕時學習文法修辭，成績優異但生活放蕩不羈，後來矢志追求真理，希望找到人生正途。

西元三八六年夏季某天，他在花園中散步，內心搖擺不定，忽然聽到隔壁一個小孩不斷喊著：「拿起來讀！拿起來讀！」於是他翻開《聖經》，恰好讀到：「行事為人要端正，好像行在白晝；不可荒宴醉酒，不可好色邪蕩，不可爭競嫉妒。總要披戴主耶穌基督，不要為肉體安排，去放縱私欲。」（羅馬書，13：13 － 14）他頓悟：生活只有保持清靜，內心才會找到皈依，於是痛改前非，重新做人，最終成為偉大的聖徒。

在奧古斯丁內心彷徨無歸之際，重複乏味的生活不知何時改變，當聽到孩子呼喊的一剎那，他從同時發生的事中體會到內在的關聯，從而產生覺悟。

十六世紀歐洲宗教改革由德國的馬丁．路德首倡，他原是天主教神父，並擔任神學教授。此時天主教嚴重腐化，教皇利奧十世為籌建聖彼得大教堂而公然販賣贖罪券，這令馬丁．路德難以忍受，他苦苦思索：到底宗教要將我們帶向何方？

有一天，馬丁．路德讀到《聖經》中的一句話「我相信罪過可以得到赦免」，忽然之間深受啟發，「因信稱義」（justification by faith）成為他思想的基礎。因信稱義是指：對於信仰神明來說，相信就可得救，是否捐錢行善是次要的，如果沒有信仰，捐錢不過是一種慈善事業。

基督（新）教的改革由此出發，提出三個「只要」（three onlys）：

1. 只要相信就可得救（faith only）；

2. 只要《聖經》就可得救（scripture only）；

3. 只要恩典就可得救（grace only）。

從此，基督（新）教[176]與天主教分道揚鑣。馬丁・路德的經歷表明：關鍵的一瞬間，透過解碼，人們張開了心靈的眼睛，看到了真正的光天化日。

電影中的一個畫面也可構成密碼。有部電影片尾引用了莎士比亞《理查三世》的話：「再兇猛的野獸也有一絲憐憫，我沒有絲毫憐憫，所以我不是野獸。」聞之令人悚然心驚。人不是野獸，卻比野獸還可怕，虎毒尚不食子，人間罪惡卻史不絕書。做為萬物之靈的人類，到底是什麼樣的生命？我們只能稱之為「奧祕」。

雅士培強調，在解開密碼的一剎那，時間接上了永恆。「永恆」是與「時間」相對的概念，永恆即「永遠處於現在的當下」。我們活在時間之流裡，時間一去不復返，每一剎那都不同，每一剎那之間難以聯繫，只有透過理性與存在抉擇的配合，才能設法建立連繫。

一剎那時間接上永恆，意味著我們在一剎那間接通了生命的能源，了解了生命存在的意義。人生在世，各種行為都是生命能量的表現，能量用完時就要接上能源——「統攝者」。我們可以用道家的「道」來類比「統攝者」，「道」是萬物的來源與歸宿，只要人生可以悟道，生命的力量源源不絕，因為我們不曾離開自己的母體和根源。

人的生命變化生滅，看似渺小，如果透過適當的接引，接通了生命的根源，則可顯示出近乎無限的力量。

176 基督教又稱為反對派或更正宗，即更正天主教的錯誤。

四大聖哲

雅士培在其代表作《大哲學家》的開頭，介紹了人類歷史上四位堪稱典範的人物[177]，依序為蘇格拉底、佛陀、孔子和耶穌。

將蘇格拉底列於首位，對西方讀者來說十分合理，因為西方人非常了解蘇格拉底的基本立場和行事風格。最能體現蘇氏特色的是「反詰法」，當一個人談論與價值有關的字眼，如勇敢、虔誠、真、善、美等詞語時，蘇氏就會不斷反問：「你說的這個詞是什麼意思？」通過反詰，讓對方不斷澄清概念，逐步發現自己其實並不了解所用詞語的真正含義，從而觸碰到理性認知的底線，意識到自己的無知。真正的智慧不能得自傳授，必須來自主體內在的覺悟。

真正震撼人心的是蘇格拉底之死，蘇氏以七十歲高齡被人誣告，接受五百人公審，被判死刑。對西方人來說，蘇氏受審和從容就死堪稱經典性畫面。蘇氏之死逼我們反思：當面臨死亡的威脅時，還要不要堅持真理？是迎合法官、群眾的要求，還是堅持內心對神明和法律的信念？面臨生死抉擇時，我們應當何去何從？死亡究竟是怎麼一回事？在蘇格拉底的遭遇中，個人的生命被推到極限，逼迫你面對平日不曾深思的問題。

第二位佛陀（Buddha），即佛教創始人釋迦牟尼[178]，他的生平高潮迭起。他本是古印度迦毗羅衛國王子，坐享富貴榮華，二十九歲第一次出城，看到老人、病人、死人和僧人，內心受到強烈震撼而立刻決意出家。他希望為人類解答，生老病死的背後，一切痛苦的根源究竟何在？他在菩提樹下證悟，並將心得與眾人分享。

「佛陀」是梵語的音譯，意為「覺者」。每個人都可能覺悟，覺悟的能力在內不在外。佛陀善於透過各種譬喻來宣揚佛教思想，四十五年間四處說法，最後卻說：「我沒有說過一個字，所有的語言都是方便法門，都是為了引渡眾人看到真相。」真相就是輪迴的世界，一旦覺悟後則不再輪迴而證入涅槃。佛陀的話令人感到平靜安詳，體現了佛教與世無爭的特色。他把世間百態當做人的幻覺，去掉個人的執著，所有問題都會迎刃而解。

第三位介紹了中國的孔子。雅士培是德國人，他透過西方漢學家的翻譯來解讀東方的經典，反而旁觀者清。中國自元朝開始，便以朱熹的《四書章句集注》做為科舉考試的標準答案，所有讀書人了解孔子都要經過朱熹僵化教條的注釋。孔子於是被奉為「萬世師表」，成為高高在上的雕像，所有言論都是不可置疑的教條。

雅士培認為，中國歷史上的帝王專制能夠維持統一王朝與儒家思想有關，因為孔子之後的儒家學者掌握了國家教育工作。司馬遷在《史記・孔子世家》中說：「中國言六藝[179]者，折中於夫子。」孔子「刪詩書、定禮樂、贊周易、修春秋」[180]，保留了古代文獻的精華，編撰了教育的基本材料，後代人藉由學習這些經典，共同塑造了中國文化的特色。

雅士培對孔子的言論做出深刻闡發。他認為，孔子有自己的理想，他招收學生並不斷施以教化，希望從修養自身開始，最終實現社會的安定。雅士培以全新視角重塑了孔子的鮮活形象，使我們重新認識了有血有肉、有情有義的孔子。

第四位介紹的耶穌是天主教的創始人。自他開始，兩千多年的西方宗教史都是以基督宗教（包括天主教、東正教、基督教）為主

177 譯為《四大聖哲》。
178 意即「釋迦族的沉默聖人」。
179 即六經，《詩》、《書》、《禮》、《樂》、《易》、《春秋》。
180 出自《論語集注》，朱熹。

線展開的。

耶穌被人冤枉誣告，年僅三十三歲就被釘死在十字架上。他帶來了重要資訊：世界末日即將來臨，人們必須馬上悔改，是否悔改必須立刻抉擇。古代的傳教者、隱居的先知也曾有過類似言論，耶穌的話之所以受人重視，是因為信徒相信他死而復活。如果耶穌未能死而復活，則一切都無從驗證。

四大聖哲的共同特色在於，他們面對痛苦、罪惡和死亡時所採取的態度。如何克服痛苦與死亡的問題，如何面對罪惡的挑戰，其實正是我們與世界的關係問題。如果人生逃避痛苦、害怕罪惡、迴避死亡，那麼我們將會無法勇敢面對很多事，我們對世界的態度亦會不同。

在四大聖哲身上，人類的經驗與理想被表達到最大限度。在遇到痛苦、罪惡、死亡三大挑戰時，他們共同展示了人的可能性，充分顯示了人格的尊嚴和價值。四大聖哲的生命核心在於體驗了根本的人類處境，並且發現了人類的在世任務。

年輕時讀到《四大聖哲》實屬幸運，它將使我們認識到：人生可能達到何等高度，人生如何面對不幸遭遇。雅士培將四大聖哲列為《大哲學家》之首，顯示了他的獨到眼光，四大聖哲為後代人樹立了生命的典範，值得我們深入學習和效法。

下一章將介紹存在主義發展過程中的幾位重要的哲學家，包括海德格、馬塞爾、沙特和卡繆。

第八章

存在主義的發展

海德格上場

上一章介紹了齊克果和尼采，由於他們生平的特殊遭遇，因而對「存在」有獨特體驗。雅士培透過對中國、印度和西方哲學史上的偉大哲學家進行研究，啟發我們應該如何掌握自身的存在。

海德格（Martin Heidegger，1889 － 1976）堪稱二十世紀西方哲學界最具影響力的人物，他在現代哲學界的地位可謂無出其右者。他是德國人，生於鄉下的天主教家庭，先念神學，後改習哲學，年輕時師從現象學大師胡塞爾，後來的學術成就非凡。

所有存在主義哲學家對現象學都有自己的體會。現象學是對現象加以描述，以掌握現象背後的本質，其字尾「-logy」代表某種學科，來自希臘文logos，原意指「用言語照亮光明」。現象學就是用現象描述的方式，使現象背後的本質自動呈現。

譬如，若想認識一個人的本質，可對其表現出來的現象加以描述。在眾多現象之中，一個人往往具有兩三點個人特色，譬如他對人生的認識，他擁有的「可以為之生、可以為之死」的人生信念，這些就是他的本質。

海德格曾長期擔任胡塞爾的助教，將現象學方法應用得爐火純青。他在學術上何以取得巨大的成就？因為他掌握到根本的問題：「存在本身」是怎麼回事。

「存在本身」這一概念較難理解。我們平常說桌子存在、椅子存在、太陽存在、月亮存在，這種「存在」與存在主義所謂的「存在」是兩碼事。存在主義的「存在」針對的是個人，強調「選擇成為自己」。

然而個人生命是有限的，終究會結束，需要以「存在本身」做為最後的基礎。我們可將「存在本身」對照道家的「道」來理解。

「道」與萬物不同，萬物從「道」而來，萬物恆處於變化之中，可多可少，可有可無，然而「道」永遠不變。由此不難理解為什麼海德格對中國的老子特別崇拜，晚年曾嘗試將《老子》一書重新翻譯為德文版本。

海德格三十八歲時（1927年）出版其代表作《存在與時間》（*Sein und Zeit*；*Being and Time*），該書甫一出版便成為哲學界的經典之一。海德格四十四歲時（1933年）接受納粹政府任命，出任佛萊堡（Freiburg）大學校長，任職期間發現納粹傷天害理，迫害猶太人，第二年便辭職。然而，這一年的校長生涯成為海德格一生中最大的汙點，飽受各界批評。此後他被禁止參加國際會議及出版著作，直到晚年才獲解禁。這樣的遭遇使他埋頭於學術，將存在主義發展到高深境界。海氏這樣描述古希臘哲學家亞里斯多德的生平：「他出生，他工作，他死了。」這也反映了海氏一生平凡而枯燥的教學生活。

他的教學極富特色，在課堂上常常為了一個詞、一句話思考三、五分鐘，臺下的學生屏息以待，認為令如此重要的哲學家沉思良久的話一定非常深刻。有教書經驗的人都知道，說話大多是廢話，真正與思想本質相關的，往往只有幾句關鍵的話。但如果只講關鍵的話，別人也不知所云。比如，《老子》全書八十一章五千餘言，幾乎沒人看得懂，以致世界上注釋《老子》的書多如牛毛。

海德格肯定人的本質是「掛念」。人有意識能力，意識好比張開的網，始終要去把握一些東西，意識從一個焦點切換到另一個焦點，從不止歇，即使晚上睡覺還常因掛念而作夢，一覺醒來立刻就開始了掛念。

他說：「人這個受造物對於世界要照顧，對於別人要關心，對於自己則常有憂慮。」他用精練的詞語表達了人與世界、他人、自己三方面的關係：人是萬物之靈，因此對於世界要照顧；別人與我一樣是人，因此對別人要關心；對自己則常要警覺，我的存在是怎麼回事，我是「存而不在」還是真正「存在」的。

海德格晚年隱居在德國南部的黑森林區，世界各地的學者和訪客紛紛慕名而來，絡繹不絕，令他不堪其擾。後來只要有人按門鈴，海德格的夫人就會開門說道：「請你們不要打擾，我先生在思考。」

海德格是一位標準的哲學家，對許多事情都有明確見解。有一次一位教授帶了一位比丘尼[181]去拜訪他，他說：「很快就接受宗教的話，未免有點懶惰。」他提醒人們：人天生具有理性思考能力，應充分加以運用。海德格小時候信仰宗教，後來則與宗教保持一定距離，但他對神學、哲學的研究均有極高造詣。

海德格在存在主義發展中側重於根源部分，他對於人的實際存在狀況亦有深刻的把握。他對於沙特將他歸為「無神論」的存在主義深表不滿，他認為自己既不屬於有神論，也不屬於無神論，這兩個稱謂都不足以準確表達他的立場。

從時間看人

海德格的代表作是《存在與時間》。「存在」與「時間」兩者究竟有何關係？海德格一針見血地指出：「從古希臘亞里斯多德以來，西方人遺忘了存在本身。」

亞里斯多德是西方重要哲學科目「形上學」的創始者，全世界哲學系的學生都無法繞開這一課題。「形上」的說法出自《易經·繫辭上》：「形而上者謂之道，形而下者謂之器。」[182]「形而下」

指有形可見的物體，如桌子、椅子；「形而上」指有形可見物體背後的原理。如果沒有「形而上」的原理，不可能造出「形而下」的東西。

亞里斯多德生前著述頗豐，他死後一、兩百年，後代學生整理他的遺著時發現在《自然學》之後，有一本書沒有命名，於是取名為Metaphysics，就是指「放在自然學之後」的一本書。Meta表示在……之後；physics古代指自然學（現代指物理學），包括對自然界的物理、化學、生物學等各種現象進行的觀察和研究。

古希臘對「自然」的定義是「有形可見、充滿變化」，在自然界背後則是「無形可見、永不變化」的本體。亞氏哲學的特色是從研究自然界存在的萬物著手，尋找背後做為萬物基礎的本體。亞氏認為自己找到了[183]。

但是這種途徑受到後代學者的質疑。康德認為：人不可能透過研究萬物而找到背後的本體。人由於感官的限制，只能認識現象而無法認識本體。一談到形上學，大家普遍感到晦澀難懂，這是因為「存在本身」是指萬物背後的東西，十分抽象，不易理解。

與之類似，《老子》第一句話「道，可道，非常道」同樣難以理解。不能用言語描述的「道」，才是真正永恆的「道」；可以用言語描述的，都不是永恆的「道」。但不能用言語描述，又怎樣溝通，怎樣讓別人理解？這是很大的問題。

海德格思維敏銳，他說：「按照亞里斯多德的方法，人類找到

181 俗稱尼姑。滿二十歲出家，受了具足戒的女子，稱為比丘尼。

182 譯文：超越在形體之上的就稱為道，落實在形體之下的就稱為器物。參見《樂天知命：傅佩榮談易經》，天下文化出版。

183 亞里斯多德認為本體是「第一個不動的推動者」（the first unmoved mover）。

的不是『存在本身』，而是存在之物的本性。」「本身」與「本性」差別極大。「本性」是一種性質，在探討有形可見、充滿變化的萬物之後，人們想要明白這一切背後的原理或原因[184]。然而，萬物充滿變化，有生有滅，有來有去，最後會發現萬物的本質是虛幻的，萬物是0，再多的0加起來仍然是0。真正的「存在本身」是1，一旦存在，永遠是1，它在本質上與萬物完全不同，無法用言語加以描述。如此一來，海德格完全顛覆了西方傳統「形上學」的研究路線。

海德格特別提及當代科技（Technique）發展的影響，人類使用技術本來意在擴展人的能力，以便更加了解和掌握這個世界，結果科技的發展反過來宰制了人類。科技本是人類能力的延伸，現在科技好像有獨立的生命，倒過來支配人類的存在。

《莊子》中提出真正悟道的人「物物而不物於物」(《莊子・山木》)，即掌握萬物而不被萬物所掌握。人做為萬物之靈，可憑藉理性的認知能力掌握萬物的抽象性質，但人誤以為這些抽象性質是普遍的，可以用來掌握整個世界。結果事與願違，人類反而忘記了自己的根源。

海氏為何要從「存在與時間」出發？因為研究「存在本身」不能再從存在的萬物著手，而要從「提出存在問題的存在者的存在狀態」著手。萬物之中，只有「人」才能提出存在問題。因此首先要了解，人類為什麼會提出存在問題？提出問題後又預設了如何尋找答案。

海氏發現：人類存在的特色是具有「時間性」。人在時間中成長發展，時間飛逝，一去不返，最後生命必將結束，人在面對時間時有種緊張感。海氏的名言「向死而生[185]」給人深刻啟發。人在面對死亡這個最後界限時，不得不認真地問自己：我到底活得夠不夠真誠？我的一生是受人支配、隨俗浮沉？還是真正屬於自己，選擇合乎「存在本身」要求的生活？

由此可見，海氏的構思極為精準，要研究「存在本身」，不再從萬物出發去研究背後的本體，而從「提出存在問題的存在者的存在特色」著手，就是要從「人」的生命特質著手來展開研究。研究人的生命，碰到的第一個問題就是「時間性」。人決不能忘記時間，忘記時間就是忘記人類自己的真相。人與時間有緊張的關係，時間會逼迫自己想要了解：人與「存在本身」到底有什麼關係？這是核心問題。

人是萬物之一，有開始有結束，這是事實。但是只有人會問：「什麼是存在本身？」這表明人的生命具有某種特殊狀態或能力。如果一個人能夠充分把握人類生命的特色，就必然會面對與「存在本身」的關係問題。你和「存在本身」的關係，決定了你這一生對待自己、對待別人、對待世界的態度。如果這一關係未建立好，你的一生只是飄浮在社會的表面而已。

不幸的是，的確有很多人飄浮在表面。他們的生活受到別人的指導，受到廣告、電視、手機資訊的引導，過一天算一天，以為自己的生活充滿樂趣，事實上恐怕早已遺忘了自己，遺忘了自己的根源，也就是遺忘了存在本身。海氏的出發點很有哲學思考的特色。

184 亞氏提出著名的「四因說」，面對物體時，必須考慮它的四因：一、形式因；二、質料因；三、動力因；四、目的因。

185 向死而生 das sein zum tode，是指人是「走向死亡的存在者」。

向死而生

在學習西方哲學的過程中，對同一個概念，每位哲學家都有自己獨特的界定和理解。譬如，從古代到笛卡兒、康德，一直使用「理性」一詞，但對「理性」的界定各不相同。想要學習黑格爾哲學，首先需要《黑格爾辭典》。如果只看黑格爾的著作，以為他使用的詞語是普遍的用法，則會錯過重點。

德國哲學之所以難念，是因為德國哲學家喜歡發明新字，這與德文的特點有關。德文中，可以將幾個字連起來構成一個有明確含義的新字。法國哲學家則不同，從蒙田、笛卡兒、帕斯卡（Pascal, 1623 － 1662）一路下來，形成「文哲兼修」的法國精神主義傳統。法國哲學家普遍具有深厚的文學素養，自柏格森以後，多位法國哲學家獲得了諾貝爾文學獎。

海德格是典型的德國哲學家，他發明了一個新詞叫「此在」（德文 Dasein），用以形容人的特色。宇宙萬物雖然存在，但只是「在那兒」而已；人的生命與萬物不同，每個人都是「此在」。「此」代表在「這裡」，意為「開放」。人處在特定的時空之中，萬物之中只有人是開放的，可以做選擇。

人的開放性與人的意識特色有關，存在主義哲學家對於人的意識特色都很感興趣。人的意識具有特殊的能力，隨時可以肯定它要掌握的東西，肯定的同時就否定了其他東西。譬如，我先想到張三，一會兒又想到李四，想到李四的同時就把張三「存而不論」了；過一會兒又想到了咖啡，這時又把別的東西「存而不論」了。每個人都具有這樣的意識能力，海氏稱之為「掛念」（德文 Sorge）。「掛念」的特色，是人總是「掛念」一樣東西，即使發呆也不例外。

海氏在著作中提到「此在的喪失」，即人喪失了自我，原因有三點：閒談、好奇心和模稜兩可。

（一）閒談

朋友聚會閒談，捕風捉影，談論影星、歌星、運動員的八卦消息，大家津津樂道，添油加醋，難辨真假，這正是孔子所批評的「道聽而塗說，德之棄也。」[186]（《論語．陽貨篇》）《聖經．新約》中保羅說：「人必厭煩純正的道理反而耳朵發癢……偏向荒渺的言語。」（提摩太後書，4：3－4）。

閒談讓人將焦點放在他人身上，最容易使人忘記對自己的關懷，擺脱自我的責任，造成「此在的喪失」。

（二）好奇心

人都有好奇心，小孩睜開眼就會東張西望，留心觀察就會發現，小孩特別容易受到廣告的吸引。一般的談話或戲劇節目有連續性，小孩很難看懂。但廣告是片段，配上悅耳的音樂、動聽的聲音和誇張的表情，特別吸引孩子的眼球。大人也有強烈的好奇心，總想了解今天發生的事件，關注別人身上的新聞，很少反思自己今天過得如何，感覺每天大同小異。

我小學有段時間寫日記，記了一個月便無話可説，後面就寫「同上」。事實上沒有兩天是一樣的。人步入社會後就會發現時間的可貴，過了「今天」就沒有同樣的「今天」。更重要的是，時光飛逝中我是否依然故我？是否還在好奇心的驅使下一路向外，眼睛想去看，耳朵想去聽，好似無根之木，好似水上浮萍？當然，人不能完全沒有好奇心，好奇心也會促成創意。

186 譯文：聽到傳聞就到處散佈，正是背離德行修養的做法。《人能弘道：傅佩榮談論語》，天下文化出版。

（三）模稜兩可

我們時常會在不同立場中舉棋不定，不知何去何從。人生在世無論如何選擇，最後都會發現，早有人走過同樣的路，做過類似的示範，最終結果相差無幾。如果自身沒有改變，怎樣選擇都差別不大。這種模稜兩可的態度，白白消磨了人生的大好時光。

海氏強調，每個人都是此在（dasein），由「此在」變成「存在」（eksistence，原意是走出來）必須選擇成為自己。如何成為自己？他突顯了一個詞，叫「屬己性」（eigentlichkeit）。

我們平時都喜歡講「真誠」，但泛泛地談「真誠」，怎樣證明自己是否真誠？「屬己性」一詞則更為貼切：我做出選擇不是為了別人，「真誠」就是屬於自己，為自己負責，把自己開放，讓「存在本身」透過我來彰顯「存在本身」的力量。

我們都聽過安徒生童話中《國王的新衣》的故事。國王被兩個騙子愚弄，明明沒穿衣服，大家都奉承新衣服漂亮，只有小孩敢說國王沒穿衣服。小孩十分真誠，好像開放的管道，讓「存在本身」透過小孩之口說出事實真相，這就是「屬己性」，即讓自己成為開放的管道，對「存在本身」開顯，讓「存在本身」透過自己顯示出真理或真相。

人活在世界上，與人相處時很難判斷對方的話是真是假，究竟對方是出於客套，表現自己的風度；還是由內而發，擁有真誠的心意？往往真假難辨。

海德格提醒我們，不能再稀里糊塗、莫名其妙地過一天算一天，而要認真面對自己生命的特色，不斷捫心自問：我是否屬於自己，怎樣由「此在」變成真正的「存在」？

推崇老子的西方哲人

海德格於一九七六年過世，那年我剛碩士生畢業，有幸聽到蕭師毅教授講述了他與海德格交往的一段親身經歷。蕭教授在抗日戰爭期間前往德國，負責收集資料，編輯百科全書。他的德文非常好，夫人是德國人。有一天，蕭教授在德國南部的森木市場巧遇海德格，兩人一見如故，交談甚歡。海氏於是提出，希望與蕭教授合作，重新翻譯中國的《老子》一書。

海德格讀過《老子》的德文、法文、英文等多種譯本，發現其中蘊含了珍貴的思想，但這些譯本都不夠理想。海氏認為自己與老子雖跨越兩千多年，但彼此之間深有默契。蕭教授當時是年輕學者，遇到與海德格這位國際一流學者合作的機會，更是歡欣鼓舞。於是兩人約好，每週六下午到海德格家中，在一張大書桌前落座，兩人各坐一邊，邊討論，邊翻譯。

從第一章「道，可道，非常道」開始，到第八章「上善若水」，兩個人就因意見不合而發生爭吵。學者都有自己的堅持，最後海德格生氣地對蕭教授說：「你不懂老子。」蕭教授也生氣地說：「你不懂中文。」懂中文的中國人有十幾億，不一定真正懂老子；但有趣的是，為什麼海德格不懂中文，卻堅持認為自己懂得老子的思想呢？

宇宙萬物雖然存在，卻恆處於變化生滅之中，宇宙萬物的根源究竟何在？海德格一生的關懷是要找到做為萬物基礎的「存在本身」，他認為老子的「道」就是他一直尋找的關鍵。「道生一，一生二，二生三，三生萬物」[187]（《老子》·第四十二章）說明萬物由「道」而來；「反者道之動」[188]（《老子》·第四十章）說明回歸是道的運作方式，萬物最後都會回歸於「道」。一言以蔽之，「道」

是萬物的來源以及萬物的歸宿。海德格對老子心悅誠服，認為老子的思想非常精妙，表現了古人最根本的智慧。

令人遺憾的是，海德格僅翻譯了前八章，不及《老子》全書八十一章的十分之一，如果譯畢全書，一定頗有精采之處。海德格與蕭師毅交往時，請蕭教授用毛筆為他書寫一幅對聯掛在書房中，內容是《老子》第十五章中的兩句話：「孰能濁以靜之徐清？孰能安以動之徐生？」天下紛亂，一片渾濁，誰能在渾濁中安靜下來，使它漸漸澄清？誰能在安定中活動起來，使它慢慢展現生機？

很多人學習道家，都認為要虛靜無為、順其自然，最後什麼都不做，這並不符合真正的道家思想。道家強調智慧開悟和修練過程，絕不是無所作為、全部放開就能得道。海德格以敏銳的眼光發現，真正的道家思想兼顧動靜。

真正的智慧不受時空限制，不受語言文字的制約。莊子說：「如果在萬世之後才遇到一位大聖人能明白這個道理，就好像早上說了，晚上有人了解一樣。」[189]（《莊子．齊物論》）真正的智慧一說出口，就會得到人們的普遍感應，正如《易經．繫辭上傳》引用孔子的話：「出其言善，則千里之外應之……出其言不善，則千里之外違之……」說出的話有道理，那麼千里之外的人也會呼應他；說出的話沒道理，那麼千里之外的人也會違背他。

海德格晚年特別推崇老子的思想，這令我們倍感欣慰；許多華裔學者到晚年也會特別推崇某位西方哲學家（如柏拉圖、康德）：這說明不同文化可以相互欣賞。所謂「當局者迷，旁觀者清」，我們從小生活在特定的文化環境中，對自己的文化特色習以為常，習焉不察[190]，外國人也一樣。海德格指出，西方長期以來在了解「存在本身」時把它當做抽象性質，試圖從存在的萬物中將其抽象出來。然而萬物的本質為虛幻，萬物是0，無論多少個0相加仍然是

0。「存在本身」是永遠的1，它永遠存在，不會改變和消失。

海德格對「真理」的闡釋回到了古希臘的定義alētheia，英文為discover，意為「揭開蓋子」。真理就是「發現」，必須揭開蓋子，才能發現真理。「真理」不是人類的發明創造，因為它一直在那兒，人們先接受了各種成見，使得真理被遮蔽了。

海德格有一句名言：「語言是存在的居所。」(Language is the house of Being.) 意思是「存在本身」就在語言之中，如果希望別人了解「存在本身」就要透過說話。然而說話在開顯的同時也在遮蔽，話說得愈多，可能遮蔽愈多。莊子提到真正的好朋友之間「相視而笑，莫逆於心」(《莊子．大宗師》)，因為他們了解的是「道」，是「存在本身」，彼此相視而笑就有足夠默契。這正是海德格抵達的境界。

海德格強調，真正形上學所探討的不是你們所謂的「存在」，反而是你們所謂的「虛無」。這句話很有啟發性，你認為不存在的東西(即「存在本身」)，反而不受你所謂的「存在」(即宇宙萬物)的限制。它是人的語言文字不能掌握的東西，這完全符合「道，可道，非常道；名，可名，非常名」[191]的說法。

二十世紀重要的存在主義哲學家海德格的思想與中國的道家思想相通，再次證明了人類的智慧超越時空。

187 譯文：道展現為統一的整體，統一的整體展現為陰陽兩氣，陰陽兩氣交流形成陰、陽、和三氣，這三氣再產生萬物。

188 譯文：道的活動，表現在返回上。

189 原文：「萬世之後而一遇大聖知其解者，是旦暮遇之也。」一世三十年，萬世為三十萬年，這是莊子誇張的說法。

190 出自《孟子．盡心上》。原文：行之而不著焉，習矣而不察焉，終身由之而不知其道者，眾也。

191 譯文：道，可以用言語表述的，就不是永恆的道。名，可以用名稱界定的，就不是恆久的名。

孤獨是唯一痛苦

本節要介紹法國存在主義的代表人物馬塞爾，他的父親是位外交官。馬塞爾四歲喪母，從小就有孤獨的體驗，他說：「在我的一生中，母親似乎一直神祕地留在我的身邊。」馬塞爾雖是哲學家，也在大學教書，但研究範圍十分開闊，他熱衷於研究與心理學相關的心電感應，參加過不少有神祕色彩的招魂或靈媒活動。馬塞爾在孤獨、戰爭和信仰三方面的獨特體驗，形成了他思想的出發點。

孤獨：馬塞爾認為：「人間只有一種痛苦，就是孤獨無依。」母親去世後，父親娶了馬塞爾的姨媽。雖然繼母關愛有加，但他無法感受到母愛的溫暖。他從八歲起就開始創作劇本，人物、對話、場景、情節等戲劇元素一應俱全。後來他的文學創作達到極高造詣，與獲得諾貝爾文學獎的法國哲學家卡繆和沙特相比，馬塞爾的作品毫不遜色。為了克服孤獨的壓力，他終其一生都在思考解決之道。

戰爭：馬塞爾一生經歷了兩次世界大戰。一戰期間，由於他身體欠佳，無法出征作戰，只能參加紅十字會，負責回答失蹤士兵家屬的詢問。每天都有人焦急地詢問：「我的兒子一個月沒來信，他現在情況如何？」對於部隊來說，士兵只是一個編號；而對於家屬來說，他們詢問的每一個人都是有血有肉、活生生的人，無論是丈夫、兒子還是兄弟，都是他們最關心的親人。這種經歷使馬塞爾受到深深的震撼。他認為，只有提問題的人可以給出問題的答案，如果被問詢的人毫無同情心，只是例行公事般的做出回答，將忽略人的生命尊嚴和親人的殷切期許。由此，馬塞爾體會到人與人之間存在一種特殊的親密關係，使他不再局限於自我的孤獨經驗之中。

信仰：馬塞爾的宗教啟蒙老師是巴哈（J. S. Bach，1685 －

1750）的音樂〈馬太受難曲〉（Passions）。西方偉大的音樂家大多有深刻的宗教情操，其作品使人感受到神聖的情懷，體悟到生命的根源。馬塞爾在四十歲時皈依天主教，他後期的作品呈現出深刻的宗教情操。宗教信仰，使人的生命可以超越痛苦、罪惡和死亡。

馬塞爾的思想背景有以下三點：

（一）現象學運動

現象學是一種方法，通過描述事物的現象，使其本質得以自行呈現。譬如，想了解什麼是「痛苦」，可以藉由描述人在痛苦時表現出的現象，如哭喊的聲音、扭曲的表情或反常的動作，使痛苦的本質慢慢自行呈現。

（二）存在主義風潮

馬塞爾與海德格同年出生，但背景完全不同。二戰期間，德國是侵略國，法國是被侵略國，法國首都巴黎曾一度被德軍占領。

馬塞爾的存在主義主要關注的問題是：人的生命本質到底是什麼？中國哲學注重人際互動的實踐和效果，馬塞爾做為法國哲學家，非常重視人與人之間情感的交流互動，令中國讀者倍感親切。馬塞爾不願去研究純粹的哲學理論，比如探討知識有效性的知識論和探討本體的形上學，他擅長以戲劇及隨筆體裁表達他的哲學觀念，內容生動而發人深省。

馬塞爾的代表作《形上日記》並非一般的日記，他在日記中除了記錄生活中觀察到的現象之外，還不斷探討現象的背後是什麼，即「存在本身」是什麼。他發現人的存在有以下特色：

1. 在世界上的存在。人與世界的關係非常密切，即使世界很難被了解，但是人不能脫離世界而獨立存在。

2. 同別人一起存在。這也成為了馬塞爾的哲學術語。一個人不可能獨自存在，只有團結合作才能使一個人的生命不斷成長，人的發展不能脫離人與人之間的相互關係。存在主義強調個人生命的抉擇，但絕不能因此而忽略了世界和他人。

（三）宗教信仰

西方自羅馬時代開始，一千多年來，基督宗教一直做為西方文化的基礎，相當於西方的「國學」。西方文化以宗教信仰做為道德的基礎，這也留下很大的隱患，正如杜斯妥也夫斯基所言：「如果沒有上帝，人為何不可以為所欲為？」如果道德成為某種抽象概念，人們做壞事時只考慮不要被抓就好，整個社會將面臨崩潰瓦解。

馬塞爾關於宗教信仰的觀念非常積極，他認為，我與「你」來往，「你」不只是你，你背後有一個「絕對的你」，即上帝。上帝的存在是彼此真誠互動、互相期許、信守承諾的基礎。如果沒有上帝，人與人之間只是個別相處，無法保障彼此之間的理解和信任。

馬塞爾的思想特別關注人際互動的品質，為人際關係的良性發展提供了可能途徑。

為什麼不重要

談到馬塞爾的思想，有兩組相互對照的詞頗能體現他的思想特色。

（一）是與有

「有」代表擁有、占有。與人來往時，我們常常關注別人「有」什麼，會問別人「有」什麼頭銜、身分、資產或權力；也喜歡炫耀自己「有」什麼，我有房子、車子……人活在世界上，都在設法擁有更多，以為只要我「有」更多東西，別人就會尊重我、肯定我，我「有」的東西代表我的價值。

但是人們普遍忽略了一點，「有」什麼不等於「是」什麼。「是」代表內在，即我有的東西與我的內在本質有什麼關係。「有」代表外在，外在愈多，內在往往愈少；擁有的愈多，真正「是」的愈少。

譬如，我擁有很多財富，有房子、車子等各種資產，每天必然花費大量精力關注我「有」的東西，哪裡還有時間關心真正的自我，恐怕根本忘了自己「是」誰。有的人的名片要折兩折，上面寫滿了自己的頭銜和履歷。然而，擁有再多的頭銜和偉大的經歷，也無法表明你「是」什麼樣的人，你的人品如何，是否值得交往。

存在主義有句名言：「擁有就是被擁有。」（To possess is to be possessed.）擁有的愈多，愈難以擺脫外在的束縛，擁有財產如此，擁有名聲權位亦然。一個人享有聲譽，他會隨時注意自己的名聲，希望得到他人的肯定和稱讚。如此一來，生活像是作秀，難有片刻時光真正屬於自己。久而久之，甚至以為我就是我「有」的東西，反而忘記了自己「是」什麼樣的人。

我們和擁有的東西之間，關係有深有淺。譬如，我有一張剛買的書桌，如果朋友喜歡，我會毫不猶豫地送給他；如果是一張用了十年的書桌，則難以割捨而倍感珍惜，因為它與我之間有了更深的關係。我在擁有一樣東西的過程中，慢慢與它產生了深刻的關係，使它不再是一個普通的物件，而成為對我有特殊意義的紀念品。

某人有一支手錶是祖先留下的傳家寶，如果小偷把它偷走，對於小偷來說就是一支舊錶，兩百塊錢就賣掉了；但對於手錶的主人來說，可能願意花更多的錢將之贖回，因為這塊錶與他之間有特殊的關係，對他而言意義非凡。

人活在世界上，要不斷問自己：我擁有的東西與我內在的本質是否有關聯？如果有關聯，那麼這件東西對我來說就有特殊意義。人性的特色在於，如果未經內在的付出，對任何外在的東西都不會建立深刻的關係。如果別人送我一輛名車，由於是別人給的，我不會特別珍惜；但如果是自己辛勤工作三年才攢錢買的車，肯定視若珍寶。

（二）問題與奧祕

什麼是問題（problem）？當一輛車有問題，我們會找人來修，修好之後問題消失。「問題」一定預設了某種合理的解答，答案一旦出現，問題就消失了。

然而人不一樣，屬於人類的問題永遠不會消失，人本身就是問題的製造者，沒有任何現成的解決方案，因此人永遠是一個奧祕。

我們常說「老年問題」、「青少年問題」、「孤兒問題」，這樣的表述並不準確。拿「老年問題」來說，每一位老人都是獨特的生命，我們很快也會變成老人，怎能將老人視為「問題」呢？即使大量興建養老院，也無法通盤解決老年人之間和諧相處等複雜問題，因此只能稱之為「奧祕」。

對於「奧祕」，我們無法徹底解決，只能與它一起生活。譬如，我得了某種慢性疾病，無法徹底治癒；然而慢性疾病往往和個人生活習慣有關，既然是自己造成的，就要安心接受，與疾病和平共處。有些人長期為失眠所擾，如果可以繼續工作、社交和生活，說明這個問題已經不再是問題，它已經變成個人生命的一部分。

對於「青少年問題」也一樣，若想達到教育的效果，只能與青少年一起生活，把他當做一位和你有內在連繫的主體來對待。

馬塞爾說，每個人都是奧祕，你永遠不知道這個奧祕會有哪些令你驚訝的表現，最大的奧祕就是愛。生活中最常見的是父母對子女的愛。有人菸癮很大，父母、妻子怎麼勸也沒用，可女兒一勸，他立刻戒菸，因為他對女兒充滿愛心，不忍心女兒吸二手菸。一個人頑固了一輩子，到某個階段居然會突然轉變，常令人難以想像。

人只要有生命就有愛的能量，這種能量何時表現則是一個奧祕。想要一個人走上人生的正路，只有和他一起生活，對方就會受到潛移默化的影響。你的一言一行，現在看似無用，實際上任何力量都有反作用，有朝一日，這種反作用會突然顯現。

本節探討了「是」與「有」的區分，我「是」什麼絕不能以我「有」什麼來取代。談到「問題」與「奧祕」的不同，這個世界上固然有許多物理、化學方面的複雜問題，但任何問題都預設了答案，一旦答案出現，問題就會消失。然而，在人的世界裡，人際互動絕不是可以徹底解決的「問題」，而是永遠不會消失的「奧祕」，值得我們不斷深入探究。

走出自我的框架

馬塞爾從小就有很深刻的孤獨體驗，他一生都在關注「如何化解孤獨」。他有一個很好的觀念，即「我與你」[192]。

與「我與你」相對的是「我與他（它）」，「它」代表一樣東西。譬如我在街頭徘徊，不知該往哪裡走，恰好有人在附近，於是上前問他：「你知道這條路怎麼走嗎？」這個路人此時被我視為純粹的消息來源，沒有主體性，他的角色與一張地圖或一個路標相差無幾。但交談之後發現，這個路人和我一樣是人，也有他自己的問

192 猶太哲學家馬丁．布伯（Martin Buber，1878 – 1965）使用了I and Thou，即「我與你」，用Thou指「你」，表示尊敬。

題。於是他就由「它」（地圖）變成「他」。然而，如果他不能回答我的問題，我就不去管他，馬上轉身去尋找其他人的幫助。

我們與人交往時，經常有此種心態，把別人當做「他」來對待，這裡涉及馬塞爾的哲學術語「臨在」（presence）。如果一位同學沒來上課，稱之為缺席（absence）；如果一位同學來到教室，表示他在現場，則稱之為臨在。所謂的「他」是不在眼前、缺席的，如果一個人在現場，我們會用「你」、「我」來交流溝通。譬如說：「你好嗎？」對方回答：「我很好，你呢？」代表「我」和「你」是平等的，彼此互相尊重。

對於不在現場的人，我們會用「他」來描述。批評不在現場的「他」，我們毫不留情，反正「他」沒有機會替自己反駁。但如果「他」後來來到現場，我們的語氣會與前面完全不同，表現得婉轉而尊重，許多批評的話無法直接說出口。

談到個人修養，有一個簡單原則：當你要批評一個人的時候，要想像這個人在現場。他在現場時我們不會說的話，他不在現場時也不要說，這才是對一個人真正的尊重，才符合孔子所說的「己所不欲，勿施於人」的原則。否則，當你不在現場時，別人也會肆意批評你。

所謂「朋友」就是「在背後替你辯護的人」，如果聽到別人的無端批評而不替你起而辯護，怎能稱為你的朋友？此時保持沉默無異於贊成別人的批評。對於有事實根據的話，當然應該虛心接受；但對於憑空猜測，做為朋友就要勇敢地為之辯護。

在與人來往過程中，每個「他」都可能在某種情況下轉變成「你」。馬塞爾講述了自己的親身經歷，有一次在前往法國南部的火車上，他遇到一位又瘦又小的老人，開始只是言不由衷的客套，後來逐漸發現彼此有共同的背景：他們倆是同鄉，老人的女兒是馬塞爾的小學同學。一個看似與自己無關的人，經過溝通後發現，兩人之間竟有如此複雜和親密的關係。由此馬塞爾認為，我與世界上的任何人都可能因機緣巧合而成為朋友，我們應設法將「我與他」的關係提升轉變為「我與你」的關係。這種想法很有參考價值。

「我與你」代表我們都是主體，都具有位格（person，拉丁文 persona）。「位格」一詞來自拉丁文，原意為「面具」，好比在演戲時戴上面具，扮演相應的角色。平時與人來往中，我遇到學生，就變成老師；遇到孩子，變成父親；遇到父母，變成兒子。「位格」後來引申為具有「知、情、意」能力的主體。「知」指「理性的認知」，「情」指「情感的交流」，「意」指「意志的選擇」。

「我與你」的互動，就是將對方視為有位格（有知、情、意能力）的主體，馬塞爾將這種人與人之間的互動稱為「主體際性」（Intersubjectivity）。「我與你」都把對方視為主體，彼此尊重和融合，逐漸進入到「一元化」狀態，好像我們的生命被一個統一的大生命所包容，如此與人互動更容易打破隔閡，親密往來。

馬塞爾有一個很好的觀念「我就是我的身體」。這並非唯物論，而是想表達：我的生命是一個整體，不要把身體當做與自己無關的東西或完成目的的工具。自笛卡兒提出「我就是我的思想」以來，很容易陷入「身心二元論」，將身體視為外在的、與心靈割裂的存在。馬塞爾則強調「我就是我的身體」。當有人需要幫助時，我們不會以自己的「手」為工具，我讓「手」去幫助他；而是在決定幫助他的同時，我的手已經伸出來幫忙了，這稱為「身體語言」（Body language）。很多時候語言不通，但揮揮手，微笑一下就能讓對方感到善意。我與別人握手、擁抱並非單純的身體互動，而是兩個主體間的互動。馬塞爾對生命的觀察和體驗使人倍感親切。

人與人交往為何要信守承諾？馬塞爾認為每一個「你」的背後

都有「絕對的你」存在，也就是宗教信仰中的上帝。我的承諾不僅是對自己的承諾，也是對「超越的你」、「絕對的你」的承諾。如果不以「絕對的你」為最後的基礎，則人們很容易以「彼一時也，此一時也」為爽約的藉口。

馬塞爾也是法國現代重要的劇作家、小說家，他的思想富於創造性，他說：「存在就是存在得更多。」（To be is to be more.）生命就是要不斷創造新的可能性。他最喜歡貝多芬（Ludwig van Beethoven，1770 － 1827）的第九號交響曲《歡樂頌》，每當旋律響起，所有人都忘記了煩惱，感受到我與別人擁有共同的命運。我們既然是「命運共同體」，為什麼不能互相珍惜，互相關懷？我們要放下自我的執著，敞開心扉，讓彼此的生命實現和諧與共融，一同接受命運的歡樂和考驗。

最討厭偽善

沙特是法國存在主義的另一位代表人物，生於巴黎，幼年喪父，家中長輩都是女性，全都信仰天主教。

沙特從小每逢週日就跟隨女性長輩上教堂。在教堂裡，大家念經祈禱，高唱聖歌，一片莊嚴肅穆，彼此親切和善。一離開教堂，就和平凡人一般，在背後批評別人，吵架記仇。這讓小沙特對宗教十分反感，認為信徒都是偽善的，後來他成為無神論者。

沙特未免強人所難，不管信仰什麼宗教，信徒都是平凡人。高尚的德行修養談何容易，那絕非一日之功，而是畢生努力的方向。宗教和人們的日常生活密切結合，容易使人習以為常，失去虔誠之心。正如早期丹麥哲學家齊克果的批評：丹麥的基督宗教（新教）

已變成一種高雅的人文主義，早已喪失了宗教情操，在神明面前痛下決心、與過去一刀兩斷的勇氣早已不復存在。這樣的要求使宗教信仰的壓力陡然增大，要嘛全有，要嘛全無，對於一般信徒來說，未免過於苛刻。

沙特小時因病右眼失明，自小養成自由思考的習慣及叛逆性格。他曾就學於現象學大師胡塞爾門下，深受啟發。沙特早年推崇海德格，在沙特撰寫的《存在主義是一種人文主義》一文中，他將自己與海德格劃歸為「無神論的存在主義」，此說法遭到海德格的駁斥。沙特的代表作名為《存在與虛無》（*L'Être et le Néant*；*Being and Nothingness*），海德格的代表作名為《存在與時間》，沙特對海德格的推崇和效法由此可見一斑。

沙特個性叛逆，不願屈從於既成的社會規範。他年輕時結識著名的女性運動代表人物西蒙．波娃[193]（Simone de Beauvoir，1908 － 1986），兩人約定交往兩年，之後男婚女嫁各不相干。沙特雖有幾次外遇，但西蒙．波娃並不介意，兩人沒有續約，亦未結婚，卻廝守終生。一九八〇年沙特過世，西蒙．波娃為他料理後事，巴黎數以萬計的民眾為他送葬。

沙特是法國當代重要的文學家，獲得一九六四年諾貝爾文學獎。獲得諾貝爾獎對任何人來說都是極大的榮耀，但沙特卻拒絕領獎，因為他始終無法打開自己的心結。早在七年之前的一九五七年，比沙特年輕八歲的法國作家卡繆摘下諾貝爾文學獎。對沙特來說，卡繆屬於文學後輩，卡繆年輕時的第一本小說《異鄉人》[194]

193 著有《第二性》（Le Deuxième Sexe）。
194 又譯為《局外人》。根據卡繆一九四一年二月二十一日的日記，《異鄉人》於一九四〇年完成，一九四二年出版。

（*L' Étranger*）就是受到沙特的大力推薦才一炮而紅的。由於諾貝爾獎不可能在短時間內頒給同一國籍的作家，所以時隔七年之久，沙特才如願以償。

沙特對於拒絕領獎公開宣稱的理由是，存在主義者要選擇成為自己，不能接受任何官方給予的榮譽。面對蜂擁而至的記者，他公開說：「告訴你們一個消息，上帝已經死了。」這其實是尼采早就說過的話。

尼采說「上帝已死」的目的是「要重新估定一切價值」。在尼采看來，西方社會傳統上都以宗教信仰的上帝做為價值的基礎，但西方慢慢步入了虛無主義時代，世界上的價值全都虛偽化、表面化、外在化，上帝只是掛名而已，名存實亡，所以尼采宣稱「上帝已死」。如今沙特也同樣宣稱「上帝已死」，但他有一套自己的理由證明上帝不可能存在，他請大家到他的哲學裏去尋找。上帝死了，人類該何去何從？尼采宣導人要努力成為超人，而沙特則說：「我們自己要成為上帝。」他希望人們認識到人有「絕對的自由」。

人是否有「絕對的自由」？這個問題需要借助沙特和卡繆交往的一個故事來說明。卡繆是法國文壇的後起之秀，早期受到沙特的賞識和提拔。一九四〇年六月十四日法國巴黎被德軍占領，一九四二年卡繆前往巴黎參加地下抗德運動，成為地下刊物《戰鬥報》的主編，同年卡繆結識了沙特，兩人成為親密的朋友，共同寫作，對抗德軍。

有一天兩人在咖啡館辯論「人有無絕對自由」，沙特認為上帝不存在，因此人有絕對的自由。卡繆反對，兩人的辯論針鋒相對，不分勝負。最後卡繆說：「沙特先生，如果人有絕對自由，請問你能否向納粹檢舉我是抗德分子？」沙特沉吟良久，然後說：「不行，我做不出這樣的事。」卡繆說：「因此，人沒有絕對自由。」

友情、道義都是比自由更重要的人性價值。

從這個小插曲可知，卡繆雖比沙特年輕，但顯然更勝一籌。卡繆年僅四十七歲就不幸遭遇車禍而身亡，如果卡繆活得更久，思想一直發展，將會達到更高境界。

沙特哲學有哪些主要的觀點？為何會對法國乃至當代文壇產生重大影響？我們將在下節繼續介紹。

人被判決為自由

沙特有一句重要的格言：「人被判決為自由。」使用「被判決」一詞，好比人有罪而被判處終生監禁的刑罰，難道「自由」是對人類的一種詛咒？「自由」是沙特哲學中一個極富特色的概念，要了解什麼是自由，首先須了解沙特如何探討人的意識。

沙特認為存在之物可分為兩種：在己（en-soi；being-in-itself）與為己（pour-soi；being-for-itself）。所謂「在己存在物」，是指意識所意識到的某物。「在己」本身沒有意識、沒有本質、沒有價值，是完全偶然而荒謬的，它只是「在那兒」。宇宙萬物除人類之外，都是「在己」，比如桌子、椅子只是「在那兒」，既偶存又無目的。

所謂「為己存在物」，是指人的意識本身而言。人的意識特色是隨時可以轉移焦點，並可以賦予意義給「在己」。桌子上有盆花無人關注，我將注意力聚焦在這盆花上，欣賞花的美麗，於是這盆花被我賦予了意義。人的意識好像一面張開的網，不斷捕捉它的獵物，它抓到什麼東西，就將它凸顯為價值的核心，這就是「為己」（人的意識）的特色。

沙特為何宣稱「上帝已死」？上帝必須是「在己」，因為上帝永遠存在，是比桌子、椅子更偉大的「在己」；上帝又是「為己」，因為上帝每一剎那都要有新的焦點，不斷肯定與否定。如此上帝是「在己兼為己」，是存在物與意識合而為一，而這是矛盾的概念，所以結論是：上帝不可能存在。他以這樣的方式說明他的無神論立場。

我們可以將討論範圍縮小到個人身上。如果把一個人當做「在己」，則好比給他一個編號而不考慮他的名字，我只需要知道今天幾號負責擦黑板、倒垃圾，具體是誰負責並不重要。一個人「在己」相當於沒有自主意識，等於他「存而不在」。如果一個人要凸顯自己的「存在」，則必須選擇成為自己，如此則成為「為己」而不再是「在己」。上帝既「在己」又「為己」，顯然自相矛盾。

上帝不存在，人類該何去何從？沙特認為，人要變成神，充分運用自身意識的特色，不斷肯定或否定一樣東西。沙特舉過一個生動的例子來說明意識的虛無化作用。我到一間咖啡館找彼得，我找彼得的時候，我的意識中對彼得有一個清晰的形象。我用這個形象去對照咖啡館中的客人，只要不是彼得，就會被我化為虛無，這是意識的第一度虛無。如果找到最後發現彼得不在這裡，這時就會產生意識的第二度虛無，此刻連我腦海中對彼得的形象也不見了。

這樣的描述十分生動。當我們專心做一件事的時候，會對身邊的事物視而不見，聽而不聞，食而不知其味。沙特認為人的意識具有虛無化作用，可將萬物化為虛無，這是人類得天獨厚的特色，人應充分運用意識的肯定和否定能力。

但以這種想法與人交往會遇到不小的麻煩。當我遇到陌生人或與別人話不投機時，我用「為己」的意識把他化為虛無，但別人也具有「為己」的能力，因此人與人之間難以溝通，誤會叢生。沙特有句名言：「別人都是我的地獄。[195]」這與馬塞爾的思想簡直南轅北轍。

沙特說：「別人是另一個不是我的我，是我所不是的人，別人可以把我當成物件或客體，使我的自由消失，使我感到羞愧。」我在學校曾觀察到類似的情況，一位學生在一間空教室裡吃午餐，教室裡只有他一個人，這令他感到輕鬆愉快。吃完之後回頭，猛然發現有人注視他，也不知道注視了多久。他立刻會覺得憤怒，因為感到自己被當做一個物件（a thing），像是動物園的動物，而不是被當做一個人（a person）。

有些年輕人在街上走路，你看他一眼，他馬上就瞪你一眼，甚至要跟你大打出手。別人看他未必是惡意，可能只是出於好奇，甚至可能認為他長得帥。但他會認為被別人注視等於被人當成沒有生命的物件，自己的主體消失了，個人的自由被壓制，因此馬上以反注視做為報復。人與人之間的誤會很多都是因此而來。

不能否認沙特對人與人互動的細節觀察入微，刻劃細膩，但是「人被判決為自由」好似對人的詛咒。沙特的思想很難在生活中實踐，按照他的想法，我們不敢敞開心扉與人互動，無法消除隔閡而實現溝通，無法想像甘願為朋友犧牲的深情厚誼。沙特的思想有其特色和困難，我們在學習中應予以批判地吸收。

195 出自沙特戲劇作品《間隔》（或譯《密室》）的臺詞：「他人，就是地獄。」

存在先於本質

談到存在主義，無論提到海德格、雅士培、馬塞爾還是卡繆，最後都會引用沙特的名言「存在先於本質」，這句話幾乎變成存在主義的標籤。

人活在世界上，所見的萬物都是「本質先於存在」。譬如對於貓、狗、鳥、雀等動物，我們要先了解牠們的本質，才能界定一隻動物到底是什麼動物。如果發現一種新的動物，一定會先為其命名，名字確定就等於其本質也確定了。對於人造物亦然。比如與人溝通時，我說買了一面「鏡子」、今天坐「輪船」來的，無須多做解釋，別人也能理解「鏡子」、「輪船」的本質是什麼。這些都屬於「本質先於存在」。

甚至有些東西只有本質而並不存在。比如我們都知道「恐龍」的本質是什麼，但是恐龍在距今六千五百萬年前的白堊（ㄜˋ）紀結束的時候就已經滅絕了。人類了解恐龍的本質，因而可以在電影中使其生動再現，或者在展廳中製成恐龍的模型，但是恐龍現在並不存在。

人的情況與萬物相反，人是「存在先於本質」。人的本質不能被簡單界定為「有理性的動物」，因為有理性之人會做出許多非理性之事，這豈不是自相矛盾？

人的本質是什麼？如果一個年輕人希望自己有朝一日成為工程師，他在考大學時就要填報工程師相關的科系，接受成為工程師所要求的專業訓練，將來才會獲得工程師的本質，這稱作「存在先於本質」。此處的「存在」是一個動詞，是一個抉擇，要選擇成為自己，選擇就是「存在」的剎那。

「存在先於本質」的說法顯然優於「人是有理性的動物」的定

義。在人的世界我們會發現，人與人之間千差萬別，這種差別不僅僅是從事何種職業的外在差別，更關鍵的是人有好壞之分，人格有高貴和卑劣之別。

人與人之間的巨大差別來自於「存在」的抉擇，你先前如何選擇成為自己，會決定未來你具有什麼樣的本質。有時我們會說一個人具有「個性」，代表其行為模式的特色被辨別出來，他所處的行業、身分或處事態度都源於他很久之前所做的選擇。與人格有關的本質需要不斷做出選擇，而不能一勞永逸。我們只有經常做好事，才會慢慢成為大家公認的「好人」，好人正是與本質有關的判斷。

「存在先於本質」真正實踐起來會發現十分困難。我們介紹過齊克果的觀點，他認為，面對人生的抉擇，一個人選擇成為真正的自己絕非易事。沙特也認為人會「自欺」，具有很多「壞的信念」，主要有三種：

（一）否定自己的自由，認為自己只能按既定的要求行動

譬如我在這樣的家庭環境中成長，遇到這樣的老師和朋友，我已被決定而無法改變，只能按老師、家長的要求按部就班地生活。沙特認為這樣的想法就是藉口，使你不肯改變自己，不肯做出重大抉擇。很多人和你有一樣的遭遇，但發展結果卻完全不同。

（二）信奉一種決定論

譬如相信自己的性格是由星座、生肖等因素所決定，以天生注定的理由為藉口，輕鬆度日，不去選擇成為自己。沙特認為應該去掉上述「壞的信念」，不再自欺欺人，勇敢地向過去的自己挑戰。

（三）該選擇而不選擇，把自己混同於無意識之物

比如你習慣了某種生活模式，固定跟某些人來往，固定做某些事，每天渾渾噩噩度日。別人希望你選擇成為自己，你會以習慣為藉口，不願去改變。許多人都以習慣為藉口。

沙特的思想雖然偏於悲觀消極甚至虛無主義，但他並非不關心別人。他說：「當我選擇時，我是在為全人類做選擇。價值全由自己創造，所以要為自己也為全人類負責。」這句話顯得唯我獨尊，豪氣干雲，但不易成立。如果需要你為全人類做選擇，全人類就變成「在己」，而失去自身「存在」的價值。這句話積極的一面是：它肯定了自我生命的意義完全由自己選擇，為自己選擇等於為人類選擇，意味著把自己與人類視為平等，因此要尊重別人，不凌駕於別人之上。

沙特強調「人不是已經做成的東西，而是不斷在造就自己」。他提醒人們，千萬不要故步自封，認為自己無法改變，而要不斷做出抉擇。人生的每個剎那都是唯一的，人要不斷造就自己。

這並不是要人完全否定自我，而是要「以今日之我與昨日之我戰」。面對今天，每一剎那都要提醒自己是「為己」，不斷運用我的「自由」，為自己選擇，不能稍有鬆懈。沙特啟發我們：「存在」需要勇氣，要不斷超越自我，創造生命新的格局。

《異鄉人》的作者

存在主義哲學家生活的年代距離今天並不久遠，他們的思想對現代人的影響可謂深遠。如果深入了解，將會給我們的生命以深刻的啟發。

本節介紹法國作家卡繆，他不幸因車禍身亡，得年四十七歲。卡繆生於法屬北非阿爾及利亞，屬於法國文化的邊緣地帶，看他的照片顯得面色黝黑，與沙特給人的感覺完全不同。沙特是在法國文學的核心地區 —— 巴黎成長的文藝分子，常在沙龍裡與人高談闊論，很少曬太陽而面色蒼白。

卡繆從小家境貧寒，一歲的時候父親參加第一次世界大戰而陣亡，卡繆和他的哥哥由母親帶大。母親是文盲，只能靠替別人洗衣服、幹粗活來維持生計。卡繆小學畢業後，靠老師的推薦申請到中學獎學金才得以繼續學業，後就讀於阿爾及爾（Algiers）大學哲學系。大學期間開始組織劇團，撰寫散文與小說，畢業後擔任過報社記者。從小的貧困生活給予卡繆深刻的人生體驗。

與物質生活匱乏形成鮮明對比的是大自然的豐盛壯麗。阿爾及利亞地處地中海畔，那裡終年陽光明媚，海面波瀾壯闊。他後來說：「在我作品的核心，總有一顆不滅的太陽。」儘管生活遭遇諸多不幸，卡繆心中始終對生命充滿希望。物質生活的匱乏與大自然的無私饋贈之間的巨大反差，對年輕卡繆的心靈產生了何種影響，我們實難想像。

卡繆在二十八歲時發表了他的第一部小說《異鄉人》，得到沙特的大力推薦，認為這本書是探討荒謬的經典之作。卡繆從此聲名鵲起，後來陸續寫作出版了多部文學作品。

《異鄉人》的故事情節並不複雜。小說主人公叫梅爾索（Meursault），小說開頭第一句話就是：「今天媽媽死了，或許是昨天，我不清楚。養老院寄來一張通知，說：『令堂病逝，請來料理後事。』」「媽媽死了」意味著生命的來源消失了。梅爾索後來去辦理母親的後事，內心一片茫然，他照樣飲酒作樂，週末帶女友出去過夜。梅爾索這個角色頗能反映現代人的生活特色，每天上下班，週末放假，日子循環往復，心中茫然不知所歸。

梅爾索和朋友聚會，參加了朋友和一個阿拉伯人的決鬥，朋友把槍交給他，太陽光照在阿拉伯人的刀上然後反射到梅爾索眼裡，他覺得十分刺眼，於是便向阿拉伯人開了槍，而且連開五槍，使其當場斃命。當時阿爾及利亞是法屬領地，一個白人殺了阿拉伯人，只要有正當理由，罪名不會太重。但是梅爾索殺人之後沒什麼感覺，他覺得開槍與否結果都一樣，開一槍和開五槍也一樣，反正人都會死。梅爾索的想法是典型的虛無主義，令讀者悚然心驚，內心受到強烈震撼。

卡繆年僅二十八歲就寫出《異鄉人》這樣的作品，很可能反映了他當時的心境和他對世界的觀察。他覺得很多人活在世界上都是一種滿不在乎的態度，過一天算一天，似乎也沒有別的選擇。梅爾索生活的小鎮上，人們彼此之間都很熟悉，到養老院除了和母親生前的熟人講兩句話，其他人都好像在等待死亡的來臨。

梅爾索被判死刑，在監獄等待服刑期間來了一位牧師，希望他真心懺悔。但對梅爾索來說，懺悔與否也沒什麼差別，宗教信仰對很多人來說已變成可有可無的裝飾品而已。《異鄉人》對當代西方人心中的荒謬感受做出了深刻的描繪和探討。

卡繆人生中的一段重要經歷是參加地下抗德運動。他於一九四二年前往巴黎，主編《戰鬥報》，與沙特等朋友共同用文字對抗德軍。抗德運動使卡繆認識到：他不是為了自己，而是為了同胞，甚至是為了整個人類的人格尊嚴和生命價值而反抗。卡繆在巴黎親身經歷了納粹德軍對反抗者的血腥鎮壓，對人格的踐踏以及對自由的壓迫，這使他深深體會到人與人之間有特別深刻的關聯。

地下抗德運動成為卡繆思想轉變的契機，他此後的作品逐漸走出個人的「荒謬」感受，開始注意到人與人之間的互動關係。一九四七年卡繆出版《瘟疫》[196]（*La Peste*）一書，描寫奧蘭城鼠疫蔓延（黑死病），為防止瘟疫擴散，該城被外界隔離，城中人設法自救。城中有兩個象徵性的人物生平第一次合作：一個是醫生，代表科學，救治人的身體；一個是牧師，代表宗教，拯救人的靈魂。

科學與宗教平日勢不兩立，在面對災難時卻攜手合作。醫生握著牧師的手說：「就連上帝本身，如今也不能把我們分開了。」當人類面對共同的命運時，要通力合作，設法自己解決。這篇作品展現了非常積極的人文主義情懷。

一九五七年，年僅四十四歲的卡繆獲得諾貝爾文學獎，成為最年輕的諾貝爾獎得主，獲獎理由是他的作品「對現代人類良知的問題，實有極為清晰懇摯的闡明」[197]。二戰之後世界進入「冷戰」時期，各地紛爭不斷，卡繆的作品卻由荒謬逐漸走向更為開闊的境界。令人惋惜的是，一九六〇年一月四日，大家仍在慶祝新年之際，卡繆買了火車票打算去法國南部，臨時決定搭一位朋友的便車前往，結果途中因車禍身亡，身上還帶著那張沒有退的火車票。他的命運確實非常荒謬，如果不是這次意外，假以時日，卡繆的發展將前途無量。

從卡繆的著作中可明顯看出他成長的三個階段：早期為「荒謬期」，第二期為「反抗期」，第三期為「新的人」，只可惜第三期的作品僅有寫作計畫卻未及完成。卡繆僅活了四十七歲，在我們心中永遠是位年輕的作家。他的作品到底有哪些內涵，值得我們進一步探討。

以荒謬為方法

談到「上帝死了」，可以用簡單的三句話反映尼采、沙特和

196 該書於一九四七年完成。
197 參考《荒謬之外 —— 卡繆思想研究》，傅佩榮著，九歌出版。

卡繆三人不同的人生態度：尼采說：「上帝死了，人類要設法成為超人。」沙特說：「上帝死了，我們人類變成了上帝，有絕對的自由。」卡繆說：「上帝死了，我們人類的責任更重了。」

本節特別介紹什麼是「荒謬」。卡繆早期作品以「荒謬」做為其探討的核心問題，沙特推薦卡繆的《異鄉人》也說「這是一本探討荒謬的經典之作」。然而卡繆的思想絕不荒謬，他強調以「荒謬」為方法，「方法上的荒謬」與「結果上的荒謬」完全不同。

回顧笛卡兒的思想，笛卡兒「懷疑一切」，但他從事的是「方法上的懷疑」，與「結果上的懷疑」完全不同。「結果上的懷疑」認為一切都不可靠，會演變為古希臘到羅馬時代的「懷疑主義」[198]；「方法上的懷疑」則以懷疑為方法，目的是找到知識的可靠基礎，在此之上建構知識的大廈。

卡繆意在效法笛卡兒。「結果上的荒謬」意味著最後只有一個結論「人生是荒謬的」，如此一來，除了自殺之外，人只能稀里糊塗地過日子。卡繆以「荒謬」為方法而非一種學說，他說：「我是在從事方法的懷疑，試圖造成一種白板的心態，做為建構某物的基礎。」「白板」的說法來自英國經驗論代表洛克。洛克認為：人生下來心靈像一張白紙，經由後天經驗得到印象，慢慢累積形成觀念，才能逐步建構知識。卡繆希望以「荒謬」為方法，消除人的主觀幻想，形成如白紙一般的心態，以此為起點重新建構價值。

究竟什麼是「荒謬」呢？卡繆認為，荒謬本身並不存在，它是1+1=3的結果。「1」代表人類，另一個「1」代表世界，他說：「荒謬是一種關係，荒謬既不在人，也不在世界，而在於兩者的共同出現。」人類存在於世界上，人不荒謬，世界也不荒謬，把世界和人連繫起來，就構成了荒謬。「3」代表「人類」、「世界」和荒謬三者同時出現。荒謬具有三種形態：

（一）荒謬是一種遭遇

卡繆說：「荒謬是一種對質和遭遇（confrontation）。」人有理性可以思考，從本性上要求理解，偏偏世界是不可理喻的。比如我們組織運動會、嘉年華等活動，總希望風和日麗，但常常遇到天公不作美，狂風大作，暴雨傾盆，令人掃興而歸。這說明世界有其自身的規律，理性要求理解世界的意義，世界偏偏不可理解，不以人的意志為轉移，理性和世界的「遭遇」就構成了荒謬，這是人類存在的真實處境。

（二）荒謬來自人與人之間的疏離

人與人之間本該互相理解和欣賞，偏偏每個人都站在自己的角度揣度別人的心理，常會感慨「知人知面不知心」。人與人之間的誤會似乎難以避免，我認識的人只是被我認識的一部分而已，我永遠不可能真正了解對方的全部。

（三）荒謬來自我與自己之間的隔閡

我真的了解自己嗎？我們常常對自己感到陌生，所以德爾斐神殿的刻字永遠都有啟發意義：認識你自己。如果我連自己都不認識豈不荒謬？現代人就好像半夜肚子餓，起來到冰箱翻找了半天，卻又不知道自己究竟想吃什麼，於是什麼都沒吃又回去睡覺了。

卡繆早期有一本書《快樂的死》，其中有句名言：「人們死了，他們並不快樂。」由此引發人們思考如何生活才能使死亡成為一種快樂，換句話說，這一生如何生活才會死而無憾？這個問題很有意義，如果我們按照別人的要求和想法去生活，顯然不可能死而無憾。卡繆也像其他存在主義哲學家一樣，希望我們「存在」，選

198 代表人物是皮羅，參見本書第五章相關部分。

擇成為自己。然而，我知道自己是誰嗎？如果不知道的話，怎樣才能成為「自己」，怎樣才算屬於「自己」？人一生尋尋覓覓，究竟何去何從？這是一個開放的問題，永遠不會有明確的結論。

卡繆在早期的創作中忠實於自身的經驗和情感，他直面荒謬感受，對「荒謬」的刻劃生動傳神。《薛西弗斯的神話》（*Le Mythe de Sisyphe*）是我年輕時特別喜歡的卡繆作品，此書雖以「神話」命名，其實神話的篇幅僅占全書的百分之四，置於全書的最後部分，前面都是對「荒謬」的理性反省。

該書的開篇驚世駭俗，第一句話就寫：「真正嚴肅的哲學問題只有一個，就是自殺……其餘的一切 —— 世界是否有三度空間，知性有九個或十二個範疇[199] —— 是隨後才來的。」卡繆要人在離開（自殺）和留下之間做出選擇，如果不離開，理由何在？如果留下，又是為了什麼？以「自殺」為起點展開哲學的探討，令人十分震撼。

《薛西弗斯的神話》與《異鄉人》屬於卡繆思想第一期的著作。人活在世上，今天依然活著，沒有結束自己的生命，理由何在？卡繆後面展開精采的論證。他認為，當一個人認為某事為「荒謬」時，暗示了他知道怎樣才是合理的，這樣就可由對「荒謬」的否定轉向對某些價值和意義的肯定，卡繆的思想即由此出發。

活出積極熱情

談到卡繆思想，應特別重視從「荒謬」延伸出的三個內容：1. 我的反抗；2. 我的自由；3. 我的熱情。

（一）我的反抗

我們說一樣東西是「荒謬」的，代表它不合理，不能被我的理性所理解，同時也隱含了我們知道怎樣才是不荒謬的。任何一種對荒謬的判斷都包含了對荒謬的反面——「合理」的判斷標準，這樣就從否定轉到了肯定。

肯定荒謬無異於表示反抗現狀，人們應該團結以對抗共同的命運。能否全盤否定，認為世界一無是處，整個世界都應消失？卡繆於一九五一年出版了《反抗者》（*L'homme Révolté*）一書，書中認為，當我反抗時，並非完全否定，我用反抗的形式肯定了另外一面不荒謬的情況。如果全盤否定代表我認為生命毫無意義，但只要我活著就代表承認生命有某種意義，否則為什麼要活著？

卡繆強調：「一旦承認了絕對否定之不可能，因為只要生存就是承認此點，那麼第一個不容否定的東西就是他人的生命。」我活著，也應讓他人活得下去，由此卡繆做出精采推論：「我反抗，所以我們存在。」需特別注意此一判斷前面的主語是「我」，後面則為「我們」。

從前的西方哲學做類似探討時都由「我」自己負責。中世紀早期的奧古斯丁曾說：「若我受騙，則我存在。」因為如果「我」不存在，而我以為自己存在，那我就上當受騙了，可是如果「我」不存在，那麼是誰受騙了呢？這句話啟發了笛卡兒提出「我思故我在」，又進而推出「我在故上帝在」。但奧古斯丁和笛卡兒兩個人都僅關注於「我」。

卡繆突破了自我的狹隘格局，「我」反抗並非為了個人利益，

199 亞里斯多德將存在之物的狀態分為九個範疇，加上「實體」或「自立體」；康德將知性分為十二個範疇。

而是為了和我有同樣遭遇的「我們」，為了人性共同的尊嚴和價值。推而廣之，人類有共同的命運，都要面對痛苦、罪惡和死亡的挑戰，所以我也是為了整個人類而反抗。「在荒謬經驗中，痛苦是個體性的，一有反抗活動，人意識到痛苦是集體性的、是大家的共同遭遇。」由此，卡繆由荒謬推演出第一個積極的成果 —— 我反抗，所以我們存在。

（二）我的自由

如果一切都是荒謬，人才有真正的自由。「自由」有多種不同解釋，卡繆認為，荒謬使一切先決條件被取消，代表人不能預設任何既存的價值。比如沒有什麼職業一定比較好，有多少錢比較好，做什麼事比較好。這並不意味著人可以為所欲為，卡繆是站在作家的立場上強調創新的力量，自由不能有任何預設條件。如果從傳統中創新，仍會被傳統所限制和約束。如果認為一切皆為荒謬，則連傳統也是荒謬的。如此一來，就可以跳脫傳統的束縛，建立像白紙一樣的心態，從零開始創造，此時你的自由沒有任何限制。

譬如，金庸每部小說都會出現武功蓋世的大俠，若問所有小說中誰的武功最高，則很難分出高下。小說作家在他的作品中扮演著上帝的角色，可以隨心所欲，自由創作。卡繆在體認荒謬的同時也發現了真正自由創作的可能。對於不從事文學創作的人們來說，至少要自己創造生命的價值，不能盲目接受傳統和別人給我們的價值。

（三）我的熱情

如果人生是荒謬的，那麼可用生活的量取代生活的質。在荒謬的情況下，並不存在所謂的「關鍵時刻」或「決定性的一次」，而是愈多次愈好，每次都不同。所以不能用「大家」取代「我」，不能用「通常如此」取代「我的當下」，由此出現「艱難的智慧與短暫的熱情」。

卡繆說：「人一旦發現了荒謬，便不免想寫一本幸福手冊。」因為人生是荒謬的，所以幸福只能靠自己，讓自己儘量在量上增加對生命的把握，每時每刻都要自己做出決定，使生命充滿無限熱情，避免熱情曇花一現。

卡繆思想之所以給人很大的啟發，在於他以荒謬為出發點，延伸出後面的推論。《薛西弗斯的神話》的主要篇幅是對荒謬的理性探討，在全書結尾處才提及薛西弗斯的神話故事。薛西弗斯（Sisyphus）得知了天神的祕密，告訴河神失蹤女兒的下落，條件是河神要賜給人類水源，由此得罪了天神。這個故事與古希臘悲劇《普羅米修斯》[200]的情節類似，普羅米修斯為人類盜取火種而遭天神懲罰。

天神宙斯懲罰薛西弗斯推石頭上山，只要石頭被推到山頂，又會滾落回山腳下，如此日復一日，永無結束之期。這很像現代人的處境，星期一上班好比推石頭上山，一到週末休息像石頭滾下山來，星期一再繼續推石上山，工作永遠也做不完。

最後的結論是：石頭不知道為什麼被推，但是薛西弗斯知道自己為什麼推石頭。我們應該想像薛西弗斯是快樂的。人活在世界上，要想找到真正的快樂，需要勇敢地承擔責任，正如卡繆所言：「上帝死了，我們的責任更重了。」

200 參見第四章《神話與悲劇》的相關內容。

只有自殺是個問題

卡繆的思想表現出一種早熟的智慧，可惜他英年早逝，年僅四十七歲就因車禍身亡。卡繆的思想具有很強的生命力，他的生命和作品可以大致分為三個階段。

（一）荒謬期（1938 － 1941年）

卡繆生長於法屬北非阿爾及利亞，與做為法國文化核心的巴黎相比，屬於文化邊陲地帶。卡繆憑藉自己的創作才華躋身法國文壇高層。他在早期作品中對荒謬感受的描述頗能反映現代人的心態。

卡繆在《薛西弗斯的神話》中有一段話常被引用：「……吃飯，睡覺，然後是星期一、星期二、星期三、星期四、星期五、星期六，同樣的節奏……」周而復始，年復一年，難道這就是真實的人生？

卡繆小說中曾描寫一個大廈管理員的自殺過程，女兒五年前過世令他悲痛欲絕，這五年間他天天思念女兒，不知不覺被思念所「侵蝕」，求生的意志慢慢耗盡。直到有一天一個老朋友以漠不關心的語氣跟他講話，他心理的最後一道防線徹底崩潰，感覺萬念俱灰，對世界不再留戀，於是自殺了。

人活在世界上，常常想一樣東西，就會被它所侵蝕。有時一個人能活下去，就是因為有朋友可以經常聯絡，分享生活的點點滴滴。然而，他人的態度若是可有可無，便可能使人喪失活下去的希望和勇氣。

（二）反抗期（1941 － 1951年）

1942年卡繆決定到巴黎參加地下抗德運動。一個人參加什麼樣的活動，有什麼樣的生活經驗，他的生命會隨之改變，卡繆在此一階段中，設法從荒謬的探討中推演出積極的反抗。

1944年卡繆出版了劇本《誤會》[201]（*Le Malentendu*），主角是一位名叫詹恩（Jan）的年輕人，從小離開家鄉到外地打拚，後來結婚成家，事業有成，想要回家將自己的財富與媽媽和妹妹分享。

詹恩不肯直接向媽媽和妹妹表明身分，因為他想起了《聖經》中「浪子回頭」[202]的故事。他覺得，浪子揮金如土，最後窮困潦倒地回家，仍受到父親的熱情款待，而自己功成名就，理應受到更好的接待。一個人會被內心的觀念所侵蝕，產生與現實脫節的幻想，並可能導致致命的後果。「誤會」反映了人的內心期許與現實之間的巨大落差。

詹恩與妻子的一段對話曾給了我深刻的啟發，至今仍深深影響著我。詹恩的妻子瑪莉亞（Maria）說：「我們走吧，詹恩，我們在這兒找不到幸福。」詹恩說：「我們不是來找幸福的，我們早就有幸福了。」瑪莉亞說：「那我們為什麼還不滿足呢？」詹恩說：「幸福不是一切，人還有責任。我的責任是回到故鄉及母親身邊。」的確，一個人如果完全沒有責任，還有幸福可言嗎？幸福和責任不可分開。

詹恩就在這樣的幻想和責任感的驅使下回到了家鄉，走向了自己的宿命。媽媽和妹妹開的旅館位於歐洲中部山區，長期無人問津，生活艱難窮困。妹妹不願自己的青春埋沒於窮鄉僻壤之中，為了實現住到海邊的夢想，於是教唆媽媽一起謀殺單身旅客。

---

201 該書完成於一九四三年。譯文詳見《荒謬之外 —— 卡繆思想研究》，傅佩榮著，九歌出版。

202（路加福音，15:11 – 31）耶穌說過一個浪子回頭的比喻：父親有兩個兒子。小兒子向父親要了應得的家產後遠走他鄉，很快揮霍殆盡。適逢當地天災饑荒，不得已給人放豬，以豬吃的豆莢充饑，於是醒悟，回家投靠父親，向父親悔罪。父親熱情迎接並擺席設宴。大兒子聽聞很生氣拒絕回家，於是父親說：「兒啊！你常和我同在，我一切所有的，都是你的；只是你這個兄弟，是死而復活、失而又得的，所以我們理當歡喜快樂。」

詹恩離家二十年，生怕媽媽和妹妹認不出自己，於是讓妻子單獨住另一家旅館，自己孤身一人前往自家旅館。經過層層誤會，非但沒有受到想像中的熱情款待，反倒被自己的媽媽和妹妹所殺。

整部戲劇一方面描寫了人生的各種理想，一方面又體現了命運的荒謬無情。卡繆創作該劇的初衷是希望重現以命運為主角的希臘悲劇特色，這種嘗試是否成功則很難判斷。卡繆表現出一種早熟的智慧，在年輕時代就發現了整個人類的荒謬處境，他一生的志業是為人類找到荒謬的化解之道。在「反抗期」，卡繆陸續於一九四七年出版了《瘟疫》、一九五一年出版了《反抗者》。

（三）自由期（一九五一至一九六〇年）

卡繆後期寫了一些散文和日記。一九五九年他在日記中記錄了創作《第一人》（或《新人》，*Le Premier Homme*）的計畫，未及完成便不幸去世。經過荒謬期和反抗期之後，面對現代人的荒謬處境和人類的共同命運，卡繆努力探索如何使人獲得自由的新生。

卡繆晚期有一部短篇小說《喬那斯或工作中的藝術家》（*Jonas or the Artist at Work*）[203]，描寫一個畫家喜歡在閣樓中作畫，賺錢不多，卻忠於自己的創作理念，不去媚俗從眾。他一直在閣樓上作畫，家人偶爾送點食物上來，最後他死在上面都無人知曉。

他留下的最後的一幅畫僅在一張白紙中間畫了一個圓圈，圈中寫了一個小字難以辨認，不知道究竟是solitaire（法文，孤獨）還是solidaire（法文，團結），只有一個字母t或d之差，意思就有天壤之別。這表現出一個有良知的藝術家內心的掙扎，是要與世俗妥協、與人和諧相處？還是要保持獨立、繼續個人深刻的探索？這正是卡繆作品的魅力所在。

面對自尼采時代以來虛無主義的浪潮，卡繆的作品已經顯現出一種傾向，他說：「我們要對未來抱有希望。在這些黑暗的盡頭，必有一線光明出現。在廢墟中，我們每一個人都在準備迎接虛無主義彼岸的新生。」人類在虛無主義的漫天飛雪中已經等待太久，應該重新走出一條希望之路。

存在主義的思想擺脫了傳統學院派哲學的教條，每位存在主義哲學家都有自己的獨特個性和生命體驗，並由此出發，鮮明地指出現代人面臨的生存困境，希望每個人回到自身，做出清晰的思考和勇敢的抉擇，活出自己生命的特色。選擇成為自己並非離經叛道，而是要以人類共同的價值為基礎。這種探索對每一個人來說都是重大挑戰，時至今日依然如此。

心理治療新方法

本節淺談存在主義與心理治療。西方心理學後來發展出心理治療，當代西方心理學界的多位學者受到存在主義思想的啟發，將存在主義對個人生命特色的剖析應用於心理治療，可以給我們積極的啟發。存在主義心理治療反對行為心理學和精神分析心理學的思想。

行為心理學派是在美國哈佛大學發展起來的，代表人物為華生（John Broadus Watson，1878 － 1958）和斯金納（Burrhus Frederic Skinner，1904 － 1990）。行為心理學派認為「自由」被社會和文化條件所限制，人的行動都是被決定的。該派的特色是通過研究生物（如鴿子、白鼠）對刺激的制約反應，說明人也有類似情況，人沒

203　為一九五七年卡繆出版的《放逐與王國》（*L' Exil et Le Royaume*）中收錄的六篇短篇小說之一。

有真正的自由，人的自由都是被制約的。

精神分析心理學派就是佛洛伊德的思想，即人的潛意識就像冰山在水面以下的部分，非理性的趨力和往事造成的情結隱藏在潛意識深處，支配著人的行動，使人沒有真正的自由。這兩派的說法都否定了自由的充分意義，否定了人有自由選擇的可能。

存在主義心理學派主張人是自由的，必須為自己的選擇和行動負責，治療方法是讓病患了解可供選擇的範圍，然後做出選擇。只要病患了解自己如何被動地受制於環境，了解自己被哪些因素所控制，他就可以自覺地改變現狀。很多人都是不知不覺地被外界所控制，感到自由無法伸展，一旦了解之後，就會出現全新的機會。

這與一般的心理治療有幾分相似。好比我們在電影、電視上所見，病人躺在沙發上，醫生根據受過的專業訓練設法讓病人說夢話，透過解析病人的夢，說明病人被哪些往事所困，夢境影射出現實中的哪些問題。病人一旦了解，就可不再受其控制，或至少減輕控制的力量。

存在主義心理治療認為，人應該不斷發現並理解自己存在的意義，應該設法回答以下問題：我是誰？我能變成誰？我從哪裡來？將往何處去？為此，需要經過六個步驟。

（一）培養自我覺察能力

人應該覺察到生命是有限的，不可能達到一切目的。之後自主選擇，採取行動，無為亦是一種選擇。我在選擇的時候創造了自己的一部分命運，卻不可能完全創造自己的命運，譬如我的國籍和家庭都是要接受的命運安排。我有自由，願意負責，但自由難免帶來焦慮，由於不被別人了解，還會有空虛寂寞之感，甚至感到內疚和無意義。這些感受恰好表明我覺察到自己與別人不同，只有覺察自我之後，才可以設法與別人建立關係。

（二）了解自由與責任

我們前面介紹過沙特所謂的「壞的信念」，人不能以自己的家庭環境、生肖、星座等為藉口，認為自己無能為力。沙特說：「我就是我自己的選擇。」我今天的狀態就是自己的選擇造成的，「我是一個人」意味著「我是自由的」，「人被判定為自由」，有了前面的自我覺察，接著就要將自由與責任連在一起。

（三）追求自我認同與建構人際關係

我要知道自己是誰，「自我認同」就是我知道自己的本質是什麼，我不再是別人思想的產物，不是別人塑造的，而要成為真正的自己。我要探索內心真正的需求，此一過程中難免有孤獨之感，但不應忘記：要與別人同行，一定要自己先站穩；要與別人建立關係，一定要先與自己建立關係。我和別人的關係建立在我的自我實現上，而非自我剝奪上，絕不能為了迎合別人而喪失自我。

（四）追尋生命的意義

我要問自己一生的意義來自何處？這一生到底要做些什麼？首先要放開舊的價值觀，從前種種譬如昨日死；但應當注意，放開的時候立刻要用新的價值觀來取代，否則會出現價值真空，令人無比困擾。有位作家說：「我一生中很擔心自己就像一本書中的一頁，別人匆匆翻過，沒有人認真去讀這一頁究竟寫了什麼。」這句話道出了每一個人的心聲。在追尋意義的過程中，要努力創造新的意義，沒有全身心地投入就不可能產生意義。做事應有獻身的態度，不論別人是否看重，只要自己下定決心，全力以赴，這件事對於自己就有全新的意義。

（五）發現焦慮是生存的一種現象

如果沒有焦慮，我們不能算是活著，也無法面對死亡。如果沒有焦慮，活著難道是在空中飄浮？面對死亡，誰又能不焦慮？自由與焦慮，就像自由與責任的關係，是一體之兩面。

（六）覺察死亡和虛無

如果我們恐懼死亡，代表我們沒有真實活過。一個人如果能真實地度過此生，該做的事已經做完，該跑的路已至終點，我們又何必擔心死亡的來臨，那是自古以來每一個人都要面對的生命關口。我們知道沒有永恆的時間來完成所有的計畫，因此會更加重視眼前這一刻。

以上是存在主義心理治療的基本觀念，它啟發我們先具備自我覺察能力，了解自由與責任的關係，再設法追求自我認同與構建人際關係。在追尋生命意義的過程中必然遇到焦慮，最後知道一切終將結束，但是一生中能夠做什麼、應該做什麼，還是要自己去勇敢選擇。

索引

一劃

二劃

三劃

四劃

五劃

六劃

七劃

八劃

九劃

十劃

十一劃

十二劃

十三劃

十四劃

十五劃

十六劃

十七劃

十八劃

十九劃

二十劃以上

國家圖書館出版品預行編目(CIP)資料

哲學與人生（上）/ 傅佩榮作. -- 第二版. -- 臺北市 : 遠見天下文化, 2018.01
冊 ; 公分. -- (文化文創 ; BCC026)
ISBN 978-986-479-368-6(上冊 : 精裝). --

1.人生哲學

191.9 106024280

文化文創 BCC026

哲學與人生（上）

全新修訂版

作　者 — 傅佩榮

總編輯 — 吳佩穎
責任編輯 — 方怡雯；陳孟君、李依蒔、李承芳（特約）
封面設計 — 江儀玲

出版者 — 遠見天下文化出版股份有限公司
創辦人 — 高希均、王力行
遠見・天下文化 事業群董事長 — 高希均
事業群發行人／CEO — 王力行
天下文化社長 — 林天來
天下文化總經理 — 林芳燕
國際事務開發部兼版權中心總監 — 潘欣
法律顧問 — 理律法律事務所陳長文律師
著作權顧問 — 魏啟翔律師
地 址 — 台北市 104 松江路 93 巷 1 號 2 樓
讀者服務專線 — (02)2662-0012　傳 真 — (02)2662-0007；2662-0009
電子信箱 — cwpc@cwgv.com.tw
直接郵撥帳號 — 1326703-6 號 遠見天下文化出版股份有限公司

排版 — 立全電腦印前排版有限公司
製版廠 — 東豪印刷事業有限公司
印刷廠 — 祥峰印刷事業有限公司
裝訂廠 — 精益裝訂股份有限公司
登記證 — 局版台業字第 2517 號
總經銷 — 大和書報圖書股份有限公司　電話／（02）89902588
出版日期 — 2018 年 1 月 30 日第二版第 1 次印行
2023 年 2 月 8 日第二版第 4 次印行

定價 — NT 500 元
ISBN — 978-986-479-368-6
書號 — BCC026
天下文化官網 — bookzone.cwgv.com.tw

天下文化
BELIEVE IN READING